Thomas Mann Jahrbuch · Band 19

THOMAS MANN JAHRBUCH

Band 19

2006

Begründet von
Eckhard Heftrich und Hans Wysling

Herausgegeben von
Thomas Sprecher und Ruprecht Wimmer

VITTORIO KLOSTERMANN · FRANKFURT AM MAIN

Herausgegeben in Verbindung mit der Deutschen Thomas-Mann-Gesellschaft
Sitz Lübeck e.V. und der Thomas Mann Gesellschaft Zürich

Redaktion und Register:
Katrin Bedenig

Gedruckt auf alterungsbeständigem Papier ⊛ISO 9706
Satz: Fotosatz L. Huhn, Maintal
Druck: Druckhaus Folberth, Pfungstadt
Printed in Germany
ISSN 0935-6983
ISBN 978-3-465-03468-1

Inhalt

Vorwort 7

Abhandlungen

Mathias Mayer: Thomas Manns ‚Heute'. Ethik und Ironie
der Menschlichkeit 9

Joachim Lilla: Mehr als „that amazing family". Harold Nicolson
und Thomas Mann 23

Ingeborg Robles: Ähnlichkeit und Differenz in Thomas Manns
frühen Erzählungen 51

Karl Ernst Laage: Theodor Storms Makler Jaspers in der Novelle
Carsten Curator. Ein Vorbild für Thomas Manns Makler Gosch
in den *Buddenbrooks* 71

Karl-Josef Kuschel: „Ist es nicht jener Ideenkomplex bürgerlicher
Humanität?" Glanz und Elend eines deutschen Rotariers –
Thomas Mann 77

Thomas Dürr: Mythische Identität und Gelassenheit in Thomas Manns
Joseph und seine Brüder 125

Rüdiger Görner: Thomas Manns lyrische Narratologie. Ästhetische
Fragestellungen im *Gesang vom Kindchen* 159

Thomas Sprecher: Das grobe Muster. Georges Manolescu und
Felix Krull 175

Rezension

Viola Roggenkamp: Erika Mann. Eine jüdische Tochter. Über Erlesenes
und Verleugnetes in der Frauengenealogie der Familie Mann-Pringsheim;
Thomas Mann und das Judentum. Die Vorträge des Berliner Kolloquiums

der Deutschen Thomas-Mann-Gesellschaft, hrsg. von Manfred Dierks
und Ruprecht Wimmer; Jacques Darmaun: Thomas Mann, Deutschland
und die Juden; Heinrich Detering: „Juden, Frauen und Litteraten".
Zu einer Denkfigur beim jungen Thomas Mann (Herbert Lehnert) . . 201

Bibliographie

Gregor Ackermann und Walter Delabar: 5. Nachtrag zur
Thomas-Mann-Bibliographie 231

Anhang

Siglenverzeichnis 239

Thomas Mann: Werkregister 241

Personenregister 245

Die Autorinnen und Autoren 255

Auswahlbibliographie 2004–2005 257

Mitteilungen der Deutschen Thomas-Mann-Gesellschaft,
Sitz Lübeck e.V. 273

Mitteilungen der Thomas Mann Gesellschaft Zürich 275

Vorwort

Auch der vorliegende Band enthält Abhandlungen zu verschiedenen The-menbereichen: von Mathias Mayer (*Thomas Manns 'Heute'. Ethik und Ironie der Menschlichkeit*), Joachim Lilla (*Mehr als „that amazing family". Harold Nicolson und Thomas Mann*), Ingeborg Robles (*Ähnlichkeit und Differenz in Thomas Manns frühen Erzählungen*), Karl Ernst Laage (*Theodor Storms Makler Jaspers in der Novelle „Carsten Curator". Ein Vorbild für Thomas Manns Makler Gosch in den „Buddenbrooks"*), Karl-Josef Kuschel (*„Ist es nicht jener Ideenkomplex bürgerlicher Humanität?" Glanz und Elend eines deutschen Rotariers – Thomas Mann*), Thomas Dürr (*Mythische Identität und Gelassenheit in Thomas Manns „Joseph und seine Brüder"*), Rüdiger Gör-ner (*Thomas Manns lyrische Narratologie. Ästhetische Fragestellungen im „Gesang vom Kindchen"*) und Thomas Sprecher (*Das grobe Muster. Georges Manolescu und Felix Krull*). Sie werden ergänzt durch Gregor Ackermanns und Walter Delabars *5. Nachtrag zur Thomas-Mann-Bibliographie* und die *Auswahlbibliographie 2004–2005*. Wir danken den Autorinnen und Autoren für die Erlaubnis zum Abdruck ihrer Beiträge im Jahrbuch.

Die Deutsche Thomas-Mann-Gesellschaft und das Heinrich-und-Thomas-Mann-Zentrum organisierten zum 50. Todestag Thomas Manns vom 7. bis 13. August 2005 in Lübeck verschiedene Veranstaltungen. Die zahlreichen Ansprachen und Vorträge, die dabei gehalten wurden, werden im Rahmen der Thomas-Mann-Studien veröffentlicht.

Die Herausgeber

Mathias Mayer

Thomas Manns ‚Heute'

Ethik und Ironie der Menschlichkeit[1]

Im Jahr seines 130. Geburtstages und 50 Jahre nach seinem Tod soll Thomas Mann nicht auf den Prüfstand des Heute gestellt werden, was wohl kaum zu bewältigen wäre, sondern selbst auf sein Verhältnis zu jenem sich von Tag zu Tag verschiebenden Heute befragt werden, das uns immer wieder in die Not und den Bann seiner Aufgaben und Pflichten stellt, um schon am anderen Tag überholt zu sein. Für einen Autor, der mit einer solchen Zuverlässigkeit im Tagebuch dem jeweiligen Heute Tribut gezahlt hat, der in seinen Romanen dem modernen Phänomen der Zeit eine zentrale Rolle anweist und der in seinen Essays und Reden den Jubiläen, der Wiederkehr eines ‚Heute', so bedeutende Aufmerksamkeit geschenkt hat, für einen solchen Autor gibt es kein beliebiges Verhältnis zum Heute. „Keinen Tag", so heißt es im *Fragment über das Religiöse*, „seitdem ich wach bin, habe ich nicht an den Tod und an das Rätsel gedacht" (XI, 424). „Die Forderung des Tages", als Sammelband mit Ansprachen, Erörterungen, Huldigungen und Hilfeleistungen aus den Jahren 1925 bis 1929 erschienen, ist von Helmut Koopmann[2] feinsinnig charakterisiert worden als vom Rang her nachgeordnete Publikation, die den Anspruch von *Adel des Geistes* und *Altes und Neues* nicht erreicht. Aber was hier als Tribut des Tagesgeschäftes erscheinen mag, läßt sich wohl auch in eine andere Richtung befragen, die das Relativitätsprinzip des Alltags zugleich als eine ernste Herausforderung annimmt. Das Vergängliche kann zum Gleichnis, aber auch zum Ereignis werden.

Die Frage nach dem Heute ist diejenige nach dem zeitlichen Standpunkt, von dem aus gehandelt und geurteilt wird, mit dem Blick zurück und dem Blick voraus. Die aktuelle Bedeutung eines Heute ist dabei in ihrer Relevanz immer wieder ausgehöhlt durch die Schnelligkeit, mit der es der Vergangenheit anheimfällt.[3] Und dennoch ist gerade der menschliche Lebensvollzug

---

[1] Vortrag vor der Jahresversammlung der Zürcher Thomas Mann Gesellschaft am 4. Juni 2005; Herrn Manfred Papst sei sehr herzlich für die Einladung gedankt.

[2] Helmut Koopmann: Nachwort, in: Thomas Mann: Die Forderung des Tages. Abhandlungen und kleine Aufsätze über Literatur und Kunst, hrsg. von Peter de Mendelssohn, Frankfurt/Main: S. Fischer 1986 (= Gesammelte Werke in Einzelbänden. Frankfurter Ausgabe), S. 373–390.

[3] In eine ähnliche Richtung fragt Thomas Sprecher: Thomas Manns Lob der Vergänglichkeit,

genau auf dieses Heute fixiert, das sich aber niemals festhalten läßt. Das Jetzt und Heute ist immer nur ein Allgemeines, das, nach Hegel, seine Wahrheit in der Gewesenheit findet.[4] Einer der philosophischen Gewährsleute Thomas Manns, Friedrich Nietzsche, hat diesen Blick auf das Heute im Dialog mit dem *Meistersinger*-Vorspiel Richard Wagners thematisiert und gleichzeitig als eine Lektion in der Auseinandersetzung mit Deutschland vorgeführt:

Ich hörte, wieder einmal zum ersten Male – Richard Wagner's Ouverture zu den *Meistersingern*: das ist eine prachtvolle, überladene, schwere und späte Kunst, welche den Stolz hat, zu ihrem Verständniss zwei Jahrhunderte Musik als noch lebendig vorauszusetzen [...],[5]

so heißt es bei Nietzsche, der dann „etwas Deutsches" darin wahrnimmt,

etwas Deutsches, im besten und schlimmsten Sinn des Wortes, etwas auf deutsche Art Vielfaches, Unförmliches und Unausschöpfliches; eine gewisse deutsche Mächtigkeit und Überfülle der Seele, welche keine Furcht hat, sich unter die Raffinements des Verfalls zu verstecken, – die sich dort vielleicht erst am wohlsten fühlt; ein rechtes ächtes Wahrzeichen der deutschen Seele, die zugleich jung und veraltet, übermürbe und überreich noch an Zukunft ist. Diese Art Musik drückt am besten aus, was ich von den Deutschen halte: sie sind von Vorgestern und von Übermorgen, – *sie haben noch kein Heute.*[6]

Vielleicht könnte man Nietzsches Diagnose mit der späteren Formulierung Thomas Manns von der *„Popularität* des Irrationalen" (XII, 671) zusammenstellen, mit der er 1931 dem aufkommenden Unwesen gegenzusteuern suchte. Dann wäre eine Möglichkeit angesprochen, Thomas Manns lebenslanges „Leiden an Deutschland" als eine Bemühung zu beschreiben, den Deutschen ihr ‚Heute', ihre Verantwortung, ihre Einordnung zu vermitteln – eine Aufgabe, die an den Reden und politischen Texten nachgezeichnet werden könnte. Und doch scheint es aufschlußreicher, gerade diese Ernsthaftigkeit des Heute dort zu verfolgen, wo sie weniger offensichtlich verhandelt wird – in den großen Romanen, in Erzählungen und Essays.[7]

---

in: Lebenszauber und Todesmusik. Zum Spätwerk Thomas Manns, hrsg. von Thomas Sprecher, Frankfurt/Main: Klostermann 2004 (= TMS XXIX), S. 171–182.

[4] Georg Wilhelm Friedrich Hegel: Phänomenologie des Geistes, hrsg. von Johannes Hoffmeister, Hamburg: Meiner 1952, S. 85.

[5] Friedrich Nietzsche: Jenseits von Gut und Böse; Zur Genealogie der Moral, hrsg. von Giorgio Colli und Mazzino Montinari, München/Berlin: Deutscher Taschenbuch Verlag/de Gruyter 1988 (= Sämtliche Werke. Kritische Studienausgabe, Bd. 5), S. 179.

[6] Ebd., S. 180.

[7] Es handelt sich um nicht mehr als einen ersten Versuch, an eine in der Forschung durchaus gegebene, gerade in letzter Zeit deutlicher profilierte Linie anzuschließen. So etwa: Walter Jens:

Der *Verfall einer Familie*, Thomas Manns erster Roman, ist als große epische Zeitenfolge auch eine Serie von Heute-Stationen. „Es war Donnerstag", heißt es gleich im ersten Kapitel, „der Tag, an dem ordnungsmäßig jede zweite Woche die Familie zusammenkam; heute aber hatte man, außer den in der Stadt ansässigen Familiengliedern, auch ein paar gute Hausfreunde auf ein ganz einfaches Mittagbrot gebeten [...]." (1.1, 13) Der jahrzehntelange Prozeß wird durch Hervorhebungen einzelner Momente gestaltet, um in dieser Technik der angehaltenen Zeit der jeweiligen Situation die Dringlichkeit des Heute zu verleihen, sie aber auch durch den Verfall des Heute wieder zu unterlaufen. Tony verlobt sich, wie sie in die Familienchronik einträgt, am 22. September 1845 mit dem nur zu bald als Bankrotteur auffliegenden Grünlich: Ja, es scheint so, als ob gerade die chronikartige Sachlichkeit, mit der in diesem Schreibheft Geburt, Kinderkrankheit, Schulbeginn und Konfirmation aufgeschrieben sind, zu ihrem Entschluß beiträgt, diesen heutigen Tag wenigstens durch dieses Ereignis festzuhalten und mit Bedeutung aufzuladen. Immer wieder ist es das Heute, dem sich – bleiben wir beim Beispiel der armen Tony – der Mensch stellen muß, und dem er viel von seiner persönlichen Substanz einzuflößen versucht. Im Widerstreit zwischen dem Anspruch und der durch die Zeit unvermeidlichen Banalität, die beide dem Heute anhaften, beweist sich gerade die – bemitleidenswerte – Menschlichkeit. Hochzeit, Geburt und Taufe, der Tod in der älteren Generation, des Konsul Buddenbrooks Tod, später der von Tonys Bruder Thomas, Tonys Scheidungen oder schließlich Hannos im Elften Teil ausführlich geschilderter Tag, sein Heute, dem kein Morgen mehr folgt, sondern nur noch der klinische Tod, – diese Staffelung von Heute-Erfahrungen, zerrieben zwischen individueller Bedeutsamkeit und zeitbedingter Hinfälligkeit, beleuchtet durch den ironischen Abstand der Erzählung, macht die Humanität dieses Textes aus.

Das Heute wäre gleichsam als herausgehobenes Moment menschlicher Existenz zu würdigen, als Aufgabe, die in Ernsthaftigkeit angegangen werden muß und doch nicht fixiert oder verabsolutiert werden kann. So trägt es denn zu der Rätselhaftigkeit der Erzählung vom *Kleiderschrank* nicht unwesentlich bei, daß ihr Held, Albrecht van der Qualen, weder Uhr noch Kalender besitzt, denn er „liebte es nicht, sich in Kenntnis über die Stunde oder auch nur den

---

Sinngebung des Vergänglichen – Thomas Mann, und Hans Küng: Gefeiert – und auch gerechtfertigt? Thomas Mann und die Frage der Religion, in: Walter Jens/Hans Küng: Anwälte der Humanität. Thomas Mann, Hermann Hesse, Heinrich Böll, München: Kindler 1989, S. 11–37, 81–157; Wolfgang Schneider: Lebensfreundlichkeit und Pessimismus. Thomas Manns Figurendarstellung, Frankfurt/Main: Klostermann 1999 (= TMS XIX); Thomas Klugkist: Der pessimistische Humanismus. Thomas Manns lebensphilosophische Adaption der Schopenhauerschen Mitleidsethik, Würzburg: Königshausen & Neumann 2002; Klaus Gerth: „Das Problem des Menschen". Zu Leben und Werk Thomas Manns, Seelze: Friedrich 2004, bes. S. 49 ff.

Wochentag zu befinden" (2.1, 195): Als einem Heute-Verweigerer bleibt ihm aber auch das Leben trotz allen Luxus' letztlich rätselhaft verschlossen.

Gegenüber der gekonnt epischen Handhabung des Heute im Generationen-roman der *Buddenbrooks* stellt *Der Zauberberg* die Auseinandersetzung mit der Jeweiligkeit der Zeit auf eine neue Grundlage.[8] Statt der geschichtlichen Folge von Heute-Episoden kommt nun eine stärker existentielle Perspektive in den Blick: Der siebenjährige Aufenthalt Hans Castorps auf dem magi-schen, magnetisch anziehenden Berg führt die Gefahren einer Entfremdung vom Heute vor Augen. Die ganz andere Zeitrechnung dieser weltenthobenen Atmosphäre relativiert immer stärker das Zeitbewußtsein des Flachlandes. Das führt zu jener eklatanten Dehnung, über die sich der Erzähler „selbst zu wundern gut tut, damit nicht der Leser auf eigene Hand sich allzusehr darüber wundere" (5.1, 279). So heißt es im Abschnitt „Ewigkeitssuppe und plötzliche Krankheit":

Während nämlich unser Rechenschaftsbericht über die ersten drei Wochen von Hans Castorps Aufenthalt bei Denen hier oben (einundzwanzig Hochsommertage, auf die sich menschlicher Voraussicht nach dieser Aufenthalt überhaupt hatte beschränken sollen) Räume und Zeitmengen verschlungen hat, deren Ausdehnung unseren eigenen halb eingestandenen Erwartungen nur zu sehr entspricht, – wird die Bewältigung der nächsten drei Wochen seines Besuches an diesem Orte kaum so viele Zeilen, ja Worte und Augenblicke erfordern, als jener Seiten, Bogen, Stunden und Tagewerke gekostet hat: im Nu, das sehen wir kommen, werden diese drei Wochen hinter uns gebracht und beigesetzt sein. (5.1, 279)

Die Großzügigkeit des Zeitdenkens auf dem Berg führt hier bereits meta-phorisch die Gefahr des Ewigen mit sich, die bedrohliche Annäherung an überzeitliche, d.h. jenseitige, mithin lebensfremde Zeiträume, aus denen das Bewußtsein eines aktuellen Heute zu verschwinden droht. Daß Hans Cas-torp, seitdem er „hier oben" ist, freiwillig darauf verzichtet, sich um Politik zu kümmern und die Zeitung zu lesen, zieht ihm den Tadel Settembrinis zu: „Er zeigte sich sofort aufs beste unterrichtet über die großen Verhältnisse" (5.1, 573). Konsequent ist daher Settembrinis aufgeklärte Musikskepsis, wenn er in ihr die Gefahr einer künstlich herbeigeführten Bewußtlosigkeit wit-tert; er plädiert für eine sittliche, wache, lebensvolle Einstellung gegenüber der Musik, d. h. er verurteilt ihre opiatische, einschläfernde Wirkung, die zu

---

[8] Diese Fragestellungen sind in der *Zauberberg*-Forschung vielfach behandelt worden, nur stellvertretend seien hier genannt: Ulrich Karthaus: Der „Zauberberg" – ein Zeitroman (Zeit, Geschichte, Mythos), in: Deutsche Vierteljahrsschrift für Literaturwissenschaft und Geistes-geschichte, Nr. 44 (1970), S. 269–305; Auf dem Weg zum „Zauberberg". Die Davoser Literaturtage 1996, hrsg. von Thomas Sprecher, Frankfurt/Main: Klostermann 1997 (= TMS XVI).

einem Vergessen der Zeit, zu einem Ewigkeitsgefühl zu werden droht. Der von ihm so genannte „asiatische Stil" eines großzügigen Zeitverbrauchs steht der europäisch-fortschrittlichen Nutzung der Zeit entgegen. Settembrini rät Hans Castorp daher energisch zur Abreise, zur Flucht vor der anhaltenden Verzauberung durch die Zeitlosigkeit (5.1, 375 f.). Im „Strandspaziergang" des 7. Kapitels wird so die „Verwirrung und Verwischung der zeitlich-räumlichen Distanzen bis zur schwindeligen Einerleiheit" (5.1, 824) offengelegt, mit all ihren Momenten der Desorientierung, des Wirklichkeitsverlustes und damit auch der moralischen Beliebigkeit: „dort ist wie hier, vorhin wie jetzt und dann; in ungemessener Monotonie des Raumes ertrinkt die Zeit, Bewegung von Punkt zu Punkt ist keine Bewegung mehr, wenn Einerleiheit regiert, und wo Bewegung nicht mehr Bewegung ist, ist keine Zeit" (5.1, 825).

Auch die entsprechende Gefährdung im großen „Schnee"-Kapitel rückt die entscheidende Qualität des ‚Heute' in den Blick: Im *Zauberberg* erscheint das Heute nicht mehr allein als individuell-menschliche Erlebnisform jener Zeitlichkeit, die ihren Horizont in der Vergänglichkeit, also im Tod erfährt. Für die *Buddenbrooks* könnte man sagen, daß dort das jeweilige Heute sich im Kreislauf der Geschichte als zweistelliges Verhältnis des Einzelnen zum Tod erweist. Der *Zauberberg* dagegen erweitert diese Konstellation von der Zweigleisigkeit zu einer Dreier-Beziehung: Der drohende Verlust des Heute erscheint nicht nur als gefährliche Auslieferung an den Tod, sondern dieser Respekt für das Heute ist einem dezidiert sozialen, sittlichen Engagement geschuldet. Das Vergessen des Heute wird nicht nur individuell gefährlich, sondern auch zu einer sozialen, politischen Gefahr. Das Szenarium der Verantwortungslosigkeit, wie es am Ende die Katastrophe des Weltkrieges zeichnet, ist somit die allegorische Konsequenz dieser Geschichte: Der Aufenthalt in der Magie der Zeitlosigkeit zeigt sich als soziale Katastrophe; die Verantwortung für das Heute ist nicht mehr länger eine bloß individuelle, sie wird auch zu einer kollektiven Komponente.

Den tiefsten, weitesten Blick in den „Brunnen der Vergangenheit" werfen freilich die *Josephs*-Romane, deren grandiose „Mondgrammatik" (IV, 121) es schon mit der Individualität nicht ganz so genau nehmen kann und sich damit zunächst, wie es scheint, in Opposition zum *Zauberberg* bringt. Jetzt aber sind es vor allem die Zeiträume, etwa die Lebensspanne Jaakobs oder auch die Dauer, die Joseph zwischen dem Verkauf durch seine Brüder und der späteren Haupterhebung durchmachte, – diese Zeiträume sind es vornehmlich, die sich eine nur dem Mythos adäquate „Mondlicht-Genauigkeit" (V, 1725), also Unschärfe, gefallen lassen müssen.[9] Aber diese mythische Überschwemmung

---

[9] Keith Leopold: The time levels in Thomas Mann's „Joseph the provider", hrsg. von Manfred

eines einzelnen Heute führt nicht zur Auslieferung an einen besinnungslosen Historismus oder gar Irrationalismus, sondern sie findet ihr bald ironisches, bald reflektierendes Gegengewicht in der Präsenz des Erzählers, der den biblischen Stoff immer wieder ins Licht heutiger Vermittlung stellt; so kommt es, daß dem Prozeß des Erzählens hier eine nicht nur poetologische Legitimation, sondern auch eine soziale Rolle zugesprochen werden kann. Das mittlere Hauptstück von *Joseph in Ägypten* enthält zu der Frage, „Wie lange Joseph bei Potiphar blieb", die für den gesamten Romanzyklus entscheidende Erörterung: „Ist es gehörig und dem Wesen der Erzählung gemäß, daß der Erzähler ihre Daten und Fakten nach irgendwelchen Überlegungen und Deduktionen öffentlich errechnet?" Aber der Erzähler will und soll gerade nicht so in der Geschichte verschwinden, daß er unsichtbar würde: „der Erzähler", so heißt es weiterhin, „ist zwar in der Geschichte, aber er ist nicht die Geschichte; er ist ihr Raum, aber sie nicht der seine, sondern er ist auch außer ihr, und durch eine Wendung seines Wesens setzt er sich in die Lage, sie zu erörtern. Niemals sind wir darauf ausgegangen, die Täuschung zu erwecken, wir seien der Urquell der Geschichte Josephs" (IV, 821). Vielmehr, so könnte man einschalten, ist diese Geschichte nur als doppelte, mythisch und aktuell, einst und heute erzählbar, so wie sie zwischenzeitlich vielfach und immer wieder neu erzählt wurde. Dazu noch einmal Thomas Mann: „Hundertmal ist sie erzählt worden und durch hundert Mittel der Erzählung gegangen. Hier nun und heute" – heißt es auf Seite 821 des Riesenwerkes – „geht sie durch eines, worin sie gleichsam Selbstbesinnung gewinnt und sich erinnert, wie es denn eigentlich im Genauen und Wirklichen einst mit ihr gewesen, also, daß sie zugleich quillt und sich erörtert" (IV, 821).

Somit hat sich die soziale Komponente des *Zauberbergs* um die *erzählerische* Dimension des vermittelten Heute noch einmal erweitert: Das Heute rückt in eine Ethik des Erzählens vor.

Das Heute nicht als Selbstverständlichkeit, sondern als Anlaß und Gelegenheit, von einem zeitlichen Standpunkt aus über das Verhältnis zu einem historischen Gegenstand nachzudenken und diesen an der heutigen Besinnung zu messen, begegnet im essayistischen Werk immer wieder. Freilich gehört dann der umgekehrte Fall hinzu, nämlich auch das Heute aus dem Licht des Vergangenen zu perspektivieren, das Heute gerade nicht als selbst-

Jurgensen, New York/Bern/Frankfurt am Main: Lang 1985, S. 149–165; Dietmar Mieth: Epik und Ethik. Eine theologisch-ethische Interpretation der Josephs-Romane Thomas Manns, Tübingen: Niemeyer 1976; Helmut Koopmann: Thomas Mann. „Joseph und seine Brüder", in: Große Werke der Literatur, Bd. 5, hrsg. von Hans Vilmar Geppert, Tübingen/Basel: Francke 1997, S. 207–244; Dieter Borchmeyer: „Zurück zum Anfang aller Dinge". Mythos und Religion in Thomas Manns Josephsromanen, in: TM Jb 11, 1998, S. 9–29.

verständlich, viel eher als fragwürdiges Maß in der Kontinuität des Vergänglichen zu verstehen.

Wie viele Gedenkmomente sind den großen Reden und Essays eingeschrieben: sei es Dürer 1928, Lessing 1929 oder Goethe 1932, *Leiden und Größe Richard Wagners* zum 50. Todestag, *Freud und die Zukunft* zum 80. Geburtstag, gigantisch ist die Zahl der einem Datum gewidmeten Texte – auch Tischreden und Nachrufe gehören dazu –, die Goethetexte von 1949 oder der *Versuch über Schiller* zum 150. Todestag, 1955: Immer wieder lassen sich diese Ausführungen von der Ambivalenz zwischen Geschichtlichkeit und Äußerlichkeit eines solchen Anlasses zumindest anregen. Schon in der Würdigung Chamissos von 1911 bemerkt er nicht ohne Distanz:

> Wir Heutigen, die wir weniger an das ,Herz' als vielmehr an Rasse und Blut glauben und diesen Glauben vielleicht bis zum Aberglauben übertreiben, mögen hier zum Zweifel neigen; und in der Tat wäre heute, unter dem Druck einer allgemeinen Devotion vor der bindenden Macht des Blutes, der Fall Chamissos auch subjektiv kaum möglich. (14.1, 313)

Es ist wenig überraschend, daß mit der Wende Thomas Manns in den 20er Jahren die Verantwortung für das Heute dringlicher gestellt wird. Das beginnt bereits im großen Essay *Goethe und Tolstoi*, wenn dort die Frage gestellt wird, ob die „mediterran-klassisch-humanistische Überlieferung eine Menschheitssache" oder angesichts des Faschismus nur eine Episode sei (15.1, 928). So wird ausdrücklich der Augenblick aufgerufen, sich seiner Verantwortung bewußt zu werden, „unsere großen humanen Überlieferungen mit Macht zu betonen und feierlich zu pflegen" (15.1, 933). Es wird Lessing beschworen, „der einst so Lebendige, Gegenwärtige", der „heute eine historisch bedingte Gestalt ist", dessen Rationalismus „heute nicht mehr rein lebensgültig ist" (IX, 244), und der doch im Sinne des Heutigen eine Leitfigur sein kann.

Ganz deutlich wird diese Forderung des Tages dann auf der *Meerfahrt mit ,Don Quijote'* entwickelt, 1934, wo es zu einem differenzierten Plädoyer für das Zeitgemäße kommt:

> Um der Zukunft vorarbeiten zu können, muß man nicht nur ,zeitgemäß' im Sinn der aktuellen Bewegung sein, an der jeder Esel teilhat, voller Stolz und von Verachtung überwallend gegen den rückständigen Liberalisten, der auch noch von etwas anderem weiß. Man muß seine Zeit ganz in ihrer Komplexheit und Widersprüchlichkeit in sich haben, denn Vielfaches, nicht eines nur, bildet die Zukunft vor. – (IX, 465)

Dem Schriftsteller wird (1930 in Den Haag) Repräsentativität für die Zeit auferlegt (X, 300), es geht um Anpassung an die Erfordernisse der Weltstunde

(X, 370). Die Frage nach dem Heute als Frage nach der Verantwortung, nach dem Engagement gestellt: diese Perspektive wäre an das in der Forschung stets zentral behandelte Goetheporträt zu richten, das Thomas Mann aus vielen Brechungen und in schillernden Facetten in *Lotte in Weimar* gezeichnet hat. Im morgendlichen Gespräch zwischen der sechzigjährigen Lotte und dem notorisch unzufriedenen Dr. Riemer mit seinen „etwas hervorquellenden Augen" und der „geraden, fleischigen Nase" (9.1, 50) steht wie natürlich der Geheimrat im Mittelpunkt. Riemer kann sich in Goethes Nähe nicht wohlfühlen, denn nicht Milde oder Konzilianz verspürt er dort, sondern Einerleiheit, Kälte, Gleichmut, ja „die Neutralität und Indifferenz der absoluten Kunst" (9.1, 92). Er bringt sie auf die Formel der „umfassenden Ironie" und beruft sich dazu auf ein Wort Goethes, der sagte: „„Ironie […] ist das Körnchen Salz, durch welches das Aufgetischte überhaupt erst genießbar wird'" (ebd.). Freilich ist dabei im Auge zu behalten, daß es die Wahrnehmung eines von Natur und Leben vernachlässigten Adjutanten ist, die hier formuliert wird, aus der Froschperspektive gleichsam, von unten gesehen. Dennoch wird auch Lotte im Lauf ihres Wiedersehens mit Goethe die Züge der Kälte, der zeremoniellen Disziplin schmerzlich und enttäuschend wahrnehmen. Daß Goethes Kunst als „absolute Kunst" bezeichnet wird, deutet auf diejenige Distanz, die Loslösung, ab-solutio, von der menschlichen Wärme, die ästhetisch als Ironie gefaßt werden mag. Diese Kunst der indifferenten Neutralität scheint aber gerade darin ihren Preis zu haben, daß sie sich von der Teilnahme am Menschlichen, am Relativen und Heutigen zu entfernen versucht und sich in die Kälte des Absoluten zurückzieht: Der Roman illustriert diesen Rückzug aus der Verantwortung vor dem Heute durch die Vermeidungstaktiken, mit denen Goethe dafür gesorgt hat, daß sein Sohn August nicht direkt in die Befreiungskriege gegen Napoleon 1813 involviert wird.

Eine Poetik des Heute, so könnte man umgekehrt sagen, wäre eine Poetik der Teilnahme, die zwar nicht dem Heutigen hinterherläuft, aber es auch nicht ausschließt. Nur freilich läßt sich Thomas Manns Goethe-Dialog keineswegs auf solche harmlosen Oppositionen festlegen, denn der Ironiker des 20. Jahrhunderts ist nicht zuletzt in die Schule von Goethes umfassender Ironie gegangen: So schließt sich in dem fein konstruierten *Lotte*-Roman denn auch der Kreis auf seinerseits ironische Art und Weise, in dem der unter Kälteverdacht stehende Olympier gerade selbst über diese Phänomene nachdenkt. Im berühmten Siebenten Kapitel überhört er, wie es zunächst scheint, den von August angesprochenen Besuch der gealterten Lotte, weil er seine Begeisterung ganz auf einen Kristall richtet, einen Hyalit, einen Glasopal. Aber indem er die vermeintliche Gleichgültigkeit und kalte Distanz zu bestätigen *scheint*, wendet er sich gerade *mit* diesem Beispiel von der leblosen, toten

Ewigkeit eines solchen Gegenstandes ab und plädiert für das Organische, für das Biographische und Lebendige, darin auch Vergängliche:

‚Oede und sterbenslangweilig, mein Lieber, ist alles Sein, das in der Zeit steht, statt die Zeit in sich selbst zu tragen und seine eigene Zeit auszumachen, die nicht geradeaus läuft nach einem Ziel, sondern als Kreis in sich selber geht, immer am Ziel und stets am Anfang, – ein Sein wäre das, arbeitend und wirkend in und an sich selber, sodaß Werden und Sein, Wirken und Werk, Vergangenheit und Gegenwart ein und dasselbe wären und sich eine Dauer hervorthäte, die zugleich rastlose Steigerung, Erhöhung und Perfektion wäre. Und so fortan.' (9.1, 359)

Die Entfernung vom Heute wird damit durch eine „antäische Compensation" (9.1, 336) ausgeglichen, Goethe bewahrt Bodenhaftung zum Menschlich-Heutigen, indem auch für Lotte nicht die kalte Pracht des offiziellen Mittagessens (im 8. Kapitel) das letzte Wort bleibt, sondern sich abschließend ein persönlicheres Wiedersehen ergibt, nur zu zweit, in Goethes Kutsche auf dem Rückweg vom Theater. Die Ironie wird somit nicht auf ein Entweder-Oder festgelegt und vom Standpunkt der Humanität aus verworfen, sondern sie wird in den Kreislauf humaner Kunst eingebunden, der auch, aber nicht nur, dem Heutigen seine Bedeutung zugesteht.

Nach dem bisher Beobachteten ist es nicht überraschend, wenn sich der *Doktor Faustus* als die konsequente Einlösung zerstreuter Heute-Erfahrungen im Werk von Thomas Mann herausstellt. Die Linien vom Verfall einer Familie, von der sozialen Komponente des Heute – aus dem *Zauberberg* –, von einer der Zeit sich stellenden Poetik und noch die von Nietzsches Abrechnung mit den Deutschen, die kein Heute haben, werden hier zusammengeführt.

Doktor Faustus ist der einzige Roman, der von der ersten Seite an eine – freilich fiktive – Chronologie der Schreibgegenwart entfaltet.[10] Von jenem „heute", dem 23. Mai 1943, an, an dem der Autor in Kalifornien und der Erzähler Zeitblom die Geschichte des deutschen Tonsetzers zu schreiben beginnen, bis zur „Nachschrift" in einem befreiten Deutschland reicht der Bogen der immer wieder sichtbar gemachten Erzählzeit. Auf der anderen Seite wölbt sich der beschriebene Lebenslauf Leverkühns über die einzeln aufgeführten Stationen – vor und nach dem Ersten Weltkrieg – bis hin zu seinem symbolisch auf-

---

[10] Paul Gerhard Klussmann: Thomas Manns „Doktor Faustus" als Zeitroman, in: Thomas-Mann-Symposion Bochum 1975, hrsg. von Paul Gerhard Klussmann und Jörg-Ulrich Fechner, Kastellaun: Henn 1978, S. 82–100; Helmut Wiegand: Thomas Manns „Doktor Faustus" als zeitgeschichtlicher Roman. Eine Studie über die historischen Dimensionen in Thomas Manns Spätwerk, Frankfurt/Main: Fischer 1982 (= Frankfurter Beiträge zur neueren deutschen Literaturgeschichte, Bd. 1); Jörg Tenckhoff: Das Prinzip der Verantwortlichkeit in Thomas Manns „Doktor Faustus", in: „In Spuren gehen…". Festschrift für Helmut Koopmann, hrsg. von Andrea Bartl u.a., Tübingen: Niemeyer 1998, S. 339–355.

geladenen Todestag, dem 25. August 1940, exakt vierzig Jahre nach Nietzsches Tod.

Auch der stilisierten Betulichkeit des Serenus Zeitblom ist dieses vielfach beschriebene Verhältnis präsent, das denn auch nicht im Einzelnen nachgezeichnet zu werden braucht, aber im Dienst einer Logik, ja einer Ethik des Heute vielleicht noch einmal befragt werden kann. Nehmen wir dazu jene herausgehobene Passage zur Hand, am Beginn des 26. Kapitels, das eine Art Rechtfertigung für die Überlänge des vorausgegangenen unternimmt: im zentralen 25. war es ja zu der so ausführlich geschilderten Teufelsbegegnung gekommen, über deren Abfassung, wie der Erzähler umständlich berichtet, der „April 1944 herangekommen ist":

Selbstverständlich meine ich mit diesem Datum dasjenige, unter dem ich selbst mit meiner Tätigkeit stehe, – nicht das, bis zu welchem meine Erzählung fortgeschritten ist, und das ja auf den Herbst 1912, zweiundzwanzig Monate vor Ausbruch des vorigen Krieges, lautet, als Adrian mit Rüdiger Schildknapp von Palestrina nach München zurückkehrte und für sein Teil zunächst in einer Schwabinger Fremdenpension (Pension Gisella) Wohnung nahm. Ich weiß nicht, warum diese doppelte Zeitrechnung meine Aufmerksamkeit fesselt, und weshalb es mich drängt, auf sie hinzuweisen: die persönliche und die sachliche, die Zeit, in der der Erzähler sich fortbewegt, und die, in welcher das Erzählte sich abspielt. Es ist dies eine ganz eigentümliche Verschränkung der Zeitläufe, dazu bestimmt übrigens, sich noch mit einem Dritten zu verbinden: nämlich der Zeit, die eines Tages der Leser sich zur geneigten Rezeption des Mitgeteilten nehmen wird, so daß dieser es also mit einer dreifachen Zeitordnung zu tun hat: seiner eigenen, derjenigen des Chronisten und der historischen. (VI, 334f.)

Die „düstere Vehemenz" des Historischen trifft dabei weit mehr auf die Zeit des Chronisten selbst als diejenige der Biographie Leverkühns zu. In großen Schritten ist im Roman vom Unterseeboot-Krieg (Kap. XXI: VI, 229) die Rede, vom verlustreichen Kampf um Odessa (Kap. XXVI: VI, 335), und von der Invasion Frankreichs (Kap. XXXIII: VI, 447) und schließlich von der Schande, die die Bilder aus Buchenwald für alle Zukunft bedeuten (Kap. XLVI: VI, 637f.). Die Betonung dieser Zeiterfahrung des Chronisten folgt dabei, und das ist zu betonen, keineswegs einer chronologischen Notwendigkeit: Denn die Musikerbiographie endet ja mit dem Sommer 1940, während ihre Niederschrift den Zeitraum 1943 bis 1945 in Anspruch nimmt. Das Nacheinander wird aber im Roman als ein kompliziert geschichtetes und überdies mehrfach thematisiertes Ineinander dargestellt. Das ist nicht nur eine Strategie besonderer Intensität und Authentizität, wenn wir erfahren, daß Zeitblom im Jahr 1944 die Ereignisse von 1912 erzählt: Sondern durch die Verschränkung der Zeitebenen stellt sich die Frage nach der Dringlichkeit dieses – eben nicht chronologischen – Zusammenhangs. Verkürzt könnte man sagen, daß Leverkühns Lebenslauf symptomatische Bedeutung annimmt für die Katastrophe, deren zeitliches Ende er gar nicht mehr erleben konnte und mußte. Gerade dieser Zusammenhang prägt ja deshalb auch die Auseinandersetzung über den *Doktor Faustus*: Daß es nicht nur ein Musikerroman, ein Fauststoff ist, sondern daß es zugleich und vor allem ein Deutschland- und ein Nietzsche-roman ist. Nietzsche ist dabei nicht nur derjenige, der das Bordell-Erlebnis und den syphilitischen Tod geliehen hat, sondern der eben in seiner Lektüre des *Meistersinger*-Vorspiels die gefährliche Beobachtung angestellt hatte, daß diese Deutschen „noch kein Heute" haben. Das aber hatten sie vierzig Jahre nach Nietzsches Tod noch immer nicht, vielmehr sich in die zeitlosen Illusio-nen eines tausendjährigen Reiches geflüchtet.

Leverkühn, und hier laufen kritische Linien aus Settembrini einerseits und dem Roman-Goethe andrerseits zusammen, ist mit seinem mehrfach bezeugten Hochmut, seiner erschreckenden Kälte und dem Lachen selbst ein Opfer jener lebensfernen Musik, die hier „Zweideutigkeit als System" (VI, 66) genannt und als solche problematisiert wird. Seine negative Ästhetik, sein Verständnis der Kunst als Parodie (VI, 180), Schein und Spott (VI, 241 f.; VI, 365 f.), kommt freilich von einer Seite auch dem Verfahren Thomas Manns entgegen; aber gerade indem sein Roman durch die Einschaltung des Erzäh-lens eine Ebene der Vermittlung – zeitlich, narrativ, ironisch – bietet, stellt er neben die negative Ästhetik eine weitere Komponente, über die Leverkühn *nicht* verfügt: Eine soziale, bis auf den Leser des Romans vorgreifende Ver-mittlung und Verbindlichkeit, die die Gefahr asozialer Zweideutigkeit zu bannen vermag. Eben indem die Verschränkung der Ebenen den Roman auf eine soziale Komponente einschwört, setzt er sich kritisch von der Kunst-reinheit der Musik auch wieder ab, so sehr sie zum Kern des Romans gehört. Das jeweilige Heute wird dabei auf eine sehr komplexe Art legitimiert und in seiner Verantwortung sichtbar gemacht: Das historische Heute – als Kata-strophe einer deutschen Mission – wird mit der Biographie Leverkühns, aber auch mit der Lektüre durch den Leser verschränkt.

Nach der experimentierfreudigen Engführung von Rückblick und Gegen-wart im *Doktor Faustus* entfernt sich Thomas Mann im Bereich der Legende am weitesten von jeder Anbindung ans Heute. *Der Erwählte*, im Schatten zwischen den großen Leistungen der Altersromane, *Faustus* und *Krull*, ohne ihnen an erzählsprachlicher Eigenwilligkeit nachzustehen, wie ich meine, – als mittelalterlicher Legendenroman, eine katholische Geschichte aus protestan-tischer Perspektive, verweigert sie geradezu die im *Faustus* so entscheidende Nähe zu jeder heutigen Datierung. Umständlichkeit und Betulichkeit Zeit-bloms sind zwar nicht gar so weit entfernt von den Legitimationsnöten jenes Klerikers, Clemens des Iren, der als Gast in der St. Gallener Bibliothek die unerhörte Geschichte verschriftlicht, aber der personifizierte „Geist der Erzählung" treibt sein Spiel mit dem Leser besonders raffiniert. Etwa, indem er ihn über das Heute der Niederschrift gerade im Unklaren läßt: Dem Leser wird es direkt unter die Nase gehalten, daß

… ich ihn zwar mit der Angabe des Ortes versehen habe, wo ich sitze, nämlich zu Sankt Gallen, an Notkers Pult, daß ich aber nicht gesagt habe, zu welcher Zeitenstunde, in dem wievielten Jahre und Jahrhundert nach unseres Retters Geburt ich hier sitze und das Pergament mit meiner kleinen und feinen, gelehrten und schmuckhaften Schrift bedecke. (VII, 14)

Ja, auf die Nachfrage nach dem Zeitpunkt wird ausdrücklich die Auskunft verweigert: „Da gibt es überhaupt nichts zu wissen". Die Legende wird somit zur ‚kristlichen' Entsprechung des Mythos, der hier auch im engeren Sinn durch die Spiegelung des Ödipusstoffes anwesend ist. Entsprechend wird auch die Zeitlosigkeit von Mythos und Legende eingefordert, wenn Gregorius 17 Jahre auf dem Stein Buße tut: In der Wiederholung und Eintönigkeit dieses Geschehens büßt die Zeit „an Dimension ein und schrumpft zusammen" (VII, 194), zwanghaft klein, wenn sie nichts ist als Zeit und „keinen Gehalt an Ereignissen" bietet. Eine kleine Theorie der Zeit wird unter der Hand geboten: Erst die Ereignishaftigkeit, nur ein Moment, der als ‚Heute' herausgehoben zu werden verdient, macht die Zeit aus dem wesenlosen Einerlei zur wahrgenommenen Zeit. Erst das Heute erschafft somit die Zeit, die als bloßer Behälter des Mythos zur Wesenlosigkeit verdampft. Das hat ernsthafte Konsequenzen für die Erzählweise: Auch als Legende oder Mythos ist sie auf die Besonderheit, den jeweiligen, den jeweils heutigen Zeitpunkt angewiesen. Insofern könnte man geradezu sagen, daß *Der Erwählte* als Vermeidung historischer Datierung besonders klar die Macht des Erzählens zum Ausdruck bringt. Der „Geist der Erzählung", der alle Glocken Roms läuten läßt, bestimmt über die Bedeutung von Zeit*punkten* wie über die Belanglosigkeit von Zeit*strecken*. Der Leser ist ganz auf die Konzilianz der Erzählung angewiesen; indem sie das Heute ausspart, wie in der Legende, unterstreicht sie besonders die Bedeutung der durch den Erzähler zugestandenen oder verweigerten Zeit.

Ein weltlich ‚Erwählter' ist in gewisser Weise auch *Felix Krull*, ein Glückskind des Lebens und der Frauen, der zwar seine abenteuerliche Lebensgeschichte als müder Vierzigjähriger schreibt, aber doch sich in allen Stationen zurechtzufinden wußte. Statt der parodierten Legende nun also eine parodierte Autobiographie, *Bekenntnisse* bzw. *Memoiren*, die notwendigerweise von einem späteren Zeitpunkt aus den Blick zurückwerfen auf die attraktiven Erfahrungen des gutaussehenden jungen Mannes. War in der Legende der

Bezug auf das Heute mutwillig durch den „Geist der Erzählung" gekappt
worden, so wird er bei Krull generös – unterschlagen; der Umgang mit der
Zeit ist hier nicht legendär, sondern eher kriminalistisch, sie wird weitgehend
ausgespart. Nur ein exaktes Datum, den 25.8.1895, erfahren wir im Brief
Krulls an die vermeintlichen Eltern in Luxemburg.

Aber die gänzliche Aussparung des Heute, so könnte man sagen, wird auf
andere Art, und humoristisch, eingeholt: Im Gespräch auf der Zugfahrt von
Paris nach Lissabon wird Krull durch den Paläontologen Prof. Kuckuck in die
Belanglosigkeit jedes Heute eingewiesen. Es ist die humorvoll-wissenschaft-
liche Aufhebung jeglicher Heutigkeit, die angesichts von Dinosauriern und
Neandertalern nachher im Lissabonner Naturkundemuseum eingelöst wird.
Das Leben nur als Episode zu sehen, im Maßstab der Äonen sogar als eine sehr
flüchtige (VII, 538), das ist eine Relativitätstheorie, die ebenso mystisch wie
ironisch genannt werden kann: Denn die Parallele des Nichtvergleichbaren,
eines Frauenarmes mit dem Krallenflügel des Urvogels, stellt das erlebte
Heute in Relation zur unübersehbaren Entwicklungsgeschichte der Lebewesen, ein humorvoller Kontrast, der von wissenschaftlicher Sachlichkeit zeugt
und doch die Relevanz des Augenblicks nicht aufzuheben vermag. Schließlich
ist im Fall des Falles immer der noch so vergängliche Frauenarm lebendig,
der Urvogelflügel aber von musealer Unlebendigkeit und Abstraktheit. Die
Spekulationen über die Begrenztheit des Seins bereiten somit jenes *Lob der
Vergänglichkeit* vor, das das Heute, als Inbegriff menschlicher Lebendigkeit
und Lebensnotwendigkeit, ebenso aufhebt wie rechtfertigt: Aufhebt, weil
jedes Heute nur Teil des Verfalls an die Macht der Zeit ist, und rechtfertigt,
weil *nur* das Episodische und Vergängliche interessant *und* beseelt sei (VII,
547). Hier wird Thomas Manns „pessimistischer Humor" virulent (XI, 803),
jene Ambivalenz des Heute, in der man um seine Überholtheit weiß und doch
seine Aktualität nicht aufgeben kann. Das Heute ist somit gerade in diesem
Zwischenzustand das Maß des Menschlichen, eines Menschlichen, das sich
ebenso als ein Soziales wie auch als ein Poetisches erweist: Ohne die besagte,
prekäre Kraft des Heute könnte das Imperfekt nicht raunend beschreiben,
und die Tiefe des Brunnens der Vergangenheit läßt sich immer wieder nur
vom Rand eines Heute aus ermessen.

So steht die Erörterung *heute* am Rand eines solchen Brunnens, mit einer
Reflexion auf das doppeldeutige Gesicht des Heute in den Texten Thomas
Manns. Daß es die Wiederkehr von Geburts- und Todesdaten ist, die zu
dieser Erörterung einlädt, gibt dem ganzen Unternehmen eine eigene Rechtfertigung. Und doch wird eine solche Erörterung des ‚Heute' gut daran tun,
vom rein Biographischen abzusehen; wie möchte man mit einem Eintrag ins
Tagebuch wie dem vom denkwürdigen Sylvesterabend 1945 umgehen? „/Ein

ungeheures Jahr geht zu Ende,/ überfüllt mit weltverändernden Ereignissen. Daß mein 70. Geburtstag mitten hinein fiel, war eine /hübsche Regie-Ver-fügung./" (Tb, 31.12.1945)

Hier kommt jene Ambivalenz deutlich zu kurz, die in einem Verfahren ironisch ausgleichender Gerechtigkeit das Heute jeweils in die Horizonte von Vergänglichkeit und Verantwortung gestellt hat. Dem jeweiligen Heute in einem solchen Sinne gerecht zu werden, hieße gerade, es nicht zu vernach-lässigen; noch auch es zu überschätzen.

Hatte das Nietzschezitat zu Beginn eine Aufforderung zur sozialen Wahr-nehmung des Heute formuliert, so kann am Schluß ein anderer Gewährsmann Thomas Manns, nämlich August von Platen, die Relativierung des Heute bezeugen. Thomas Mann hat dieses Diktum Platens immer wieder zitiert, als einen „durchdringend melancholischen aber auch radikal tröstlichen Gedan-ken" (so am 25.3.1901 an Heinrich Mann; 21, 162): „Dem frohen Tage folgt ein trüber,/ *Und Alles hebt zuletzt sich auf*",[11] aber die Balance einer „Ethik und Ironie" des Heute, sie ist allein das Werk des *Dichters* Thomas Mann. Wobei Ethik und Ironie einander nicht ausschließen, sondern einander bedingen: Die Ironie des Heute liegt in seinem unaufhaltsamen Verfall; diesen muß eine Ethik des Heute auszugleichen versuchen. Und das ist nicht nur ein sozia-les, es ist vor allem ein dichterisches Unterfangen. Aber das wäre ein neues Thema. Und für *heute* mag es vorerst genug sein.

---

[11] Platens Gedicht *Antwort* hat Thomas Mann auch schon am 25.10.1898 gegenüber Otto Grau-toff zitiert (21, 106), dann wieder am 19.6.1903 gegenüber Paul Ehrenberg (21, 228).

Joachim Lilla

Mehr als „that amazing family"

Harold Nicolson und Thomas Mann

Wenn im Zusammenhang mit Thomas Mann der Name Harold Nicolson fällt, ist fast immer die erste Assoziation Harold Nicolsons einprägsam-zutreffende Charakteristik der Familie Mann als „that amazing family"[1]. Thomas Mann gefiel diese Formulierung offenbar, denn er notierte sie sofort ins Tagebuch (Tb, 29.4.1939) und zitierte sie später häufiger unter anderem in seinen Briefen[2]. Im letzten Lebensjahrzehnt Thomas Manns, zwischen 1947 und 1955, verfaßte Nicolson mehrere Zeitungs- und Rundfunkbeiträge über Thomas Mann, die aus heutiger Sicht an entlegener Stelle veröffentlicht sind. Diese gelangen hier, nach fast 50 Jahren, erstmals wieder zum Abdruck. Mit einer Ausnahme werden die englischen Originaltexte abgedruckt, wodurch der Leser zugleich in den Genuß des brillanten Stilisten Nicolson in seiner Muttersprache (in der auch Thomas Mann diese Texte gelesen hat) kommt, ohne daß dieses sprachliche Vergnügen durch einen Übersetzer gefiltert wird. In der Einleitung wird zunächst die Person Nicolsons kurz vorgestellt. Sodann werden die nicht wenigen wechselseitigen Erwähnungen Thomas Manns und Harold Nicolsons in ihren Tagebüchern, Briefen u.a. sowie ihre beiden persönlichen Begegnungen 1929 und 1947 dokumentiert. Ferner wird ein bislang nicht bekannter Text Thomas Manns *The American Lidice* abgedruckt, der bislang nur in einem von Harold Nicolson für den Internationalen PEN-Club 1944 herausgegebenen Gedenkbuch für das tschechische Dorf Lidice

---

[1] In einer von Harold Nicolson (HN) verfaßten Rezension u.a. von Erika Manns *School for Barbarians* unter dem Titel *The Nazi Mentality Studied in Three New Works* (in: The Daily Telegraph, London, 14.4.1939, S. 12), heißt es: „I suppose that I have read several hundred books on Germany in the last five years. I have read very few which can compare with Erika Manns effectiveness. Here, in a short space, you have a powerful illustration of the actual evil of the Nazi system; it affects one as do those enlarged and painted models of some ghastly internal desease; yet the writer, as befits a member of that amazing family, is so fine an artist that the impression ultimately left by her book is not one of despairing disgust but one of resolution, faith and hope." (Vgl. Kommentar zu Tb, 29.4.1939). Laut Tb, 29.4.1939 war dies ein „[e]rfreulicher Artikel".

[2] Etwa gegenüber Klaus Mann, 27.4.1943 (Reg 43/108), Agnes E. Meyer, 28.4.1943 und 14.12.1945 (BrAM, 468, 648), Caroline Newton, 14.12.1945 (Reg 45/586), Ferruccio Amoroso, [29.3.]1954 (Reg 54/96) oder Guido Devescovi, 1.5.1955 (Br III, 397). – Allerdings zitierte Thomas Mann, so im Tagebuch, manchmal nicht ganz korrekt, und schrieb „*this* amazing family" oder auch einfach „amazing family".

veröffentlicht worden ist. Lidice wurde 1942 von den Nationalsozialisten als Racheakt für das Attentat auf Reinhard Heydrich zerstört und dessen männliche Bewohner ermordet.

I. Harold Nicolson

Harold George Nicolson wurde am 21. November 1886 in Teheran geboren.[3] Sein Vater, der Diplomat Sir Arthur Nicolson (später Erster Baron Carnock of Carnock) war dort als britischer Geschäftsträger tätig. Seine Kindheit und Jugend verbrachte er, wegen der diplomatischen Tätigkeit seines Vaters, vorwiegend im Ausland, in Konstantinopel, Sofia, Tanger, Madrid und St. Petersburg, seine Schulausbildung erhielt er an einer Privatschule in Folkestone und im Wellington College (Berkshire). Er studierte am traditionsreichen Balliol College in Oxford und beendete das Studium 1907 mit nur mäßigem Ergebnis („ausreichend"), wenngleich er dort systematisches Arbeiten erlernte. So bestand er 1909 als Zweiter die schwierige Aufnahmeprüfung für den britischen auswärtigen Dienst. Zunächst war er im Foreign Office in London tätig, dann in Madrid und (bis 1914) an der britischen Botschaft in Konstantinopel. 1910 lernte er Vita Sackville-West (1892–1962) kennen, mit der er sich 1911 zunächst heimlich verlobte und die er 1913 in Knole heiratete. Diese Ehe blieb durch nahezu 50 Jahre trotz (oder wegen?) der bisexuellen Veranlagung beider Partner überaus glücklich. Nach dem Kriegsausbruch 1914 und dem Kriegseintritt des Osmanischen Reiches auf der Seite der Mittelmächte kehrte Nicolson in das Foreign Office nach London zurück. Wegen seiner Tätigkeit im auswärtigen Dienst blieb Nicolson vom Kriegsdienst freigestellt. 1919 war er Mitglied der britischen Delegation bei den Friedensverhandlungen in Versailles. Bereits 1920 wurde er Kommandeur des Ordens von St. Michael und Georg. Bis 1925 war er im Foreign Office tätig, dann ging er als Botschaftsrat nach Teheran (und kehrte in sein Geburtshaus zurück). Zwei Jahre später ging

---

[3] Zur Biographie Nicolsons vgl. im einzelnen: James Lees-Milne: Harold Nicolson. A Biography, vol. I: 1886–1929, vol. II: 1930–1968, London: Chatto & Windus 1980; Harold Nicolson: Diaries and Letters, ed. by Nigel Nicolson, vol. I: 1930–1939, London: Collins 1966, vol. II: 1939–1945, London: Collins 1967, vol. III: 1945–1962, London: Collins 1968 (hier benutzt und zitiert nach: Harold Nicolson: Tagebücher und Briefe, in zwei Bänden 1930 bis 1962 hrsg. von Nigel Nicolson, Vorwort, Auswahl und Übersetzung aus dem Englischen von Helmut Lindemann, Frankurt/Main: S. Fischer 1969–1971 [HN-Tb I, II], v. a. das Vorwort in Bd. I); Nigel Nicolson: Portrait einer Ehe. Harold Nicolson und Vita Sackville-West, deutsch von Peter de Mendelssohn, München: Kindler 1974; Victoria Glendinning: Vita Sackville-West. Eine Biographie, Frankfurt/Main: Fischer Taschenbuch 1997 (= Fischer Taschenbuch, Bd. 13552).

er in gleicher Eigenschaft nach Berlin. Ende 1929 quittierte er freiwillig, unter Hintanstellung einer vermutlich brillanten weiteren Karriere als Diplomat, den Dienst.

Hierfür waren mehrere Gründe ausschlaggebend: Zum einen machte ihm die durch lange Auslandsaufenthalte bedingte Trennung von seiner Frau zu schaffen, da diese sich weigerte, ihn auf seine Stationen im Ausland zu begleiten. Zum zweiten mißfiel ihm die Stadt Berlin in zunehmendem Maße. Und zum dritten gab es fortgesetzte finanzielle Differenzen mit seiner Schwiegermutter, Lady Victoria Sackville-West, die aus seiner Sicht nur durch Verzicht auf deren finanzielle Zuwendungen zu lösen waren. Voraussetzung hierfür war jedoch ein das bisherige Beamtengehalt übersteigendes Einkommen. So nahm er nach einigem Zögern das finanziell lukrative Angebot des Verlegers Lord Max Beaverbrook an, für den London Evening Standard eine tägliche Kolumne *London Diary* mit gesellschaftlichem, politischem und literarischem Klatsch zu schreiben. Am 20. Dezember 1929 verließ er Berlin und trat zum 1. Januar 1930 in die Redaktion des London Evening Standard ein. Am selben Tag begann er (bis in die 1960er Jahre) ein Tagebuch zu führen, das die *Encyclopaedia Britannica* völlig zu recht als „a valuable document of British social and political life from 1930 to 1964" charakterisiert. Schließlich erwarben Harold Nicolson und Vita Sackville-West 1930 Sissinghurst in Kent, ein stark heruntergekommenes elisabethanisches Anwesen, das sie aber in den folgenden Jahren wohnlich ausbauten und dessen Garten heute weltberühmt ist.

Harold Nicolson widmete sich in der Folgezeit seinen journalistischen Verpflichtungen, rezensierte fleißig Bücher für den Daily Express und setzte seine schon als Diplomat begonnene Tätigkeit als erfolgreicher Buchautor fort. Von 1935 bis 1945 gehörte er als Abgeordneter der National Labour Party (einer Absplitterung des rechten Flügels der Labour Party) für den Wahlkreis West Leicester dem Unterhaus an. Ein exponiertes öffentliches Amt bekleidete er von Mai 1940 bis Juli 1941 als Parlamentarischer Staatssekretär im Informationsministerium unter Duff Cooper. Nachdem er bei den Parlamentswahlen im Juli 1945 nicht wiedergewählt worden war, versuchte er ein politisches *comeback* bei der Labour Party, der er im Februar 1947 beitrat. Als Kandidat im Wahlkreis North Croydon scheiterte er. Seine weitere politische Karriere (ob als Abgeordneter im Unterhaus oder die von ihm insgeheim erhoffte *peerage* und die damit verbundene Mitgliedschaft im Oberhaus) verscherzte er sich ein für alle Mal mit einem *Marginal Comment* im Spectator, in dem er sein Unbehagen über den Wahlkampf und die ihn unterstützenden Leute unverblümt zum Ausdruck brachte. Sein Ende als Politiker brachte aber einen Neubeginn seiner literarischen Laufbahn.

Er wurde gebeten, die „official biography" König Georgs V. zu schreiben. Nicolson nahm dieses Angebot an und war über drei Jahre mit der Abfassung dieses Werkes beschäftigt. Ihm verdankte er letztlich seine Erhebung in den Ritterstand durch Verleihung des Ritterkreuzes des Victoria-Ordens im Jahre 1953, „ein persönliches Geschenk" von Königin Elizabeth II. für die Biographie ihres Großvaters. Sir Harold Nicolson, so hieß er fortan, starb am 1. Juni 1968 in Sissinghurst.

Im Laufe seines Lebens veröffentlichte er eine Vielzahl von Büchern zu verschiedenen Themen: Politische, diplomatische und literarische Biographien, historische Darstellungen, Untersuchungen zu Politik und Diplomatie, Literaturkritik und Essays (darunter Sammlungen seiner journalistischen Arbeiten), Reiseberichte, Anthologien und auch zwei Romane[4].

II. Begegnungen, Briefe und Erwähnungen

Der erste überlieferte Kontakt zwischen Harold Nicolson und Thomas Mann war eine persönliche Begegnung im Jahre 1929 in München („The first time I met Thomas Mann was in Munich in the year 1929", Dok. 6), als Nicolson, damals Botschaftsrat an der britischen Botschaft in Berlin, Thomas Mann an einem Nachmittag („the afternoon [...] which I spent with him", Dok. 2) besuchte. Der genaue Termin des Besuchs war bislang nicht zu ermitteln; der Besuch könnte jedoch in der zweiten Märzhälfte 1929 stattgefunden haben, denn ausweislich eines Briefes Nicolsons an seine Frau Vita Sackville-West vom 15. März 1929 wollte er noch am selben Abend von Köln zu einer Vortragsveranstaltung nach München fahren.[5] Thomas Mann befand sich zum damaligen Zeitpunkt offenbar in München,[6] so daß ihre Begegnung zu dieser Zeit zumindest möglich wäre. Anlaß der Reise Nicolsons nach München könnte der am 22. März 1929 stattfindende

---

[4] Vgl. die (nicht vollständige) Übersicht in HN-Tb II, 493ff. – Die *Encyclopaedia Britannica* nennt mehr als 125 von ihm verfaßte Bücher.

[5] HN an Vita Sackville-West, 15.3.1929, Köln, in: HN-Tb I, 14–17, 17. – Im Bayerischen Hauptstaatsarchiv München konnte „kein Hinweis auf den Besuch Nicolsons in München bzw. bei Thomas Mann ermittelt werden. Ein in den fraglichen Jahren entstandener Akt zum britischen Generalkonsulat in München erwähnt einen solchen Besuch nicht." (Mitt. BayHSTA vom 17.12.2003) Auch das Stadtarchiv München erstattete Fehlanzeige: „Insbesondere ist der Aufenthalt des Botschaftsrates anhand der Meldeunterlagen oder über unsere umfangreiche Zeitungsausschnittsammlung nicht nachzuweisen." (Mitt. StadtA München vom 19.12.2003)

[6] Gert Heine/Paul Schommer: Thomas Mann Chronik, Frankfurt/Main: Klostermann 2004, S. 199.

„Tag des Buchs" in München gewesen sein,[7] obwohl seine Mitwirkung oder Anwesenheit bei dieser Veranstaltung nicht dokumentiert ist.

25 Jahre später ließ Nicolson anläßlich Thomas Manns 80. Geburtstag noch einmal die damalige Atmosphäre des Jahres 1929 Revue passieren,

when the troubles of the first war were over and when Germany appeared to be settling down to the somewhat placid pleasures of the Weimar Republic. When I look back upon those days it seems to me to represent a very quiet period, in which the German people had enough to eat, possessed full freedom, and found their love of experiment and excitement in the dangerless realms of music, architecture and the theatre. I remember that when I remarked upon this apparent calm to Thomas Mann he replied that I was deceiving myself. It was, he said, no more than a surface calm. He warned me that no foreigner could estimate how great had been the shock administered to the German people by the war and by inflation. ‚Germany' he said to me ‚is still convalescent and her nerves are in a bad state'. (Dok. 6)

In der Folgezeit war Nicolson ein von Thomas Mann geschätzter Autor, wie beispielsweise die

Lektüre von Nicolsons ‚Peacemaking 1918',[8] das mich sehr fesselte und bewegte. Vieles Heutige erklärt sich aus dem Stümperwerk von damals, und unsere ‚Sieger' haben zweifellos von den damaligen gelernt: die Propaganda und die Grausamkeit. Geist und Haltung von Nicolsons Buch sind überaus anständig und sympathisch. (Tb, 6.11.1933)

Diese Lektüre beeinflußte dann auch Gespräche über die aktuelle politische Situation: „Später sprach man [über] Politik, den Versailler Vertrag, Nicolson, Clemenceau, Grey etc." (Tb, 9.11.1933). Nur wenige Tage später erhielt Thomas Mann von Stefan Zweig „einen Bericht aus dem ‚D. Chronicle' von Nicolson über das Buch von Cleugh ‚Th.M.'" (Tb, 20.11.1933).

Die aktuellen politischen Reden des *Anti-appeasers* Nicolson hat Thomas Mann erkennbar mit Aufmerksamkeit verfolgt: „Vergnügen an einer im Tagebuch wiedergegebenen Rede Nicolsons über die ‚Behandlung Hitlers'"[9] (Tb, 26.4.1936), und „Rede Nicolsons sehr gut" (Tb, 25.10.1938). Besonderes Interesse galt aber weiterhin den politischen und historischen Schriften, die Thomas Mann offenbar bald nach ihrem Erscheinen gelesen hat: „Aus Princeton mit anderen Drucksachen Nicolsons Schrift ‚Is war inevitable', mit Bezugnahme auf ‚Dieser Friede'."[10] (Tb, 3.8.1939) Für diese Broschüre, die er mit

---

[7] Ebd. – Vgl. auch Münchener Neueste Nachrichten, Nr. 79, 22.3.1929, S. 3.
[8] Recte: 1919.
[9] HN-Tb I, 218 ff.
[10] Im Herbst 1939 auf deutsch in der Reihe Ausblicke erschienen: Harold Nicolson: Ist der Krieg unvermeidlich?, übers. von Paul Baudisch, Stockholm: Bermann-Fischer 1939.

besonderem Interesse gelesen habe, dankte Thomas Mann dem Verfasser am 12. August 1939. (Reg 39/342) Auch Nicolsons *Germany's Real War Aims*[11] stieß auf Manns Interesse: „Gelesen eine neue Broschüre von Nicolson über den Krieg, vom Verfasser gesandt." (Tb, 2.11.1939) Im März 1940 las er „H. Nicolson über Churchill."[12] (Tb, 30.3.1940) 1946 nahm er erkennbar Nicolsons Studie über den Wiener Kongreß zur Kenntnis,[13] und im Dezember 1947 fand er Gefallen an den „Plaudereien ‚Small talk' von Nicolson,[14] hübsch" (Tb, 23.12.1947). Anfang 1949 schrieb er an Ida Herz über englische Bücher:

Die Bücher [...] sind alle interessant und bereichernd, nur [Bertrand] Russell freilich versteht von deutscher Philosophie keinen Deut und schreibt auch arge Artikel jetzt [...]. Ich mag ihn garnicht. Am liebsten ist mir Nicolson, das ist ein Gentleman.[15]

Im Vorfeld bzw. während des Zweiten Weltkrieges war Harold Nicolson mehrfach Adressat von Bitten Thomas Manns, in Bedrängnis geratenen Personen zu helfen. Während seiner Reise von der Schweiz nach Skandinavien im August 1939, die ihn vom 18. bis 22. August über England führte, hätte Thomas Mann Nicolson gern getroffen und bat ihn mit Schreiben vom 12. August aus Zürich um Mitteilung eines passenden Termins. (Reg 39/342)[16] Dieses Treffen hat aber offenkundig nicht stattgefunden, da weder Thomas Mann noch Harold Nicolson es in ihren Tagebüchern vermerken. Auf seiner Reise von London nach Schweden notierte Thomas Mann im Tagebuch:

Fahrt zum St. Pancraz-Bahnhof.[17] Lanyis und die Herz mit Marzipan dort. [...] Abschied von den jungen Leuten, denen im Kriegsfall die Protektion [Gilbert] Murrays und Nicolsons zu erwirken. (Tb, 23.8.1939)

[11] Harold Nicolson: Germany's Real War Aims, London [o.A.] 1940.
[12] Wahrscheinlich im Neuen Tagebuch.
[13] Thomas Mann an Ida Herz, 2.9.1946, Reg 46/317: Kenntnisnahme von Harold Nicolson: Congress of Vienna. A study in Allied Unity 1812–1822, London: Constable & Company 1946.
[14] Harold Nicolson: Small Talk, London: Constable & Company 1937 (deutsch: Harold Nicolson: Begegnungen und Betrachtungen, aus dem Englischen übertragen von Hans B. Wagenseil, München: Desch 1947).
[15] Thomas Mann an Ida Herz, 4.1.1949, Reg 49/16, zit. nach Tb 1949–1950, S. 333.
[16] Das Diktat des Briefes wurde im Tagebuch vermerkt. (Tb, 13.8.1939)
[17] Vom Londoner Bahnhof St. Pancras ging es mit dem Zug der LMS nach Tilbury und von dort nach Göteborg. Laut *Cook's Continental Timetable*, August 1939 (Nachdruck Newton Abbot/ London: David & Charles 1987), S. 408, war die Abfahrtszeit des Zuges mittwochs (der 23.8. war ein Mittwoch) und samstags nach Tilbury 17.28 Uhr, das Schiff legte in Tilbury um 18.45 Uhr ab und erreichte Göteborg gegen 7.00 Uhr am übernächsten Tage. Die Fährzeit wird im Fahrplan mit etwa 29 Stunden angegeben. Auf der Strecke Tilbury-Göteborg verkehrten zweimal wöchentlich die Dampfschiffe Britannia und Suecia (jeweils 4350 BRT) des Svenska Lloyd mit Postbeförderung und waren zugelassen für Reisende der 1. und 3. Klasse mit Ein- und Zweibettkabinen, Lounge, Cafeteria usw.

In einem aus Saltsjöbaden am 27. August 1939 an Nicolson gesandten Brief bat er ihn um Unterstützung in einer persönlichen Angelegenheit. Seine Tochter Monika und sein Schwiegersohn Jenö Lányi, die in London lebten, befürchteten, im Falle eines Krieges als Ausländer große Schwierigkeiten zu bekommen. Die Empfehlung eines angesehenen englischen Staatsangehörigen wäre für die beiden sehr hilfreich. Er habe seinen Kindern den Rat gegeben, sich im Notfall an Nicolson zu wenden und bitte, ein eventuelles Gesuch freundlich aufzunehmen. Er rechne mit dem baldigen Kriegsausbruch, den er für unvermeidbar halte:

Die Katastrophe muß ihren Lauf nehmen, und niemand weiß, wohin sie führt. Lassen Sie uns hoffen, daß bei ihrer Liquidierung nicht nur die Gewalt, sondern auch der Geist ein Wort mitzureden haben werden. (Reg 39/345)

Diese Einschätzung schien auch Nicolson zu teilen:

Allem Anschein nach wird das Monstrum nun dennoch zum Kriege gezwungen sein. Auch Nicolson, von dem ein Brief kam, glaubt daran, und eine Wohltat wäre es unbedingt, wenn er das widrige Erpressungsgeschäft nicht länger üben dürfte und bewiese, daß sein Regime die Katastrophe von allem Anfang in sich trug. (Tb, 28.8.1939)

Über den Inhalt des Briefes von Nicolson sind wir nicht unterrichtet. Später im Jahr zeigte sich Thomas Mann sehr angetan von einem Zitat von Nicolson, das er in verschiedenen Zusammenhängen dann öfter zitierte:

Deutschland nimmt sich heute fürchterlich aus. Es ist die Qual der Welt, – nicht weil es ‚böse', sondern gerade weil es zugleich auch ‚gut' ist, eine Tatsache, auf die der angelsächsische Humor sich sehr wohl versteht, wenn er durch den Mund des vortrefflichen Harold Nicolson feststellt: ‚The German character is one of the finest but most inconvenient developments of human nature!'[18]

Dieser Ausspruch Nicolsons gefiel Thomas Mann wohl besonders, denn er wiederholte ihn beispielsweise in einem Brief an Stefan Zweig im Januar 1940:

Sehen Sie Harold Nicolson? Dann bitte ich ihn bestens zu grüßen und ihm zu sagen, mit welcher Sympathie ich seine politischen Schriften lese. Mein Lieblingssatz seiner Feder ist: ‚The German character is one of the finest and most inconvenient developments of humane [sic] nature.' (Br II, 130)

---

[18] [Zu Wagners Verteidigung. Brief an den Herausgeber des ‚Common Sense'], Ess V, 75–82, 82. Vgl. auch Reg 39/424. – Die Fundstelle des auch von Kurzke/Stachorski nicht ermittelten Zitats ließ sich bislang nicht feststellen. Es ist jedoch anzunehmen, daß Thomas Mann dieses Zitat erst kurz zuvor gelesen hatte.

Weitere Bitten an Nicolson um Unterstützungen diverser Art startete Thomas Mann im Jahre 1941, zunächst im März in Sachen einer finanziellen Hilfe für den Schweizer Verleger Emil Oprecht. In einem am 11. März entworfenen und am 14. März ausgefertigten Brief (Tb, 11. und 14.3.1941) stellte er ihm die Schwierigkeiten dar, unter denen der Verlag Oprecht in Zürich angesichts der wachsenden, mit Geldmitteln gut versehenen „frontistischen" Bewegung zu leiden hat. Der Verlag habe durch die Verlegung antifaschistischer Bücher viele Risiken auf sich genommen, da ein probritisches Geisteszentrum in der Schweiz sehr schwer gewesen sei. Und so fragte Thomas Mann an, ob nicht Duff Coopers Informationsministerium Mittel zur Unterstützung dieses um seine Existenz ringenden Verlages zur Verfügung stellen könne, zumal er gehört habe, daß dieses Ministerium eine deutschsprachige Tageszeitung in London subventioniere. Mann schloß den Brief mit dem Ausdruck seiner Bewunderung für den „heroischen Kampf Englands für die Freiheit der Welt" (Reg 41/101). Nicolson antwortete angesichts der damaligen Zeitumstände relativ umgehend, denn schon am 16. April 1941 notierte Thomas Mann einen „Brief von Har. Nicolson in der Sache der Schweiz u. Oprechts" (Tb, 16.4.1941). Der Inhalt dieses nicht überlieferten Schreibens ergibt sich aber aus einem Brief Thomas Manns an Emil Oprecht vom 18. August 1941:

Erzählen möchte ich Ihnen, daß ich vor einigen Wochen Ihretwegen an Harold Nicolson geschrieben und ihn aufmerksam gemacht habe, es sei doch wirklich nicht übertrieben und nicht verschwendet, wenn sein Ministerium sich ein wenig um ein Verlagshaus kümmere, das sich durch so manche mutige Publikation in dieser Zeit verdient mache. Er ist sehr freundlich auf meine Anregung eingegangen und versicherte mir, daß er sich ohnedies schon früher Ihretwegen mit der Gesandtschaft in Bern in Verbindung gesetzt habe. Ob nun irgend etwas Praktisches bei diesem Wohlwollen und meiner Anfeuerung desselben herausgekommen ist, weiß ich nicht; möchte es so sein. Jedenfalls wollte ich Sie wissen lassen, daß Sie bei etwaigen Wünschen in London auf freundliches Entgegenkommen rechnen können. (Br II, 205 f.)

Weniger erfolgreich war Thomas Manns Fürsprache für den früheren Buchhändler Dr. Martin Flinker. In seinem am 12. Mai diktierten (Tb, 12.5.1941) und am 14. Mai 1941 abgeschickten Brief an Nicolson (Reg 41/159) schilderte er das Schicksal von Dr. Martin Flinker, einem gebürtigen Wiener, in dessen Buchhandlung sich das literarische und intellektuelle Wien bis zur Besetzung Österreichs durch Hitler getroffen habe. Von dort mußte er mit seinem Sohn fliehen, der seine Studien in Paris fortsetze und zu großen Hoffnungen berechtige. Flinker, der sich jetzt in Tanger ohne Arbeitsmöglichkeit befinde, habe ihn brieflich gebeten, ihm bei einer Übersiedelung nach England behilflich zu sein, wo Flinker Freunde besitze. Der britische Konsul in Tanger, Mr. Watkinson, habe sich von der Integrität Flinkers überzeugt und unterstütze den Plan, nach England zu reisen. Mann bat Nicolson, einzugreifen und die Einreise Flinkers zu ermöglichen. (Reg 41/159) Dieser Bitte konnte Nicolson aber nicht entsprechen, denn er teilte Thomas Mann mit, daß Flinker nicht in England aufgenommen werden könne.[19]

Bis zum Ende des Krieges gab es dann nur noch einen mittelbaren Kontakt zwischen Thomas Mann und Harold Nicolson, dessen Hintergründe jedoch im Dunkeln liegen: die Veröffentlichung eines Textes von Thomas Mann (*The American Lidice*, Dok. 1) im von Harold Nicolson eingeleiteten Sammelband *Lidice. A Tribute by Members of the International P.E.N.*,[20] der 1944 in London erschienen ist. Die Geschichte dieses Textes reicht in den Sommer 1942 zurück. „Nach dem Thee Statement über The American Lidice." (Tb, 7.7.1942) Hierbei handelt es sich um eine eineinviertel handschriftliche Seiten umfassende Grußbotschaft[21] an die amerikanische Stadt Stern Park Gardens in Illinois, die sich zu Ehren des von den Nationalsozialisten vernichteten tschechischen Dorfes Lidice auf diesen Namen umbenannt hatte.[22] Wie dieses Statement dann an Nicolson gelangte, läßt sich nicht mehr nachvollziehen. Denkbar wäre aber, daß es auf nicht überlieferten Wegen über das im November 1942 in New York von amerikanischen Intellektuellen, ausländischen Diplomaten und deutschen Exilschriftstellern (unter ihnen Lion Feuchtwanger, Thomas Mann und Franz Werfel) gegründeten „Lidice Lives Committee" in die Buchveröffentlichung gelangt ist. Da es sich hierbei um die einzige „gemeinsame" Buchveröffentlichung von Thomas Mann und Nicolson handelt, schien dem Verfasser die nachrichtliche Aufnahme des an entlegener Stelle veröffentlichten Textes Thomas Manns in diesem Beitrag angezeigt.

[19] Vgl. Thomas Mann an Lotta Loeb, 27.8.1941, Reg 41/341.

[20] Das 102 Seiten starke und bei Allen & Unwin in London erschienene Buch enthält eine Einführung von Harold Nicolson, in der er ausdrücklich Thomas Mann aus *The American Lidice* zitiert: „the gradual growth of an awareness of universal human responsibility" (S. 8). – Im übrigen beinhaltet das Buch Gedichte von Richard Church, Mazo de la Roche, Cecil Day Lewis, Eleanor Farjeon, George England, John Hooks, Edna St. Vincent Millay und Maxwell Shane, ferner Prosatexte von Maria Kuncewiczowa, Halldór Laxness, Henrietta Leslie, Johan Fabricius, Storm Jameson, Olaf Stapledon und Salvador de Madariaga, sowie Botschaften von P.E.N.-Zentren aus aller Welt.

[21] Dieser bislang kaum bekannte Text befindet sich heute in der Sammlung Waldmüller in der University of California, Main Library, Irvine. Die erste Seite findet sich faksimiliert im Auktionskatalog 39 der Galerie Gerda Baßenge, Berlin, April 1982, Nr. 1866 (freundlicher Hinweis von Hans K. Matussek, Nettetal). – Die Identität des „Statements" vom 7.7.1942 mit der Buchveröffentlichung von 1944 ergibt sich aus dem Vergleich des faksimilierten Textes mit der englischen Übersetzung. So entspricht die Passage vom „schönen, trotzigen Gedanken" dem Passus „fine and defiant thought". (Vgl. auch Tb 1940–1943, S. 928)

[22] Tb 1940–1943, S. 928f.

Im Juni 1945 wurde offenbar eine Mitwirkung Nicolsons in der Liste der „Mitarbeiter an Neue Rundschau – Sonderausgabe zum siebzigsten Geburtstag Thomas Mann's, 6. Juni 1945" erörtert, die dann aber nicht zustande gekommen ist (BrBF, 667). Anfang 1946 notierte Thomas Mann eine Äußerung Nicolsons „über den Bonner Brief" (Tb, 14.1.1946), die aber nicht ermittelt werden konnte.

Aus den folgenden Jahren gibt es dann mehrere umfangreichere publizistische Äußerungen von Nicolson über Thomas Mann, die das Herzstück der Dokumentation im Anhang bilden. Den „Auftakt" bildete ein *Marginal Comment*[23] im Londoner The Spectator vom 15. März 1946, in dem sich Nicolson mit der wieder erscheinenden („revived") Neuen Rundschau und dem darin veröffentlichten Aufsatz Thomas Manns *Deutschland und die Deutschen* (Ess V, 260–281) befasst.[24] Gottfried Bermann Fischer informierte Thomas Mann am 29. März darüber: „In London hat gerade Harold Nicolson im ‚Spectator' einen Aufsatz über die Zeitschrift geschrieben." (BrBF, 450) Thomas Mann, dem dieser Artikel „neu" (BrBF, 451) war, las diesen Artikel dann noch am selben Tage (Tb, 1.4.1946).

Im Mai 1947 fand dann die zweite (überlieferte) persönliche Begegnung zwischen Thomas Mann und Harold Nicolson statt – genau genommen sahen sich beide mindestens zweimal zu dieser Zeit. Am 16. Mai wurde Nicolson als Teilnehmer der „große[n] Warburg-Reception hier im Hotel [Savoy] (mit Harold Nicolson)" (Tb, 21.5.1947) erwähnt. Hierbei handelte es sich um einen Empfang, den Fredric J. Warburg für Thomas Mann gab und an dem unter anderem Lord Robert Vansittart[25] und Ida Herz teilnahmen.[26] Am 22. Mai fand dann bei Denis Saurat, seit 1926 Professor für französische Literatur an der Universität London, ein „Diner […] zu Ehren von Thomas Mann" statt, über das Nicolson folgende Schilderung in seinem Tagebuch gibt:

Es ist eine ziemlich strenge Veranstaltung mit Lagerbier und ungenießbarem Essen. Ich bin der einzige andere Gast. Mann glaubt wirklich, die Engländer seien die Hoffnung der übrigen Welt. Er hat das Gefühl, dass Amerika faschistisch werde. Das bedrückt ihn. ‚Ich möchte nicht ein zweites Mal zum Märtyrer der Freiheit werden.' Also verhält er sich in den USA ziemlich still. Er glaubt jedoch, unser großes Prestige und unsere Erfahrung könnten die Welt retten. Nur wir könnten einen ‚humanisti-

---

[23] *Marginal Comment* (also Randbemerkung) war eine regelmäßige, von HN verfaßte Kolumne in The Spectator.

[24] Auszugsweiser Abdruck in: Tb, 1944–1946, S. 796 f.

[25] Der frühere *Permanent Under Secretary of State* und ab 1938 *Chief Diplomatic Adviser* im britischen *Foreign Office*.

[26] Vgl. BrAM, 1054, Kommentar Nr. 3 zum 27.6.1947.

schen Sozialismus' schaffen. Und das könnten wir nur unter der Labour Party tun. Ich mag ihn sehr. Er ist so einfach und so schlicht.[27]

Wohl unter dem unmittelbaren Eindruck der Begegnungen mit Thomas Mann widmete Nicolson Thomas Mann ein weiteres *Marginal Comment* im Spectator vom 30. Mai 1947 (Dok. 2).

Thomas Mann und die Seinen interessierte im Zusammenhang mit Nicolson aber eher die Frage seines Beitritts zur Labour Party. So schrieb Erika Mann[28] an Lotte Walter am 26. Mai 1947:

Harold Nicolson ist der Labour Party beigetreten,[29] sehr symptomatischer Weise. Und mir kommt vor (Z. auch, aber mir, unabhängig von ihm), daß, wenn irgendwo eine Chance besteht, den der Welt so nötigen [...] Sozialismus – eine Art von konsequenterem New Deal – mit *Freiheit* (Individualismus) zu kombinieren, das (trotz allem) bewundernswerte Britain sie hat und zu nutzen sucht. See?[30]

Thomas Mann behielt jedoch eine Aussage seines „British friend" Nicolson im Gedächtnis: „In Amerika muß man zwischen Wetter und Klima unterscheiden. Das Wetter ist schlecht dort zur Zeit, aber das Klima ist gut."[31]

In der Folgezeit gab es dann keine persönlichen Kontakte mehr, nur noch Publikationen Nicolsons über Thomas Mann mit gelegentlichen „Randbemerkungen" von Thomas Mann. Die Rede Nicolsons anläßlich Thomas Manns 75. Geburtstag (*Tribute to Thomas Mann*), gehalten am 6. Juni 1950 im dritten Programm der BBC (Dok. 3) fand Thomas Mann „sehr anmutig und warm" (Tb, 8.7.1950), von ihrem Inhalt war er „[b]eeindruckt" (Tb, 9.7.1950).

---

[27] HN-Tb II, 272f. (22.5.1947). – Vgl. auch Tb, 28.5.1947: „Dinner mit Saurats und Harold Nicolson".

[28] Erika Mann und Nicolson kannten sich persönlich. So hat Erika Mann (laut Nicolson „eine prächtige Frau") im September 1940 einmal mit ihm über ein Rundfunkprojekt gesprochen (HN-Tb I, 404, 12.9.1940; Erika Mann an S. Patrick Smith, 14.9.1940, in: TM Jb 12, 1999, 343).

[29] Dies erfolgte im Februar 1947.

[30] Erika Mann: Briefe und Antworten, Bd. 1: 1922–1950, hrsg. von Anna Zanco Prestel, München: Deutscher Taschenbuch Verlag 1988 (= dtv, Bd. 10864), S. 222; auch Thomas Mann schien in einem Schreiben an Bruder Heinrich vom 22. Mai 1947 der Beitritt Nicolsons erwähnenswert: „An die unbedingte Notwendigkeit der Erhaltung der Labor-Regierung glaubt jedermann, außer faschistischen Straßenrednern, von denen ich einem zuhörte. Ich sah nur gleichgültige [...] Gesichter. Selbst Konservative, wie Harold Nicolson, treten der Partei bei." (BrHM, 351)

[31] Erstmals erwähnt in deutsch in seinem Brief an Agnes Meyer vom 10.10.1947 (BrAM, 685), dort noch mit Thomas Manns Zusatz: „Das Klima ist gut! Und ein dunkel-unbehagliches Gefühl für die wachsende Unpopularität Amerikas in der übrigen Welt ist auch vorhanden". – Englische Version des Zitats: „In the United States one has to distinguish between the weather and the climate. Though at present the weather is undeniably bad, the climate continues to be fine." (Antwort auf eine Umfrage der St. Louis Post Dispatch, 4.7.1948, Tb, 1946–1948, 930f., Text Nr. 40). Dort auch die Charakterisierung Nicolsons als „British friend".

Im Spectator vom 22. Dezember 1950 erschien ein Artikel Nicolsons, der wenig später auch in deutscher Sprache unter dem Titel *Thomas Manns Selbstbekenntnis* in der Englischen Rundschau, Kulturbeilage zur Brücke, erschienen ist, und sich mit Thomas Manns Aufsatz *Meine Zeit* (Ess VI, 160–182) beschäftigt (Dok. 4). Ohne persönliche Kenntnis dieses Beitrags von Nicolson schrieb Thomas Mann am 21. Januar 1951 Elisabeth Mann-Borgese:

Dir und Antonio schicke ich hierbei den S. Fischer-Druck des Vortrags ‚Meine Zeit‘, simpel und treuherzig wie er ist. Harold Nicolson, ein alter Freund, soll absprechend darüber geschrieben haben. Er ist gänzlich der Russophobie verfallen und, wie Duff Cooper, nicht mehr ganz bei Troste. Dagegen höre ich, daß das London Times Literary Supplement sich überraschend beifällig über die Schrift geäußert hat. Vielleicht ist es nicht so überraschend. (Br III, 183)

Nach Lektüre von Nicolsons Beitrag bezeichnete er diesen aber als „anständig" (Tb, 29.1.1951).

„Im ‚Observer‘ hübscher Artikel von H. Nicolson ‚Tonio Kröger‘ über ein Buch von Lindsay." (Tb, 21.12.1954) Hierbei handelte es sich um eine Rezension des 1954 in Oxford erschienenen Buches *Thomas Mann* von James Martin Lindsay. (Dok. 5) Das letzte Wort hatte Harold Nicolson am 6. Juni 1955 mit seinen im Nordwestdeutschen Rundfunk (NWDR) ausgestrahlten Geburtstagswünschen für Thomas Mann aus Anlaß seines 80. Geburtstages. (Dok. 6) Eine Reaktion Thomas Manns hierzu ist nicht überliefert.

Dokumente

Dokument 1
Thomas Mann: The American Lidice (7.7.1942 [1944])
Zur Vorgeschichte siehe oben Anm. 21. Erstveröffentlichung in englischer Übersetzung in: Lidice. A Tribute by Members of the International P.E.N. Introduction by Harold Nicolson, London: Allen & Unwin 1944, S. 90.
TMA

The town of Stern Park Gardens in the State of Illinois must be heartily congratulated on the decision to change its name and to call itself Lidice from now on – in honour of the Czech village which had to pay with its extirpation for the death of the notorious Heydrich, his violent and therefore, for such a man, completely natural death.[32] The Nazis are stupid beasts. They wanted to consign the name of Lidice to eternal oblivion, and they have engraved it for ever into the memory of man by their atrocious deed. Hardly anyone knew this name before they murdered the entire population of the settlement and razed it to the ground; now it is world famous. To enter it into the map of the United States while it has vanished from the Czech map for the present, was a fine and defiant thought – defiant against the evil, and of deep significance. For it points toward a growing feeling of human solidarity and unity, to the gradual growth of an awareness of universal human responsibility which already today has produced a desire to undo, at least in a symbolic fashion, the evil and brutality which has been perpetrated on a distant place of the earth. That this feeling of common responsibility was lacking so long, and that the principle of ‚Non-Intervention‘ guided world politics, has brought us the present war. May it just be the war which will bring about the awareness of moral unity to its full development, for upon it the new and better world must be founded for which we hope.

---

[32] Vgl. Thomas Manns Rundfunkansprache *Deutsche Hörer*, die im Juni 1942 von der BBC nach Deutschland ausgestrahlt worden war (XI, 1042 f.); „Seit dem gewaltsamen Tode des Heydrich, dem *natürlichsten* Tode also, den ein Bluthund wie er sterben kann, wütet überall der Terror krankhaft-hemmungsloser als je. [...] Der gramgebeugte Führer, der einen männlich geliebten Mordgesellen verlor, gibt seine in schlummerlosen Nächten ersonnenen Weisungen. Ein Metzeln und Abschießen geht an, ein Wüten gegen Wehrlosigkeit und Unschuld, so recht nach Nazilust. Tausend müssen sterben, Männer und Frauen. Eine ganze Ortschaft, die die Täter beherbergt haben soll, Lidice, wird ausgemordet und dem Erdboden gleich gemacht. [...] Zu Hause wird ihm ein pomphaftes Staatsbegräbnis verordnet, und ein anderer Metzgermeister sagt ihm am Grabe nach, er sei eine reine Seele und ein Mensch von hohem Humanitätsgefühl gewesen.
    Das alles ist verrückt. [...] Der Verrücktheit ist die Macht alles: sie braucht sie unbedingt, um sich auszuleben."

Dokument 2
Harold Nicolson: Marginal Comment
In: The Spectator, London, 30.5.1947, S. 620
TMA

Thomas Mann – a „good German" if ever there was one, and the greatest living master of German prose – has been passing through London on his way to Zurich. He has delivered a lecture on Nietzsche, he has attended numerous receptions, and he has everywhere been received with the respect that is his due. It was a curious experience to meet him again and to recall the afternoon, nearly twenty years ago, which I spent with him at Munich. Already at that date he was regarded as one of the greatest of living German writers, and one approached him with a sense of awe. He lived in a small modern villa, with a neat garden, and his study was lined with books and smelt of narcissus. It was a time when the German people were just beginning to recover from the horrors of inflation, when they were beginning even to forget their defeat in the first war and the humiliations of the Treaty of Versailles, and when it seemed as if the Weimar Republic, guided by Stresemann and assisted by a rich inflow of American loans, would after all be able to establish itself as a calm and not inefficient Social Democracy. As we talked there in his secluded study we did not foresee that within a year or two the world economic crisis would threaten Germany with a second inflation, and that Hitler (who at that date was wholly discredited by the part he had played in the Ludendorff *putsch*) would profit by the panic which was thereby caused to infect his compatriots with his own daemonic hysteria. It seemed even at that date that the decay of liberal bourgeoisie, which Mann himself had foreshadowed in his first novel, *Buddenbrooks*, was not now an inevitable development; and that Germany herself might settle down to a contented small-town existence, blessed with a modest but expanding economy, and enriched by a revival of music, architecture and poetry. We could not foresee that within a handful of months a wave of madness would sweep the country, that Mann himself would be driven into self-imposed exile, and that the whole of Europe would be riven by fire and slaughter.

* * *

I can still recall the quiet of that room, the clock ticking slowly, the scent of narcissus and the objective calm with which Thomas Mann discussed the world at large. The amazing success of *Buddenbrooks*, which he had written at the age of twenty, had produced in him its own reaction. His brother

Heinrich had criticised him for „being too mature too young"; he had thereafter turned his back upon popular applause, retreated to his ivory tower,
and concentrated upon the perfecting of his own intricate style and the study
of the relation between art and action. It seemed at that date, when Thomas
Mann was fifty-three years of age, that fate had finally decided that he must
henceforth eschew the dust of the arena and pass the rest of his life in his calm
study, seeking to restore to the German language some at least of the native
forms and tones which it had lost since Luther, detaching himself from all
controversy that was not intellectual and academic, and abandoning himself
wholly to the life of the artist. Then Hitler came. Suddenly, in his later middle
age, the life of art was snatched from him and in its place there was imposed
upon him the life of action. He left his study and his little Munich home. He
went to Switzerland and thereafter to the United States. And from there, in
fulminating words, he denounced the whole Nazi system, accused Hitler of
perverting the true German character, and tried to convince the world of the
menace underlying this insane, unscrupulous, and terribly dynamic force.

* * *

I have before me a pamphlet which he wrote at Princeton in October, 1938,
and which was published in the same year by the Fischer Verlag in Stockholm.
In this he recalled and emphasised the speech which he had recently made in
Madison Square Garden. „It is too late today", he said in that early autumn of
1938, „for the British Government to save the peace. They have had opportunity after opportunity of doing so, but they have evaded these opportunities.
If peace is to be saved, then it can only be saved by the peoples of the world.
Hitler must fall – that is our only hope of preserving peace." „In opposing a
thing like Hitler", he wrote in his pamphlet, „a man is universally right. The
road upon which, under his guidance, ‚history' has entered, is so filthy, is such
a donkey-path of lies and meanness, that no man need be ashamed in refusing
to tread it." Those were brave words for a German to utter in the year 1938,
and it is not surprising that the Nazis sought to vent their impotent rage upon
this intellectual who had dared to expose them. He was denounced as a traitor
to his country; his name was struck off the list of German authors; his books
were banned; and he received from the University of Bonn a curt letter telling
him that the honorary degree which they had conferred upon him must now
be regarded as cancelled and that no longer must he add the title „Doctor"
to his name. Thomas Mann replied to this communication in an open letter
which remains one of the most dignified and trenchant protests which any
individual has addressed to tyranny. He began by pointing out that, since

he already held honorary degrees at Yale and Harvard Universities, he had every right to continue to call himself, if he so desired, Doctor Mann. And he then proceeded for several pages to point out, in calm but incisive tones, that when ancient universities lost their conscience, then the soul of a people must decay.

* * *

Throughout his life Thomas Mann has been preoccupied by two main themes. There is in the first place the eternal conflict between the man of action and the artist, between the public arena and the ivory tower. There is in the second place the problem of the relation between the individual and society. His attitude towards this latter problem has passed through interesting stages. As a young man he was influenced by the prevailing nationalism; he regarded bourgeois liberalism with a detached and somewhat ironical pessimism; he did not believe that it would survive. His distrust of liberal institutions, during this first stage, was founded, not so much on disbelief in liberalism, but on a dislike of institutions. He then came to feel that even inefficient institutions which aimed at preserving the rights and freedom of the individual were preferable to the most efficient institutions under which those rights and freedoms were disregarded. The advent of Hitler enabled him to enforce this conviction in fulminating tones; he became the most potent voice in German liberalism. Now that the world is riven by the two tremendous materialisms of the East and West one might suppose that Thomas Mann would have reverted to the early pessimism which was implied in *Buddenbrooks*. But this is not so. He is aware that we are all Socialists today and his aim is to discover whether Socialism can be rendered what he calls „humanistic“. He believes that Great Britain and the British Commonwealth – with our long experience, our habits of toleration, our dislike of extremes – have a major and perhaps dominant part to play in this evolution. Even as in the nineteenth century we were able to achieve political liberty without revolution so also in the twentieth we may be able to show the world that it is possible to achieve social justice without reducing the individual to a soulless cog in the machine.

* * *

That is not a pessimistic doctrine. It is the doctrine of a great humanist, who has foreseen many things that other man have failed to see, who has suffered much for his beliefs, and who has had the tragic experience of seeing his gloomiest prophecies fulfilled. When such a man, in the angry world that seethes around us, can still prophesy a lightening of our darkness, can assign to the people of this country the renewed responsibility of setting an example, one feels that the harsh fortunes of his later years have cleansed him of all irony, have enabled him to bring hope and energy to spirits less lucid and less courageous than his own. When twenty years ago in Munich I spoke with Thomas Mann I was talking to a man of letters living in retirement; this week I was talking to a humanist who refuses to surrender.

Dokument 3
Harold Nicolson: Tribute to Thomas Mann
Broadcast on June 6, the seventy-fifth anniversary of Thomas Mann's birthday, Third Programme. Druck: The Listener, London, Nr. 43 (1950), 15.6.1950, S. 1025–1026
TMA. Kopie UB Augsburg, Slg. Jonas

We in England would wish to send Thomas Mann our best hopes for a calm and contented old age. But contentment is not among the states of mind which he respects: his insatiable spirit was not intended by Providence to enjoy calm upon this earth. The most welcome message which we could send him is the assurance that by his example he has shown us that the ancient virtues of the German race are imperishable. And that, by suffering exile and vilification for the sake of his fatherland's repute, he has given a more spiritual meaning to the two words ,patriot' and ,liberal'.

The life of Thomas Mann warns us of the vicissitudes of fortune to which even the quietest and most honourable intellectual can suddenly be exposed. It is as if the line of life in the palm of his hand displayed an undeviating upward curve of success, which is snapped suddenly in later middle age, and thereafter ascends again – still undeviating – but on a different plane. Success came to him when he was still very young. His first stories were printed when he was nineteen; he began to write *Buddenbrooks* at the age of twenty-four and published it before he was twenty-six. Immediately he was acclaimed as second only to Gherhart [sic] Hauptmann among the contemporary leaders of German letters. At the age of thirty he married Fräulein Katja Pringsheim, and enjoyed thereafter the rare benefice of domestic felicity. In 1924 came the second of his long novels, *The Magic Mountain*, and thereafter the Nobel prize for literature and world esteem.

When, in 1929, I first visited him in his house in Munich, it had already become a place of literary pilgrimage. It was an agreeable, sun-splashed house, with a small garden, trim and sloping, and two huge bow windows on the ground floor and the bedroom floor above. Dr. Mann's study was a small room, scented at the time by bowls of narcissi, and lined with book-shelves. Above them, if I recollect aright, were reproductions of Böcklin's pictures and a single bust of Sophocles. I presume that this house, and with it all the experiences of his long Munich period, are today no more than dust and rubble.

When Hitler arrived, the even tenor of Dr. Mann's life was abruptly twisted and changed. He was by then fifty-seven years of age. One would have supposed that it would be granted to him to live on in his house and garden, surrounded by his books, his papers, his family, his Munich friends and the wide supporting esteem of the whole world of letters. One would have assumed that he would be allowed to slide into old age gently – active but undisturbed – enjoying a venerable afternoon and evening, even as Goethe had enjoyed these things among his plaster casts and geological specimens at Weimar, or picnicking with the vivacious Eckermann in the Buchenwald, or spending sunset hours in his garden house beside the Ilm. To Thomas Mann this deserved quietude was fiercely denied. He might have retreated to his ivory tower; he might have devoted his declining years to restoring to the German language the strength and purity which it had lost since Luther's day; he might have remained silent in face of Nazi oppression, in face of the ghastly catastrophe which, with his brave vision, he foresaw.

For a man of his liberal spirit such silence was impossible. ,I could not', he wrote later, ,have lived or worked – I should have suffocated – had I not been able now and again to cleanse my heart, so to speak, to give from time to time free vent to my abysmal disgust at what was happing at home – the contemptible words, and still more contemptible deeds. Justly or not, my name had once and for all become connected for the world with a conception of a Germany which it loved and honoured. The disquieting challenge rang in my ears – that I, and no other, must in clear terms contradict the ugly falsification which this conception of Germany was now suffering'.

Thomas Mann spoke out. He protested: he denounced: he went into exile and became the thunderous voice of the old Germany prophesying evil and disaster among the infidels. It was a hard decision for a man of his repute and responsibilities. ,In those four years', he wrote in 1936, ,the odd blunder committed by Fortune when she put me in this situation has never for one moment ceased to trouble me. I could never have dreamed – it could never have been prophesied of me at my cradle – that I should spend my later years as an *emigré*, expropriated, outlawed, and committed to inevitable political protest'. The Nazis did not delay their revenge. Thomas Mann was driven into exile; he was deprived of his German citizenship; his property and his academic honours were taken from him; his books were banned. When ten years later he was able again to visit Germany, he found a country which during the years of darkness had been ravaged, sundered, destroyed: a country which had almost lost its self-respect. Yet it is by his example, and by the example of those who with him had the valour to protest, that the new Germany will find courage to rid herself of violence and servility and to resume the forgotten values of self-reverence and truth.

This unexpected rupture of the ascending curve of prosperity was caused by a sudden clash between circumstance and character. As so many of the men and women who figure in his novels and short stories, Thomas Mann possesses a dual temperament. From his father he derived the resolute – the almost Quaker – austerity of the ansient families of the Hansa cities. The pressure of Lübeck – which he has described so astringently in *Buddenbrooks* – weighted his conscience heavily; it delegated to him a combative individualism and a patrician disdain for the subterfuges and evasions of less stalwart minds. His mother was of Brazilian origin – an imaginative and artistic woman – whose sensibilities mingled but did not fuse with his stern Teutonic blood. There remained within him the conflict – which he has himself so brilliantly analysed – between the artist and the man of action, between the passive and the active, between acceptance and revolt, between conformity and eccentricity, between the tang of the Baltic winds and the sedative languors of the south. His power of will, the categorical imperative which led him to abandon comfort for exile, was essentially northern: when a young man in Rome, he had escaped from the sunlit terraces and happy fountains to immure himself in a solitary room and to record in *Buddenbrooks* the wind and the cold hard stones of his Baltic home. Always in moments of indecision there would come to him the imperative call of his Hanseatic conscience. But it was from his mother that he derived his sensitive nerves, his passion for music and art, even his enduring incapacity to adjust himself to rougher minds. The quality of his determination can only be truly estimated if contrasted with the recurrent doubts, fantasies and apprehensions with which, through his mother, he was assailed.

It is not suprising that of all his many analytical studies, it is *Tonio Kröger* which remains Thomas Mann's own favourite. You will remember the opening passage in which Tonio, at the age of fourteen, induced his boy hero, Hans Hansen, to walk back with him on their way from school. Tonio begins to tell his friend about Schiller's ‚Don Carlos' and is so entranced that Hans should manifest some interest in the subject that the lowering sky of Lübeck becomes flooded with light. Their talk is interrupted by the intrusion of a third boy, one of Hans' sporting friends. ‚Oh by the way, Kröger', says Hans – and then adds the clumsy schoolboy apology: ‚You see I hate calling you Tonio, it is

such a freakish name'. Suddenly for poor Tonio all around him becomes men-
acing and grey and dark. He is an alien, even Hans regards him as a freak,
he cannot ever belong to the pack, he is a misfit, an exotic, excluded from
the general and the ordinary. How often did Thomas Mann himself experience this isolation of the intellectual, this severance of the half-exotic from its
kind. On the one hand, it filled him with a sense of loneliness, a sense of being
unwanted, different and insecure: on the other hand, it forced him to become
more Nordic, more Hanseatic, than he really felt.

The instability of human fortune, the precariousness of existence, became
for Thomas Mann a constant theme of anxiety and inspiration. In *Tonio Kröger*
he inserts another autobiographical passage, in which he describes how Tonio,
on returning to his home town after an absence of thirteen years, is detained
by the police on suspicion of being an escaped forger – so thin is the tissue line
which separates the respectable citizen from the hunted criminal. In *Death in
Venice* Thomas Mann recurs once again to this theme of the precariousness
of human conduct. Dr. Aschenbach, the famous writer, is in middle age faced
suddenly with an emotional situation against which his carefully constructed
moral and conventional defences prove of no avail. Here again we have the
utter defencelessness of the human mollusc when robbed of its shell.

It is this clash between character and temperament, between will and imagination, which colours everything that Thomas Mann writes. Of what value,
given our terrible individual insecurity, are all the fortifications of good conduct? It is this which accounts for his preoccupation with the vague zones which
separate the normal from the abnormal, the healthy from the diseased. It is this
also which explains the fascination exercised upon him by all forms of illusion,
mesmerism or ingannation, and which lends to incidental works, such as *Mario
and the Magician* or *Felix Krull*, so disproportionate an intensity of feeling.

How, asks Thomas Mann persistently, are we to conquer our own anxiety
and decadence and search for happiness in the resolute Attic way? Can the
artist in fact escape from reality and find protection in art and scholarship?
These are but brittle buttresses and even the most ivory tower must contain the
sick human body and the anxious human mind. The challenge which came to
Thomas Mann with the Nazis and which stirred within him the full power of
his will may from the material point of view have been a bitter misfortune. Yet
men who are naturally brave do not realise with what elation an apprehensive
man can discover his own courage. The German catastrophe certainly caused
him spiritual suffering; but it solved the dichotomy between man and artist: I
doubt whether, looking back from the eminence of his seventy-fifth birthday,
Thomas Mann can regret the harsh challenge which confronted him; or the
manner in which he won.

Dokument 4
Harold Nicolson: Thomas Manns Selbstbekenntnis
In: Englische Rundschau. Kulturbeilage zur Brücke Nr. 225, Nr. 6 (1951),
S. 1–3 (Übersetzung des Beitrags aus: The Spectator, London, 22.12.1950)
Kopie TMA

Anläßlich seines 75. Geburtstages hielt Thomas Mann in der Universität Chikago [sic] einen Vortrag über das Thema „Meine Zeit". Dieser ist jetzt im S. Fischer Verlag, Frankfurt a. M., erschienen, und ich habe ihn mit der ehrerbietigen Neugierde gelesen, welche die Werke dieses großen Dichters immer in mir wachrufen. Das immer wiederkehrende Thema der Werke von Thomas Mann ist der Konflikt zwischen dem Einzelnen und seiner Umgebung, oder genauer, zwischen den subjektiven und objektiven Elementen des menschlichen Charakters. Der Künstler mit seiner intensiven Sensibilität und seiner Neigung zu weitgreifenden und schnellen Gedankenverknüpfungen ist diesem Konflikt besonders ausgesetzt. Er ist so empfänglich und ist sich der unbestimmten Beziehung, der Unabgrenzbarkeit zwischen Gedanke und Tat dauernd so bewußt, daß es ihm unmöglich erscheint, zeitgenössische Ereignisse mit einfachen positiven und negativen Ausdrücken in Schwarz-Weiß-Manier zu interpretieren. Für ihn ist alles eine fließende Aufeinanderfolge grauer „Übergänge". Er kann nicht, wie der Mann der Tat, zeitgenössischen Problemen gegenüber sofort eine bestimmte Haltung einnehmen, in seinem Kopf erhebt sich immer wieder ein Argument. Um zu einer objektiven Folgerichtigkeit zu gelangen, muß er jene inneren Instinkte und Impulse zu seiner Richtschnur machen, die die Konstanten seines eigenen Temperaments sind. Für Thomas Mann sind diese Direktiven die „Kunst" und die „Humanität".

Diese beiden Leitsterne erlauben es aber dem Einzelnen nicht immer, durch die Nebel und Untiefen einer sich schnell verändernden, ganz unsteten Welt einen geraden Kurs zu steuern. Als Künstler mag er versucht sein, vor der Rohheit der Massengefühle zurückzuschrecken, gegenüber der zeitgenössischen Politik eine Haltung empörten Widerwillens einzunehmen und sich schließlich voller Ekel in Erhabenheit von dem Trubel abzuwenden. Als Menschenfreund wird er angesichts der menschlichen Dummheit vielleicht ungeduldig und, durch die Langsamkeit des Fortschritts, der Jahr um Jahr nur zentimeterweise vorwärtskriecht, gequält, vergißt er, daß die Politik „die Kunst des Möglichen" ist und flüchtet sich schließlich in einsamer Ohnmacht in die Wolken Utopias. Die Männer der Tat wird er wahrscheinlich nicht gerade durch besondere Folgerichtigkeit seines Wesens beeindrucken: Weil der geistige Mensch nun einmal in der Politik der Neuzeit immer ein einsamer, wirkungsloser, schwankender Kauz ist.

Äußerlich betrachtet, könnte man die Einstellung Thomas Manns zur Politik seiner Zeit wohl als inkonsequent ansehen. Er begann nationalistisch, wurde dann stark antinationalistisch und ist nun schließlich zu einer internationalistischen Einstellung von besonderer Art gelangt. Als geistiger Mensch hat er mit Verachtung auf die Gedankenverwirrung der Durchschnittspolitiker herabgesehen und immer darum gerungen, in dem Wirrwarr der menschlichen Angelegenheiten eine logische Ordnung zu entdecken. Als Menschenfreund und Humanist haben ihn die latenten Kräfte der Selbstzerstörung in der Menschheit entsetzt, und er sucht seine Richtschnur in seinem instinktiven Grauen vor Unmenschlichkeit und Verlogenheit zu finden. Dieser Entwicklungsverlauf hat ihn zu keinen sehr logischen Schlußfolgerungen geführt, aber als Entwicklungsverlauf ist er sehr interessant. In seinem Vortrag sucht er nicht, seine Schwankungen zu entschuldigen, er versucht sie lediglich zu erklären. Er beschreibt, wie er in den letzten Jahrzehnten der bürgerlich-liberalen Welt aufwuchs. Er betrachtet es als ein großes Privileg, die geistige Gediegenheit jener nun dahinschwindenden Epoche noch erlebt zu haben, ein Privileg, das ihn und seine Zeitgenossen mit einem „Bildungsvorzug" vor denen ausstattete, die erst kamen, als jene festen Gewißheiten sich aufzulösen begonnen hatten. Wie er uns versichert, war er sich nicht bewußt, mit der Beschreibung des Verfalls des Hauses Buddenbrock [sic] in Wirklichkeit die Auflösung der Seele der westlichen Zivilisation, „der Seele des Abendlandes", zu beschreiben. Mit der ihm eigenen würdevollen Melancholie trauert er um die dahingeschwundenen alten bürgerlichen Maßstäbe.

Der Lübecker Patrizier

Lübeck war zu Thomas Manns Jugendzeit ein gesundes, gutbürgerliches Gemeinwesen, nicht unbeeinflußt von der „Mischung aus Brutalität und Raffinement" Bismarcks. Die Lehrer in seiner Schule würden Sozialdemokraten als Straßenlümmel entlassen haben; bei den seltenen gelegentlichen Spielen wurde von ihm erwartet, daß er sie in gestärktem Hemd mit nicht aufgekrempelten Ärmeln betrieb. Er war stolz darauf, Bürger einer Stadt mit großer Hansatradition zu sein und verabscheute diejenigen, welche die „etwas geckenhafte Formel" der „Fin-de-siècle"-Mode aufgriffen. Seine Lehrmeister waren die großen russischen und englischen Romandichter des 19. Jahrhunderts. Schopenhauer, Nietzsche und Flaubert blieben nicht ohne Einfluß auf ihn, dem weichen, entkräftenden Säuseln des Ästhetizismus und der „Décadence" stemmte er sich jedoch entgegen und entschied sich in Festigkeit, das allgemein Gültige in guter alter deutscher Prosa auszudrücken. Dieser Glaube an die gediegenen deutschen Tugenden und dieser Haß gegen die Dekadenz, die wie ein Virus über die Grenzen zu schleichen schien, führten ihn dazu, gegen Ende des ersten Weltkrieges die „Betrachtungen eines Unpolitischen" erscheinen zu lassen. Dieses Buch hat einige seiner Kritiker dazu verleitet, zu behaupten, daß er im Grunde seines Herzens ein Junker sei. Vier Jahre später trat er als Verteidiger der Weimarer Republik und als fürchterlicher Gegner des deutschen Nationalismus hervor. Er vollzog diesen Übergang, wie er erzählt, „ohne daß ich irgendeines Bruches in meiner Existenz gewahr geworden wäre, ohne das leiseste Gefühl, daß ich irgendetwas abzuschwören gehabt hätte". Er sah im deutschen Nationalismus etwas Anti-Humanistisches, etwas Chthonisches (Irdisch-Unterirdisches, griechischer Beiname der in und unter der Erde waltenden nächtigen Gottheiten. D. Übers.), er erkannte, daß dieser wilde Rausch darauf aus war, eine junge deutsche Generation zu schaffen bar aller zivilisatorischen Werte, „gestählt und zerrüttet zugleich". Er wurde der mächtige Verteidiger und das berühmte Opfer der liberalen Idee.

Er behauptet in diesem Chikagoer [sic] Vortrag, daß ein Gegensatz zum totalitären Dogmatismus nicht allein seiner Liebe zu der alten liberalen Tradition entsprang, sondern auch seiner Überzeugung, daß Totalitarismus und Wahrheit unvereinbar sind. „Die Lüge", schreibt er, „ist unerträglich, ästhetisch wie moralisch". Wie kommt es dann, daß Thomas Mann in seiner letzten Periode dem russischen Kommunismus gegenüber ein Maß von Toleranz an den Tag legt, das er dem faschistischen oder Nazi-System nie eingeräumt hat? Er gibt zu, daß der Kommunismus als Lehre ihm „fremd" ist; er weiß, daß die Russen, wie er sich ausdrückt, „sarmatischer Wildheit" fähig sind; er erkennt, daß in Rußland Autokratie und Revolution „einander gefunden" haben und im „byzantinischen Kleide" vor uns stehen. Doch dem stellt er entgegen, er verdanke der russischen Literatur so viel, daß er es nicht über sich bringe, dem slawischen Genius, „der russischen Seele" gegenüber Haß zu empfinden.

Rußland und USA

Er entwickelt eine höchst interessante Theorie, um zu erklären, warum Geist und Humanität es ihm unmöglich machen, die hysterische anti-russische Leidenschaft anders als mit Mißfallen zu betrachten. Er behauptet, daß mit „mehr Weisheit auf beiden Seiten" aus der Kampfgemeinschaft zwischen Amerikanern und Russen „Großes und Gutes hätte erwachsen können". Er trägt das seltsame Paradoxon vor, daß „diese beiden gutmütigen Riesen viel miteinander gemein" haben. Sie haben die gleiche fröhliche und etwas primitive Einstellung zum Leben, beide sind nicht belastet mit der kleinlichen Haarspalterei

Europas. Überdies müsse die ganze Theorie der liberalen Demokratie in sich selbst wieder in Übereinstimmung gebracht werden, da nun einmal ihre beiden „Grundprinzipien divergieren: Freiheit und Gleichheit, denn Gleichheit trägt in sich die Tyrannei und Freiheit die anarchische Auflösung". Wenn nur die amerikanische Demokratie etwas sozialistischer und der russische Sozialismus etwas demokratischer würde, könnte der Gegensatz zwischen ihnen seine Schärfe verlieren und die Zeit (dieser wohltätige Faktor, der „für uns alle arbeitet") uns „Friede und Freude" bringen.

Ich stimme Thomas Mann darin zu, daß die Gefahr eines Konflikts geringer würde, wenn „die beiden gutmütigen Riesen" gleichzeitig ein und dieselbe Sorte sozialer Demokratie einführen würden. In der Wirklichkeit bleibt es aber unwahrscheinlich, daß die Amerikaner ihren Glauben an „free enterprise" aufgeben, und ebenso unwahrscheinlich, daß die russische Autokratie es wagt, ihre Völker in Freiheit zu setzen. Ich kann mich des Gefühls nicht erwehren, daß Thomas Mann sich in diesem Punkte von seinem Geist und seiner Humanität hat verlocken lassen, zu glauben, was er wünscht, werde sich auch wirklich ereignen. Und dennoch ziehe ich die Hoffnung dem trüben Pessimismus derjenigen vor, die nur stillstehen und abwarten.

Dokument 5
Harold Nicolson: Tonio Kröger
The Observer, London, 19.12.1954 (= Rezension des Buches Thomas Mann *von James Martin Lindsay, Oxford: Blackwell 1954)*
Kopie TMA und UB Augsburg, Slg. Jonas

Mr. J.M. Lindsay, lecturer in German at the University of St. Andrews, has contributed to Modern Language Studies a critical examination of the works of Thomas Mann. Mr. Lindsay has many correct and illuminating ideas, but he does not express them very clearly or place them always in the right order. Admirably though he analyses the main themes that recur in the work of Thomas Mann, he scarcely attempts to convey to us the secret of his literary genius.

Why is it that stories such as „Tonio Kröger" or „Death in Venice" (which can be obtained in a good English translation in Everyman's Library), should leave so lasting an impress on the memory? Why is it that „Lotte in Weimar" should be perhaps the only fictional biography that is really worth reading? Why is it that „Doktor Faustus" should seem to us to spread such wide symbolic wings? Mr. Lindsay half answers such questions, but he does not answer them completely.

His book is written in a style which suggests not an integrated volume, but notes for a series of university lectures. He repeats himself all too frequently, although he might defend this trick by contending that Thomas Mann does much the same. The ordinary reader may be disconcerted by Mr. Lindsay's unwillingness to translate his quotations into English, or disappointed that he has not devoted more space to an examination of the development of Thomas Mann's strange style. There is much to be said about the combined effect on modern German prose of Luther and Nietzsche. And why is it that the implicit in Thomas Mann's work is so far more significant than the explicit? We are not told enough about such problems. Mr. Lindsay avoids entering into the *leitmotiv*.

* * *

Yet he does give us an excellent explanation of the three themes which recur, in ever-expanding form, throughout the novels, the essays and the criticism of Thomas Mann. There is in the first place the theme of German bourgeoisie. Mr. Lindsay shows how Thomas Mann began by deriding the German Bürger in „Buddenbrooks"; how in the „Betrachtungen" (a work which in his Chicago address of 1950 Mann described as „regrettably notorious: *unliebsam bekannt*") the bourgeois attitude is denounced as unpatriotic; and how in the end he realised that the Bürger was in the long line of tradition which had produced Dürer, Goethe, Wagner, Schopenhauer, and Nietzsche, in fact all Thomas Mann's own heroes and masters. In the end he found in German Bürgertum, even in the slightly comic figure of Serenus Zeitblom, the stuff from which the finest German qualities are woven.

Then comes the second theme – namely, the problem of how the artist is to adjust himself to ordinary life. This is the most interesting of all Thomas Mann's recurrent problems. Why is it that the artist should always be a pariah? Why is it that he should either prove ineffective, or unclean, or sickly, or diabolical? Why should he fail, as Tonio Kröger, to enjoy normal activities, or why, like Adrian Leverkühn, should he conspire to his own ruin? Sometimes, as when Tonio is arrested at Lübeck, the artist becomes actually paralysed by reality and can make no answer to it; sometimes, as in „Mario and the Magician", he reacts to it with sudden violence; sometimes, as with Aschenbach and Leverkühn, the demonic element expels the civilised. In his earlier books Thomas Mann represents the artist as a runt, persecuted by its healthier siblings; in the later books the artist is raised to the status of representative and leader of his kind. This change in status reflects the growth of Thomas Mann's own self-assurance, from the date when he was a bullied little schoolboy at Lübeck to the date when he became the martyr and prophet of German liberalism.

* * *

Then we have the third theme, the insistent theme of sickness and death which is not unrelated to the problem of the artist in society. It is the shedevil Naphta and the he-devil of Doktor Faustus who whisper that genius and sickness are inevitable allies, and whose whisperings shatter the artist with panic rage. „A man", remarks Hans Castorp, „who is interested in life must necessarily be interested in death. It is not so?" Mr. Lindsay does not fully explain to us why an author who understood Goethe so perfectly should insist that the Diony-sian is a more constant element in genius than the Apollonian. Yet it may be these implicit horrors, this suggested panic, which enable Thomas Mann to leave upon our memories so deep a disturbance. The test of a writer's power is surely the durability of the shape that remains in our minds.

How massively German is Thomas Mann, with his brooding intellect and his tender nerves! My German friends always assure me that if I wish to understand their nature I should read Goethe always. This, I am sure, is what they would wish everyone to believe. Certainly the great Bürger of Weimar is the Apollo of their mythology. Yet it is the unreason of the Germans that perplexes us rather than their reason. The battle between wisdom and hysteria that seethes in so many German souls is best conveyed to us by that splendid writer Thomas Mann.

Dokument 6
Harold Nicolson: [Geburtstagswünsche für] Thomas Mann
[Echo des Tages: Begegnungen mit Thomas Mann. Programmablauf. Zum 80. Geburtstag von Thomas Mann am 6.6.1955, Nordwestdeutscher Rundfunk, Hannover; Red.: Jürgen Eggebrecht; mit Beiträgen von Harold Nicolson, Bruno Walter, Charles Chaplin, Franz Theodor Csokor, Jean Cocteau, Philip Toynbee, Martin Beheim-Schwarzbach, Carl Jacob Burckhardt und Rudolf Alexander Schröder, Hannover, 1955 , 20 S., Rundfunkskript, Schreibmaschinenschrift]
TMA

The first time I met Thomas Mann was in Munich in the year 1929 when the troubles of the first war were over and when Germany appeared to be settling down to the somewhat placid pleasures of the Weimar Republic. When I look back upon those days it seems to me to represent a very quiet period, in which the German people had enough to eat, possessed full freedom, and found their love of experiment and excitement in the dangerless realms of music, architecture and the theatre. I remember that when I remarked upon this apparent calm to Thomas Mann he replied that I was deceiving myself. It was, he said, no more than a surface calm. He warned me that no foreigner could estimate how great had been the shock administered to the German people by the war and by inflation. „Germany" he said to me „is still convalescent and her nerves are in a bad state". I often recalled these remarks when the period of tension came from 1933 onwards.

I did not see Thomas Mann again until he came to England some twenty years later.[33] I reminded him of what he had said to me in Munich. He had forgotten it. „Did I say that?" he replied to me, „if you say so, I suppose I did. And now we look back upon it, it seems that my diagnosis was correct." Then he sighed very deeply. I do not think that he enjoyed talking about those then distant Munich days.

From these chance conversations, separated by a gulf of years, I can scarcely claim any personal acquaintance with the great writer whom we are all in every country honouring these days. But Thomas Mann the writer is, I can positively assert, one of my most intimate friends. What is it that explains the attraction he exercizes upon the English intelligentsia [sic]? In the first place there is respect. When others were silent his voice was raised, on behalf of all humanity, in protest against all endeavours to force the free mind of men, to oblige even learning and scholarship, to serve political ends. He seemed to us the example of that higher type of patriotism which persuades a man to love the virtues of his own country but to protest publicly against its faults.

Then Thomas Mann, in all his books, is concerned with the problem of the individual and society, a problem which we, with our strong individualism and our strong corporate feeling, find specially perplexing and insoluble. Must the artist always feel himself separated from the ordinary man, or do means exist by which he can, without treachery to his own character, find some compromise? No writer since Stendhal has stated this eternal problem in so many different ways, or analysed it with such sympathy or acuteness. No writer has been able as Thomas Mann has been able, to communicate to us the peculiar form of sadness occasioned to the extraordinary man by the realization that he is not ordinary. The whole tendency of our English education is to produce a uniform type and those who are unable to conform to this type are often rendered sad. Now Thomas Mann, by showing us that such outcast states are common to all men, eases our condition. And we are grateful to him.

[33] Im Mai 1947.

Ingeborg Robles

Ähnlichkeit und Differenz in Thomas Manns frühen Erzählungen

„Der Mensch kann nur mit seines Gleichen Leben und auch mit denen nicht denn er kann auf die Länge nicht leiden daß ihm jemand gleich sei."[1] Dieser einfache, von Goethe in seinem Schema zu *Dichtung und Wahrheit* formulierte Grundgedanke, daß der Mensch Ähnlichkeit und Verschiedenheit im Verhältnis zu anderen gleichermaßen sucht und fürchtet, nicht als Frage der Extreme, sondern an sich als ständiges und nicht zu lösendes Dilemma, kehrt bei Thomas Mann mit größerer Hartnäckigkeit wieder. Besonders in den frühen Erzählungen fällt die Wiederkehr dieser Thematik und ihre teilweise extreme Zuspitzung auf: das Ehepaar Amra und Jacobi in *Luischen*, Gabriele und Klöterjahn in *Tristan*, Johannes Friedemann und Gerda in *Der kleine Herr Friedemann*, Siegmund und Sieglinde in *Wälsungenblut*. In diesen und einigen weiteren Erzählungen (*Tobias Mindernickel, Der Weg zum Friedhof, Der Wille zum Glück*) spielt die Problematik von Ähnlichkeit und Differenz eine auch für die Handlung entscheidende Rolle; sie ist damit nicht allein beherrschendes Thema, sondern zudem generatives Prinzip: sie produziert die Erzählung.

Die kunstvolle Ausbeutung dieser formalen Struktur erlaubt zum einen eine virtuose Erzählführung: groteske Situationen, tragikomische Effekte, melodramatische Höhepunkte und Spannungsbögen, die aus der graduellen Zu- und Abnahme von Ähnlichkeit und Verschiedenheit resultieren. Aber was die Dynamik dieser Struktur trägt, sie auflädt, ist der Zweifel an der Individualität des Menschen. Die Bedrohung der Individualität hat zweierlei Aspekte: fehlende Singularität und Verlust von Menschlichkeit.[2] Die Ähnlichkeit zweier Menschen parodiert den Wunsch, den, so scheint es, notwendigen Wunsch, sich in seiner Eigenständigkeit und daher fraglosen Unterschiedenheit zu behaupten. Ähnlichkeit aber beschwört immer auch, und Thomas Mann vergißt niemals daran zu erinnern, die Idee an die erste Ähnlichkeit als

---

[1] Johann Wolfgang von Goethe: Aus meinem Leben. Dichtung und Wahrheit, hrsg. von Klaus-Detlev Müller, Frankfurt/Main: Deutscher Klassiker Verlag 1986 (= Sämtliche Werke. Briefe, Tagebücher und Gespräche, Abt. 1, Bd. 14), hier: Paralipomena, S. 873.

[2] Häufig auch betont als ‚Entmännlichung‘ gestaltet wie in *Der kleine Herr Friedemann* und *Luischen*. Vgl. auch Doris Runge: Welch ein Weib! Mädchen- und Frauengestalten bei Thomas Mann, Stuttgart: Deutsche Verlags-Anstalt 1998.

Ebenbildlichkeit Gottes.[3] Den anderen nicht mehr ähnlich zu sein, kann so leicht den Fall ins Tierische bedeuten; eine demütigende Vergleichbarkeit nach der anderen Seite hin, wenig schmeichelhaft und doch nicht überraschend, wenn man sich erinnert, daß Montaigne den Abstand zwischen Mensch und Tier geringer fand als den eines Menschen zum anderen.[4]

Es ist keine Frage des Grades, des Zuviel oder Zuwenig. Die Zuspitzung der Ähnlichkeit oder der Unterschiedlichkeit oder das Engelhafte einiger Figuren und das Animalische anderer bedeutet nicht die Bedrohung in der Übertreibung oder die Angst vor Extremen, sondern umgekehrt: darin legt sich nur bloß, wie jede Ähnlichkeit und jede Verschiedenheit *an sich* beunruhigt und von daher die Extreme sich ergeben oder als solche sich zeigen. Genauso scheinen auch die zentralen Charaktere in den frühen Erzählungen sich auf der mittleren Stufe der Menschlichkeit nicht halten zu können, sondern kippen ständig ins Engelhaft-Göttliche oder Tierische um.

Diese Thematik bildet somit den Hintergrund einer Struktur, die ansonsten völlig formal bleibt. Mit anderen Worten: Anders als oft betont stehen nicht die Inhalte der Beziehung – wie etwa Kunst und Leben – im Vordergrund, sondern die Unterscheidung (oder ihr Fehlen) als solche.[5] Die Erzählungen, in denen diese formale Struktur für den Verlauf der Handlung ausschlaggebend ist, fallen in drei Kategorien: Sie beschreiben das Verhältnis eines Einzelnen zu einer Menge; sie stellen Liebesbeziehungen dar; sie schildern Familienverhältnisse. Die letzten beiden gehen manchmal ineinander über.

---

[3] Durch die (manchmal, aber nicht immer ironische) Verwendung von Namen, die auf biblische Figuren, auf Engel oder Gott weisen (Tobias, Lobgott, Gabriele); durch Anspielungen: Mindernickel, der Herr, auf den der geschlagene Hund seinen klagenden Blick richtet, etc.

[4] Wobei der Bereich des Tierischen nicht an sich negativ konnotiert ist. (Vgl. auch: Terence James Reed: Das Tier in der Gesellschaft. Animalisches beim Humanisten Thomas Mann, in: TM Jb 16, 2003, 9–22.) Im Gegenteil: Tiere, vor allem Hunde, zeigen oft eine Empfindsamkeit, die den menschlichen Figuren abgeht. Zu unterscheiden von der Darstellung der Tiere im Werk Manns sind aber die Attribuierungen tierischer Charakteristika bei menschlichen Figuren. Sie bedeuten in der Regel eine Herabwürdigung und sind oft der erste Hinweis auf den Kollaps, der folgen wird, die Demütigung und den Verlust der Selbstkontrolle bis hin zum plötzlichen Tod.

[5] Dieses Grundthema des Mannschen Werkes ist in vielerlei Hinsicht diskutiert worden: als Problem des Narzißmus, jenem „Komplex von Auserwähltheit, Andersartigkeit und Isoliertheit" (Wysling); als Resultat und „Kostümierung" der Homosexualität (Böhm); als Angst vor dem Fremden (Elsaghe); als die spezifische Problematik des modernen Künstlers (Pütz). Vgl. Hans Wysling: Narzissmus und illusionäre Existenzform. Zu den Bekenntnissen des Hochstaplers Felix Krull, Frankfurt/Main: Klostermann 1995 (= TMS V), hier: S. 92; Karl Werner Böhm: Zwischen Selbstzucht und Verlangen. Thomas Mann und das Stigma der Homosexualität. Untersuchungen zu Frühwerk und Jugend, Würzburg: Königshausen & Neumann 1991 (= Studien zur Literatur- und Kulturgeschichte, Bd. 2); Yahya Elsaghe: Die imaginäre Nation. Thomas Mann und das „Deutsche", München: Fink 2000; Peter Pütz: Kunst und Künstlerexistenz bei Nietzsche und Thomas Mann, Bonn: Bouvier 1987.

I. Radikale Verschiedenheit des Einzelnen

Die Verschiedenheit erscheint vor dem Hintergrund der Ähnlichkeit, nach der immer zuerst gefragt wird: Sieht er nicht aus wie der Vater? Nein, mehr wie die Mutter...

Die Frage der Ähnlichkeit ist also zunächst ein typisches Familienproblem. In den *Buddenbrooks* gipfelt es in dem Satz: „Ich bin geworden wie ich bin [...], weil ich nicht werden wollte wie du.'" (1.1, 638) Ein Bekenntnis, das Thomas Buddenbrook mit bewegter Stimme seinem Bruder Christian macht. Aber auch an zahlreichen weiteren Figuren des Romans wird die Frage „wer ähnelt wem" durchgespielt.[6] Dabei zeigt sich, gleichermaßen als Erweiterung des Verwandtschaftsgeflechts, auch das Verhältnis von Liebenden, Eheleuten und schließlich selbst Freunden unter dem Gesichtspunkt von Ähnlichkeit bzw. Unähnlichkeit. Bei der verwandtschaftlichen Ähnlichkeit scheint es hauptsächlich darum zu gehen, der Ähnlichkeit (mit dem Bruder oder den Vorfahren) zu entgehen, die größtmögliche Distanz zu legen zwischen sich und der auferlegten, der oft „lächerlich" genannten Ähnlichkeit. Die Liebesbeziehungen dagegen zeichnen sich häufig aus durch die Suche nach Ähnlichem. Doch erlaubt die Ähnlichkeit nicht, Unterscheidungen in sie einzuführen; es gibt keine ,gute' und ,schlechte' Ähnlichkeit; gesucht oder nicht, erweist sie sich für den Einzelnen als zerstörerisch. Das mag damit zusammenhängen, daß es Thomas Mann nicht um das Wesen der Liebe geht: ihn interessiert nicht die Annäherung zweier Personen in oder zu einem Liebesverhältnis, sondern er nähert zwei Personen einander an, um eine dabei und dadurch zugrunde gehen zu lassen. Dabei können Ähnlichkeit wie Differenz Auslöser der Zerstörung sein. Die Liebe scheint nur das Mittel, die jederzeit bestehenden Relationen von Ähnlichkeit und Differenz zu intensivieren und dadurch in ihrer Dynamik beleuchten zu können.

Es finden sich daher ebenfalls Paare von einer völlig übersteigerten, ja lächerlichen Unterschiedlichkeit. Von dieser innerhalb der engsten Relation sich zuspitzenden Differenz mitsamt ihrer offenkundigen Absurdität her kann nun auch die Position der Differenz außerhalb einer Liebes- oder Familienbeziehung gesehen werden. Der Außenseiter definiert sich dann nicht so sehr durch seine Stellung in einem sogenannten Außen, sondern markiert vielmehr den letztmöglichen Punkt der Differenz, die unbestimmte Differenz; von dort aus zeigt er an, was er ist: Träger einer skandalösen Andersartigkeit.

---

[6] Vgl. dazu ausführlicher das Kapitel „Buddenbrooks" in: Ingeborg Robles: Unbewältigte Wirklichkeit. Sprache, Zeit, Familie als mythische Strukturen im Frühwerk Thomas Manns, Bielefeld: Aisthesis 2003.

Tobias Mindernickel und Lobgott Piepsam sind zwei solche Gestalten; beide sind außerhalb jeder Bindung auftretende „Helden". Dieses Anderssein bringt aber die Differenz auf unterschiedliche Weise ins Spiel: Über Mindernickel ergießt sich der Spott der Leute, ihn jagen die hämischen Rufe der Kinder. Er flüchtet davor und sucht, was ihm gleich ist. Piepsam dagegen ist von allen unbehelligt; aber es ist ein Unbehelligtsein, das gezeichnet ist als schmerzhafter Kontrast zwischen der Helle der ihn umgebenden Welt und seinem eigenen schwarzgekleideten, tristen und mühsamen Daherziehen. Dies führt dazu, daß er die physische Manifestation des ihm zu Unähnlichen direkt angreift. Wie im folgenden gezeigt wird, endet Mindernickel da, wo Piepsam beginnt, nur daß Mindernickel siegt und tötet, Piepsam dagegen verliert und stirbt, ein Unterschied, der keine Rolle spielt, weil er nur die Anfangssituation festschreibt: Mindernickel wieder allein und verspottet; Piepsam jetzt erst recht unbehelligt.

Tobias Mindernickel ist auffallend in seiner Erscheinung, d.h. er gleicht nicht den anderen, sein absonderliches Aussehen setzt ihn dem Spott der Leute aus.

Die Anfangspassage enthält bereits das für den Verlauf der Handlung entscheidende Wort:

Eine der Straßen, die von der Quaigasse aus ziemlich steil zur mittleren Stadt emporführen, heißt der Graue Weg. Etwa in der Mitte dieser Straße und rechter Hand, wenn man vom Flusse kommt, steht das Haus No. 47, ein schmales, trübfarbiges Gebäude, das sich durch nichts von seinen Nachbarn unterscheidet. (2.1, 181)

Dieser Unterscheidungslosigkeit steht nun das ganz und gar auffällige Äußere Mindernickels gegenüber und entgegen. Er, der in diesem Haus, das so vollkommen den anderen gleicht, wohnt, „ist auffallend, sonderbar und lächerlich". (Ebd.) Der durch seine Sonderbarkeit unterschiedene und von der Gemeinschaft ausgeschiedene Mann sieht sich umgeben von der undifferenzierten Masse der anderen, Kinder und Nachbarn, die ihn verhöhnen. Erst als ein Kind zu Boden stürzt und am Kopf blutet, löst sich aus dieser Masse für einen Moment ein Individuum, und es kommt zu einer Art Begegnung. Mindernickel beugt sich über den zehnjährigen Jungen, spricht ein paar tröstende Worte und verbindet die Wunde. Die Verletzung stiftet einen Augenblick von Gemeinsamkeit, und diese sucht Mindernickel mit dem Hund, den er sich kauft, immer wieder erneut herzustellen. Jede gedrückte Stimmung des Tieres erlaubt Mindernickel, endlich den Schritt vom ‚ich' zum ‚wir' zu tun: „Ja, ja, Du leidest bitterlich, mein armes Tier! Aber sei still, wir müssen es ertragen'". (2.1, 190) Endlich teilt jemand mit ihm die Erfahrung von der Traurigkeit der Welt: „Siehst Du mich schmerzlich an, mein armer Freund? Ja, ja, die Welt ist traurig, das erfährst auch Du, so jung Du bist...'" (2.1, 189) Als aber der Hund wieder gesund wird, herumzutollen beginnt und so die Gleichheit aufhebt, hält Mindernickel es nicht länger aus. Er verwundet seinen zu fröhlichen Begleiter tödlich, verbindet die Wunde gleich nach der Tat und stammelt: „Mein armes Tier! Mein armes Tier! Wie traurig alles ist! Wie traurig wir beide sind! Leidest Du? Ja, ja, ich weiß, Du leidest...'" (2.1, 191)

Tobias Mindernickel versucht, sich in jemandem zu spiegeln und durch diese Spiegelung einen Ansprechpartner zu finden, überhaupt zur Rede gelangen zu können. Dies gelingt ihm nur mit Hilfe eines Hundes, den er Esau, also seinen haarigen Zwillingsbruder nennt; aber selbst neben diesem Hundeleben erscheint sein eigenes von noch minderem Wert, und der Versuch, doch noch – und mit Gewalt – eine Art Ebenbürtigkeit herzustellen, endet mit dem Tod der Kreatur. Mindernickel will die Isolation seines Daseins durchbrechen; er will sein Leid zumindest verdoppelt sehen, wenn sich schon seine Distanz zu den anderen Menschen nicht verringern läßt.

Zu großes, unerträgliches Anderssein bewirkt Zerstörung; es verlangt nach ihr. In *Der Weg zum Friedhof* ist es der Held selbst, der zugrunde geht. Ein Wutausbruch, der wie bei Mindernickel ausgelöst wird durch das Ansehenmüssen einer unerträglichen Differenz, endet hier nicht mit dem Tod des anderen, sondern führt zum eigenen Zusammenbruch.

Die Erzählung beginnt mit der Beschreibung eines Friedhofsweges und eines Fuhrwerkes, das auf der Chaussee daneben entlangfährt. Darauf sitzt ein „unvergleichliches Hündchen, Goldes wert" (2.1, 211). Dieses aber, so heißt es, gehöre leider „nicht zur Sache" (ebd.). Allerdings ist damit das Thema des Vergleichens eingeführt. Und es wird sogleich wieder aufgenommen, an zwei Figuren, die wieder nicht zur Sache gehören: „Zwei Handwerksburschen kamen des Weges, der eine bucklicht, der andere ein Riese an Gestalt." (2.1, 212) Dann aber wird – endlich – der „Held" der Geschichte vorgestellt: Lobgott Piepsam, allein auf dem Weg zum Friedhof, ein Mann ganz allein in der Welt, ein Trinker, dessen abstoßende und trübselige Erscheinung im Gegensatz zum sonnigen Frühlingswetter steht.

Er geht am Stock in abgeschabter Kleidung den Weg entlang, als sich von hinten mit großer Geschwindigkeit ein Fahrrad nähert. So erhöht kommt etwas daher, was der Erzähler „das Leben" nennt, das vor allem aber alles ist, was Piepsam nicht ist: jung, munter, selbstbewußt.

Die Unterschiedlichkeit, die an sich schon beträchtlich ist, wird durch das Fahrrad noch gesteigert, und so richtet sich Piepsams Wut vor allem auf dieses Rad. Wenigstens auf diesem Weg soll Gleichheit herrschen und jeder Fußgänger sein. Als das der junge Mann aber durchaus nicht einsehen will, zerrt ihn

Piepsam vom Sattel. Letztlich natürlich fährt ihm das Leben davon, und in ohnmächtiger Wut wünscht Piepsam seinen Widersacher in den Staub, auch er soll erniedrigt und zum Tier werden, wofür Gott und der Teufel zu Zeugen gerufen werden:

> Da begann Piepsam zu schreien und zu schimpfen – man konnte es ein Gebrüll heißen, es war gar keine menschliche Stimme mehr. [...] ‚Ach, Herr du mein Gott, wenn du stürztest, wenn du stürzen wolltest [...] Du Schurke! Du dreister Bengel! Du verdammter Affe! Blitzblaue Augen, nicht wahr? Und was sonst noch? Der Teufel kratze sie dir aus [...].‘" (2.1, 218f.)

Aber Piepsam selbst ist es, der stürzt, den die eigene Raserei zu Fall bringt, der das Bewußtsein verliert und stirbt, während um ihn herum eine Menschenmenge steht und gafft.

So wird am Ende die Gegensätzlichkeit nur noch verstärkt. Die zwei hübschen Pferde, die den Sanitätswagen ziehen, die kleidsamen Uniformen der Sanitäter und die präzisen Griffe, mit denen sie den Toten in den Wagen schieben, stehen in deutlichem Kontrast zu Piepsam, der nur noch einem Brot gleicht, das in den Backofen geschoben wird. Die Erzählung steigert die anfängliche Differenz, jede Äußerung Piepsams vermehrt sie; am Ende, das ihn als Toten unter Lebenden zeigt, ist sie unaufhebbar geworden. Der Titel hat also zwei Bedeutungen: Es ist der Weg zum Friedhof, ganz wörtlich genommen, auf dem Piepsam sich befindet, denn er will „die Gräber[] seiner Lieben" (2.1, 212) besuchen. Das Ende der Erzählung aber verleiht dem Titel auch eine weitere Bedeutung; er muß nun als Piepsams letzter Weg verstanden werden, als „Weg ins Abseits und ins Jenseits".[7] Bei dem Versuch, wenigstens für die Dauer des Weges zum Friedhof eine ungefähre Gleichheit zu erreichen, verliert Piepsam zunächst die Beherrschung, dann die menschliche Stimme und zuletzt sein Leben.

II. Gegensatzpaare

Mindernickel und Piepsam sind alleinstehende Sonderlinge. Sie leben außerhalb von Liebes- und Familienbeziehungen. Andere Erzählungen dagegen zeigen die Demütigung oder die Zerstörung innerhalb einer solchen Beziehung. Das Problem von Ähnlichkeit und Differenz stellt sich hier etwas anders dar.

---

[7] André Banuls: Die ironische Neutralität des gelben Hündchens, in: Internationales Thomas-Mann-Kolloquium 1986 in Lübeck, Bern: Francke 1987 (= TMS VII), S. 213–228, 226.

Denn die Differenz des Sonderlings oder Außenseiters ist eine solche, daß eine Beziehung zwischen ihm und den anderen nicht eigentlich besteht, sondern nur als bloße oder unbestimmte Differenz stattfindet. Diesen extremen Punkt höchster Unterschiedlichkeit festzustellen und die Unerträglichkeit dieser Position zu beschreiben unterscheidet sich von der Darstellung eines Verhältnisses, in dem die Personen einander näher stehen und die Differenz nicht jederzeit in Beziehungslosigkeit, d.h. in den identitätslosen Bereich außerhalb von Differenz und Ähnlichkeit übergleiten kann. Es geht nicht mehr darum, das eigene Anderssein auf irgendeine Weise zu mindern, wie aus einem fast blinden Willen getrieben, sondern man ist bereits zu zweit, die Differenz ist hier die kürzeste Strecke zwischen beiden, sie ist mitten in der Intimität und genau bestimmt als Verschiedenheit *zu genau diesem anderen*. So sieht man das gleiche Problem noch einmal; nur dieses Mal, wie bei einem umgedrehten Fernglas, nicht von weitem, sondern ganz nah gerückt und vergrößert.

Besonders deutlich wird das in *Luischen*; hier findet sich das wohl bei weitem absurdeste und überspitzte Gegensatzpaar. Gleich der erste Abschnitt betont das Außergewöhnliche der Ehe Amras mit dem Rechtsanwalt Jacobi, eine Ehe, „deren Entstehung die belletristisch geübteste Phantasie sich nicht vorzustellen vermag", da sie aus einer „abenteuerlichen Verbindung[] von Gegensätzen" (2.1, 160) besteht. Eine solche extreme Paarung von Gegensätzen sei, so heißt es weiter, im Theater die Voraussetzung und Grundlage für den mathematischen Aufbau einer Posse. Wie das Wort „mathematisch" deutlich macht, geht es also zunächst einmal um die Beziehung der Gegensätzlichkeit an sich.

Die wunderschöne, dunkelhaarige und gelbhäutige Amra an der Seite eines Kolosses mit Beinen von säulenartiger Formlosigkeit, einem von Fettpolstern gewölbten Rücken und einem Bauch von ungeheurer Rundung. Während Mindernickel und Piepsam immerhin erst am Ende nicht mehr menschlich wirken, so heißt es bei Rechtsanwalt Jacobi schon zu Beginn, er gleiche einem überfütterten Hunde. Kurz darauf wird beschrieben, wie Amra, wenn ihr Mann weinend bei ihr sitzt, mit der Hand über die Haarborsten seines rosigen Schädels streicht und zu ihm sagt „in dem langgezogenen, tröstenden und moquanten Tone, in dem man zu einem Hunde spricht, der kommt, einem die Füße zu lecken: ,Ja – ! Ja – ! Du gutes Tier – !'" (2.1, 165)

Mindernickel und Piepsam sind Sonderlinge, d.h. sie unterscheiden sich von den sie umgebenden Menschen in hohem Grade und leben aus diesem Grunde isoliert, einsam. Ein unverheirateter Jacobi wäre wahrscheinlich ein ebensolcher sonderbarer Außenseiter. Die Verbindung mit Amra aber trägt die Gemeinschaft zweier Menschen als höchste Differenz zur Schau und ist so eine fast skandalöse Zumutung, allein an die Vorstellung, wie eingangs betont wird. So endet die Erzählung auch konsequenterweise mit einem öffentlichen Skandal.

Das Schlußbild zeigt Amra und ihren Geliebten Alfred zusammen am Klavier; sie sind weder zu ähnlich noch zu verschieden und stellen eine weitaus angemessenere Verbindung dar; ihre Zusammengehörigkeit wird durch die gleich anlautenden Namen noch unterstrichen. Im Saal die Menge, die mit Grauen auf die Bühne schaut, wo Jacobi im blutroten Kleid und mit blutquellendem Gesicht zusammenbricht und stirbt, wie in einer Opferszene, in der die Überschreitung eines Gesetzes, der Verbindung des zu Gegensätzlichen, gesühnt wird; aber auch zu Tode gequält von Amra, die so das Unrecht, die Zumutung eines zu ungleichen Gatten rächt.

Beginnt *Luischen* mit einem Hinweis auf die Mathematik, so endet die Erzählung mit einer musikalischen Darbietung. „Luischen", das Lied, das der Rechtsanwalt zu singen gezwungen wird, ist ursprünglich ein recht banales Stück mit einfachen musikalischen Harmonien. Die Neukomposition Alfred Läutners, des Geliebten Amras, zeichnet sich dagegen durch eine Häufung von Dissonanzen aus. Diese werden immer komplizierter, bis sie in einem durch Wagnersche Verweigerung der erwarteten Auflösung bewirkten Überraschungsübergang gipfeln, der den Zusammenbruch Jacobis bewirkt. Denn die höchste musikalische Verwirrung wirkt wie „ein Wunder, eine Enthüllung, eine in ihrer Plötzlichkeit fast grausame Entschleierung, ein Vorhang, der zerreißt..." (2.1, 179) Auf den unerwarteten Akkord folgt Stille. Jacobi bricht mitten im Wort ab, das Klavierspiel verstummt und im Saal herrscht entsetztes Schweigen. Die enthüllte Wahrheit ist natürlich zuerst einmal die Untreue Amras, die jetzt erst von ihrem Mann begriffen wird, aber auch jedem im Publikum klar geworden ist: ein Skandal.

Es geht um größtmögliche Kontraste. Das einfache Lied gesungen von einem massigen Rechtsanwalt, der nun alles andere ist als „Luischen aus dem Volke"; der Mann, der von sich selbst sagt, er sei „ein widerlicher Mensch" (2.1, 162 f.), als Kokette, „[d]ie manches Männerherz gerührt'" (2.1, 178); der unbeholfen auf der Bühne hüpfende Koloß, der mit gepreßter und keuchender Stimme singt: „„Den Walzertanz und auch die Polke/Hat keine noch, wie ich, vollführt'" (2.1, 178). Das Lied widerspricht in höchster Weise dem Gesang und dem Sänger; die Verkleidung wie auch die Darbietung wiederum stehen in größtem Gegensatz zu dem sozialen Status des verheirateten Bürgers und Rechtsanwalts Jacobi. Die Kunst wird Lügen gestraft: Hier steht kein lustiges Luischen, sondern ein Ungeheuer: eine „traurige und gräßlich aufgeputzte Masse in mühsamem Bärentanzschritt" (2.1, 177). So bringt Amra die groteske Gegensätzlichkeit ihrer Ehe auf die Bühne.

Die „grausame Entschleierung" ist eine doppelte, der Vorhang zerreißt zweifach: zunächst entlarvt er die Kunst als Schein und gibt den „wahren" Blick auf die Wirklichkeit frei: Jacobi, nicht das lustige Luischen, von seiner Frau betrogen, mit dem Geliebten an der Seite. Es geschieht als Theater im Theater, oder als Sprengung des Theaters (der Aufführung) durch das Leben, das sich aber selbst als reines Theater erweist (und daher auch auf der Bühne zu Ende gebracht wird). Was aber das tragisch-possenhafte, die Banalität einer konventionellen Dreiecksgeschichte übersteigt, ist die außerordentliche Demütigung Jacobis, die darin besteht, daß Amra die an sich schon erhebliche Unterschiedlichkeit zwischen den Ehegatten noch maßlos übersteigt, das Lächerliche ihrer Verbindung, bis dahin höflich übersehen, für alle in deutlichster Grausamkeit inszeniert.

Das ist die eigentliche Aufdeckung der Wahrheit, nicht die theaterhafte Entdeckung der Liebesaffäre. Mathematik und Musik – die Welt der reinen Relationen erweist sich damit als die Wahrheit hinter dem Theater: die gestörte Symmetrie, die nicht auszuhaltenden Dissonanzen. Alles in der Erzählung treibt darauf hin, die Differenz noch auf die Spitze zu treiben, zur höchsten Spannung des Gegensätzlichen zu steigern, so daß die ganze Struktur implodieren muß: Der massige Rechtsanwalt quillt am Ende noch zusätzlich auf, bevor er zusammenkracht:

... ein Blutstrom ergoß sich in dieses Gesicht, um es rot wie das Seidenkleid aufquellen zu machen und es gleich darauf wachsgelb zurückzulassen – und der dicke Mann brach zusammen, daß die Bretter krachten. (2.1, 180)

Musik spielt auch in *Tristan* eine alles entscheidende Rolle, wie schon der Titel erahnen läßt. Eine Musik, eine Oper, die die Verschmelzung des Gleichen feiert. Im Bild des Schnees, mit dem die Erzählung anhebt, drückt sich der gleiche Gedanke aus. In diese weiße Einheit nun schreitet ein Paar, das sich auffallend unähnlich ist, wie schon die Namen andeuten. Der Zartheit und Schwäche Gabrieles steht die Robustheit ihres Ehemannes Klöterjahn entgegen. Wirkt die Unterschiedlichkeit auch weniger karikaturhaft als in *Luischen*, so ist sie hier auf andere Weise verstärkt. Sahen wir zunächst die Paarbeziehung an die Stelle der Außenseiterhelden treten, so haben wir es nun mit einer Familie zu tun, die, wenn man Gabrieles Vater hinzunimmt, drei Generationen umfaßt und das Thema von Ähnlichkeit und Differenz auf alle drei Generationen ausdehnt.

Mit ihrem Vater verband Gabriele die Musik, in der Person Klöterjahns verbindet sie sich mit dem ihr ganz Unähnlichen, was noch unterstrichen wird durch die Geburt des ihr ebenso ganz und gar unähnlichen Sohnes Anton. Spinell dagegen gleicht wieder ihr, in seiner Blässe und in seiner Liebe zur

Musik. Von Beginn an wird ein Bezug hergestellt zwischen der übermäßigen Kraft und Gesundheit von Vater und Sohn und der Krankheit Gabrieles. Der zu große Unterschied scheint sie das Leben zu kosten. Anders als Amra ist Gabriele sich allerdings der Unterschiedlichkeit nicht bewußt. Die Kunst der Verführung Spinells liegt darin, Gabriele die Diskrepanz in ihrer Ehe bewußt zu machen – wodurch sie sich nicht allein ihrem Mann, sondern auch ihrem Sohn entfremdet, dessen Ähnlichkeit mit seinem Vater sie, nachdem sie bereits einige Zeit unter dem Einfluß Spinells gestanden hat, „lächerlich" (2.1, 342) nennt. Gabriele soll ihm gleich werden, und so versucht Spinell, sie in seine Sphäre der Lebensabgewandtheit und Schönheitsverehrung hinüberzuziehen. Der Höhepunkt und Schlußpunkt dieser Verführung ist erreicht, als beide nebeneinander am Klavier sitzen und Gabriele zunächst Chopins *Nocturnes* und dann Wagners *Tristan und Isolde* spielt. Beides „Nachtmusik", womit das Thema des Unterschiedsverlusts anklingt. Deutlicher wird dies noch durch das Zitieren bzw. Paraphrasieren des Opernlibrettos. Dort kulminiert die Zusammenführung des Ähnlichen in der völligen Verschmelzung der Liebenden:

> Des quälenden Irrtums entledigt, den Fesseln des Raumes und der Zeit entronnen verschmolzen das Du und das Ich, das Dein und Mein sich zu erhabener Wonne. [...] Wer liebend des Todes Nacht und ihr süßes Geheimnis erschaute, dem blieb im Wahn des Lichtes ein einzig Sehnen, die Sehnsucht hin zur heiligen Nacht, der ewigen, wahren, der einsmachenden... (2.1, 352)

Die Ähnlichkeit zur Einheit steigern zu wollen aber bedeutet den Tod. Spinell, der Gabriele von der Seite ihres unähnlichen Gatten zu sich hinüberziehen und mit ihr teilen will, was beiden ähnlich ist, die Liebe zur Musik, verführt Gabriele tatsächlich zum Tode, indem er sie überredet zu musizieren, gegen ihren Willen und gegen den Rat der Ärzte. Einen anderen Menschen sich selbst völlig gleichmachen zu wollen aber ist in gewisser Weise nichts anderes als den Tod des anderen zu wünschen. In dem dunklen Zimmer, worin Spinell Gabriele zum Klavierspielen lockt, sie überredet, die Nacht- und Todesmusik Chopins und Wagners zu spielen, mit der sie sich um ihr eigenes Leben spielt, erreicht Spinell, als Anwalt des höchsten Gleichmachers, des Todes, aufzutreten und ihm Gabriele zu überantworten.

In Manns Text geht es allein um eine Annäherung Gabrielens und Spinells, nicht darum, sich im jeweils anderen zu verlieren. Darauf weist bereits der Titel, der nur Tristan nennt, wie auch der alleinige Gebrauch des Nachnamens für Spinell, wogegen Gabriele meist beim Vornamen genannt wird. So wird auch in der Klavierszene nur Gleichheit bzw. Ähnlichkeit betont, mehr aber nicht: Sie versenken sich gemeinsam in die Musik. Nachdem die letzten Töne verklungen sind, heißt es: „Sie horchten beide, legten die Köpfe auf die Seite und horchten." (2.1, 354) Darauf folgt der Kniefall Spinells, während Gabriele auf dem Klavierhocker sitzen bleibt: eine die Distanz markierende Situation. So unterscheidet sich diese Erzählung vom *Tristan* Wagners und des Mittelalters wie auch von traditionellen Liebes- und Dreiecksgeschichten durch Spinells Ziel der Verführung: er will Gabriele nicht für sich gewinnen, es geht nicht darum, die Ehefrau eines anderen in eine Geliebte zu verwandeln, sondern er will ihr die Augen öffnen für die abenteuerliche Verbindung, die sie in der Wahl ihres Ehepartners eingegangen ist. Er selbst nämlich kann die Unterschiedlichkeit nicht ertragen; er ist einem „Schlächterburschen" wie Klöterjahn nicht gewachsen, läuft am Ende gar Klöterjahns kleinem Sohn Anton davon.

Da er nicht als der große Liebende auftritt, keinen Tristan darstellt, sondern eher eine Todes- und Teufelsfigur, so ist auch seine Überredungskunst nicht die eines Liebenden, der die Ähnlichkeit betonen, sie ausmalen würde als Vorstufe der Vereinigung, sondern er bedient sich aus der Trickkiste der Teufel: Er verspricht Gabriele zwar nicht den Augenblick höchsten Glücks, Schönheit, Reichtum oder Ruhm, aber etwas diesen Dingen durchaus Äquivalentes: Besonderheit.

,Hören Sie', sagte er nach einer Pause, und seine Stimme senkte sich noch mehr, ,wenn Sie jetzt hier niedersitzen und spielen wie einst, als noch Ihr Vater neben Ihnen stand und seine Geige jene Töne singen ließ, die Sie weinen machten ... dann kann es geschehen, daß man sie wieder heimlich in Ihrem Haare blinken sieht, die kleine, goldene Krone...'

,Wirklich?' fragte sie und lächelte... Zufällig versagte ihr die Stimme bei diesem Wort [...]. (2.1, 348)

Das Problem von Ähnlichkeit und Differenz wird hier von Spinell umgedeutet, aber auch umgangen, wird projiziert auf die märchenhafte Fläche junger Mädchenträume, wo sie erscheint als Wunsch nach höchster Unterscheidung und traumhafter Überhöhung. Für den einen Moment des Hervorhebens und Hervorleuchtens ihrer Singularität zahlt Gabriele mit ihrem Leben.

Der Erzähler aber hat teil an diesem Spiel. Denn wie Spinell Gabriele zur Märchenprinzessin in einem verwucherten Garten macht, so überhöht der Erzähler sie zu einem Engel in der kristallenen Schneepracht einer von Tod und Krankheit überschatteten Winterlandschaft. Ihre Besonderheit wird von Anfang an betont, alles wird dazu in Beziehung gesetzt: der derbe Ehemann, die dampfenden Pferde, der rohe Kutscher, die schweren Stoffe ihrer Kleider, die unbeherrschten alten Männer – jede Figur und jedes Detail scheint allein der Unterstreichung ihrer Zartheit und Zerbrechlichkeit zu dienen.

Es findet im Text so etwas wie ein Streit, ein Wettkampf darüber statt, was das Besondere, Einzigartige Gabrieles besser hervorheben kann: die Differenz, die durch den Kontrast das Wesentliche Gabrieles hervorleuchten läßt, oder das Ähnliche, der Musikliebhaber Spinell, der sie an den Vater erinnert, an ihre Jugend, an das, was sie auszeichnet. Keiner gewinnt; der Engel Gabriele stirbt an beidem. Die Problematik des Sonderlings wird so in entgegengesetzter Form noch einmal formuliert: als Problem der Besonderheit. Während die Sonderlinge sich durch den Verlust des Menschlichen, die Nähe zum Tierischen auszeichnen, so rückt die Besonderheit Gabrieles sie in den Bereich des Unstofflich-Spirituellen: wie ihr Name andeutet, ist sie ein Engel. Gehen sonst die Sonderlinge zugrunde, so zerbricht hier das Besondere; es erweist sich ebenso als fragil. Allerdings hat sich in dieser Erzählung das Problem von Ähnlichkeit und Differenz kompliziert. Es geht nicht mehr darum, die radikale Verschiedenheit des Einzelnen zu überwinden, noch an einer grotesken Unähnlichkeit Rache zu nehmen, sondern Beziehungen der Differenz wie der Ähnlichkeit werden nebeneinander gestellt und auch die Beziehung dieser Beziehungen ins Spiel gebracht: Die Differenzbeziehung Gabriele–Klöterjahn erweitert sich zu einem Dreieck (Anton), das die Familienbeziehung der Ähnlichkeit einführt und dadurch die Differenz der ersten beiden Terme weiter erhöht bis schließlich zum endgültigen Ausschluß und der Vernichtung des Anderen. Dieses von innen durch die Differenz destabilisierte Dreieck wird gleichzeitig von außen angegriffen (Spinell), der der Familienähnlichkeit eine auf Kunst basierende Ähnlichkeit entgegensetzt und so die physische Differenz um eine metaphysische erweitert, die relative Verschiedenheit zweier Personen zu einem Wesensgegensatz verabsolutiert und zuletzt die Auslöschung des Gegensätzlichen erreicht (durch den Tod Gabrieles), aber um den Preis des Verlusts des Ähnlichen (mit ihrem Tod steht auch er wieder allein da.) Unterschiedlichkeit wie auch Ähnlichkeit erweisen sich als zerstörerisch; das „rücksichtslose Geschöpf" Anton kostet sie viel Leiden und einen Schaden an der Luftröhre; Spinell ist ein „schädlicher Einfluß" (2.1, 336). Am Ende bleibt offen, ob das zu Andere oder die Verführung des Ähnlichen für den Tod Gabrieles verantwortlich ist. Eindeutig aber ist die Vernichtung des Besonderen, das Untergehen des Engelhaften, bezeichnet durch die Farbe ‚weiß', im roten Blutstrom, die zarte Blässe Gabrielens ersetzt durch die robuste Röte der Kinderfrau. Der Bruch der Verschiedenheit innerhalb der Familie ist geheilt.

Am Ende schmilzt der Schnee, der vorher alles mit seinem eintönigen Weiß bedeckte, die Sonne kommt hervor und bestrahlt alles „mit gleicher Eindeutigkeit". So kommen die Unterschiede wieder zum Vorschein, aber in einer keinen Unterschied machenden Beleuchtung.

III. Extreme Ähnlichkeit

Während in *Luischen*, und in etwas abgemilderter Form in *Tristan*, die Unterschiedlichkeit eines Paares auf die Spitze getrieben worden ist, so zeigt *Wälsungenblut* das andere Extrem: eine übergroße Ähnlichkeit.

„Sie waren einander sehr ähnlich" (2.1, 431), heißt es gleich zu Beginn, und das verwundert nicht, denn Siegmund und Sieglind sind Zwillinge, eine intensivierte Form der Familienähnlichkeit also. Die Erzählung inszeniert diese Gleichheit, die Abwehr alles sie Störenden bis hin zum letzten Verlust aller Unterschiede. Am Ende steht der Inzest.

Beckerath ist dieses Störende, der in die Familie Aarenhold als ein Fremdling eindringt, gegen den diese sich sofort als ein Körper zusammenschließt. Bilden sich auch innerhalb der Familie Gruppen, die das ihnen Außenstehende mit Mißfallen oder sogar Verachtung betrachten (der Vater mit den Kindern gegen die Mutter, die Kinder gegen den Vater), so bestätigt sich doch ihre Einheit angesichts des Eindringlings Beckerath. Anders also als im Reich der reinen Differenz oder in der grotesken Relation von Inkommensurablem, wo der Ort der Demütigung vorgezeichnet und eindeutig ist, läßt sich dieser Ort im Geflecht der Familie nur schwer lokalisieren: er verschiebt sich beständig. Zudem geht es in dieser Erzählung nicht mehr um die bloße Erniedrigung, sondern auch um einen narzißtischen Verlust: der Möglichkeit, in einer Beziehung zum Anderen zu bestehen. Dieser Narzißmus nun, wie er in *Wälsungenblut* beschrieben wird, betrifft einen jungen Mann im Schoße seiner Familie, in engste, sogar innigste Familienbeziehungen verstrickt. So zeigt sich der Selbstbezug und die Ausschließung des Andersseins als immer auch von Relationen zu den Anderen vorbestimmt. Die Natur dieser Relationen ist die Ähnlichkeit.

Die Ähnlichkeit ist das Gesuchte wie das Problematische. Die Geschwister lieben sich um ihrer Ähnlichkeit willen, aber sie verachten den Vater, weil sie sein Blut geerbt haben.[8] Familienähnlichkeit bedeutet sowohl, im anderen das Eigene bestätigt zu sehen, sich narzißtisch an der Verdopplung des Selbst zu erfreuen, als auch das genaue Gegenteil: die Parodie in der Wiederholung („lächerliche Ähnlichkeit"); die ungewollte, uneinholbare Abhängigkeit von etwas, das vor einem war. So steht hier Sieglinde für die von Siegmund gesuchte Ähnlichkeit, während der Vater die verachtete Herkunft bedeutet,

---

[8] Das Judentum der Familie Aarenhold verschärft das Problem der Abstammung und Ähnlichkeit. Ruth Klüger sieht in Manns Tendenz, eigene Ängste und Konflikte auf jüdische Figuren zu übertragen, die Kontinuität eines traditionellen Klischees: der Sündenbockfunktion des Juden. Ruth Klüger: Thomas Manns jüdische Gestalten, in: dies.: Katastrophen. Über deutsche Literatur, Göttingen: Wallstein 1994, S. 39–58. Vgl. auch Elsaghe: Die imaginäre Nation (zit. Anm. 5).

das ungewollt Geerbte, das man trotz aller Ablehnung doch nachzuahmen nicht umhin kommt:

Und dennoch bestand die Tatsache, daß dieser Überfluß nie aufhörte, ihn zu beschäftigen und zu erregen, ihn mit beständiger Wollust zu reizen. *Es erging ihm darin, ob er wollte oder nicht, wie Herrn Aahrenhold, der die Kunst übte, sich eigentlich an nichts zu gewöhnen...* (2.1, 442; Hervorhebung I.R.)

Die Thematik der Familienähnlichkeit schließt sich an das Problem der Abstammung des Menschen: nicht allein der Familienname ‚Aarenhold‘, sondern zahlreiche weitere Anspielungen verweisen auf die Nähe zum Tierischen. Auch hier also die doppelte Bedrohung: die Familie untergräbt die Individualität; die Nähe zum Tier stellt die Menschlichkeit in Frage.

Die Weiblichkeit Sieglindes, der Zwillingsschwester, bedeutet für Siegmund eine idealisierte Spiegelung: Zwar ist auch sie durch ihr Blut an den Vater gebunden und durch ihren „Tierblick" an den Bereich des Animalischen, doch im Vergleich zu Siegmund scheint ihr Geschlecht eine Distanz zu markieren. So muß sie sich nicht täglich (oder zweimal täglich) von einem beträchtlichen Haarwuchs befreien, während Siegmund mit jeder Rasur sich der Schwester angleicht.

Zu diesem idealisierten Spiegel (Sieglinde) tritt der tatsächliche: vor dem Spiegel stehend arbeitet Siegmund an sich, rasiert seinen starken Bartwuchs. Was ihm der Spiegel zurückgibt und was er vor dem Spiegel loszuwerden sucht, ist die Sichtbarwerdung der evolutionären Reihe, der er entstammt: ein Körper, stark behaart und immer erneut mit Haaren sich bedeckend, als sei er dem Tierreich noch nicht ganz entkommen. In einer späteren Szene befindet sich Siegmund erneut vor einem Spiegel, dieses Mal handelt es sich um einen dreiteiligen, „wasserklaren" Schrankspiegel. Aber anders als im Wasser kann sich Siegmund hier gleichzeitig von drei Seiten sehen, dreifach gespiegelt, vervielfältigt. In diesem dreigeteilten Spiegel will Siegmund „die Abzeichen seines Blutes" (2.1, 461) prüfen. Die reine Spiegelung wird auf doppelte Weise gestört: in der Zersplitterung der Einheit und in der Öffnung der Gegenwart hin auf Vorgängiges. Auch dieses Mal leistet der Spiegel also nicht das, was seine eigentliche Funktion ist: die Stiftung der Selbstidentität im Hier und Jetzt der unangefochtenen Gegenwart. Die Selbstganzheit wird aufgeteilt und wieder zusammengesetzt; Siegmund sucht an sich nicht das, was individuell, einzigartig ist, sondern die Merkmale der Familie, der Rasse: das Vererbte, das Auf-ihn-Gekommene.

In seiner Zwillingsschwester Sieglinde dagegen drückt sich eine reine Ähnlichkeit aus, sie ruft ihn jederzeit in die Gegenwart zurück, denn ihre Ähnlichkeit ist absolute Gegenwart, zeitlos. Sie erinnert nicht an das, was vor ihm gewesen ist, sondern was jetzt ist; gleichzeitig geboren ist sie in jedem Moment wieder wie er ist. Damit unterscheiden sie sich von dem Wagnerschen Zwillingspaar, dessen Schicksal sie auf der Bühne verfolgen. Für diese spielt die Zeit eine große Rolle: sie wurden auseinandergerissen und haben jeder für sich eine Vergangenheit, die dem anderen unbekannt ist. Die erotische Spannung resultiert aus dem allmählichen Erkennen und Aufdecken ihrer Verwandtschaft und ebenfalls aus der langen Trennung, die durch unterschiedliche Erlebnisse beiderseits gekennzeichnet ist. Ihr Zueinanderfinden gewinnt zudem an Intensität, weil sie den jeweils anderen ganz verloren glaubten und ganz allein dastanden, elternlos. Dem Wiederfinden war die Zerstörung der Familie vorausgegangen, Einsamkeit folgte, und für Sieglind die verhaßte Ehe mit Hunding. So ist ihr Inzest eine Rückkehr, ein Ruhen im Ursprung nach den bitteren Erfahrungen in der Fremde.

Die Zwillinge Siegmund und Sieglinde Aarenhold dagegen waren immer beisammen gewesen, meist gehen sie Hand in Hand:

> Sie war an seiner Seite gewesen seit fernstem Anbeginn, sie hing ihm an, seit beide die ersten Laute gelallt, die ersten Schritte getan, und er hatte keinen Freund, nie einen gehabt, als sie, die mit ihm geboren, sein kostbar geschmücktes, dunkel liebliches Ebenbild, dessen schmale und feuchte Hand er hielt [...]. (2.1, 444)

Sie sind fast immer zusammen und meistens umgeben von ihrer Familie. Ihr Inzest ist anders als in der Oper nicht das Schlagen des Pendels von einem Extrem ins Gegenteil – von höchster Einsamkeit zum Wiederfinden und Inzest der Geschwister –, sondern die Steigerung oder Verdichtung einer bereits bestehenden Struktur. Nachdem es geschehen ist, beschreibt Siegmund ihn als einen Akt des endgültigen Gleichmachens:

> ‚Du bist ganz wie ich‘, sagte er mit lahmen Lippen und schluckte hinunter, weil seine Kehle verdorrt war ... ‚Alles ist ... wie mit mir ... und für das ... mit dem Erlebnis ... bei mir, ist bei dir das mit Beckerath ... das hält sich die Wage ... Sieglind... und im ganzen ist es ... dasselbe [...].‘ (2.1, 462)

Die zu große Ähnlichkeit ist eine Verführung, eine Versuchung. Sie führt zum Selbstverlust im Inzest, der ein Tabubruch ist: die Übertretung des Verbots, das gebietet, die Differenz innerhalb einer bereits von Ähnlichkeit ge- und überzeichneten Struktur zu wahren und die Kategorie der Unterscheidung zu retten.

IV. Das Verhältnis von Ähnlichkeit und Differenz

Nicht immer sind Differenz oder Ähnlichkeit so prononciert wie in den bisher besprochenen Fällen. Vielmehr kann es auch eintreten, daß ein Verhältnis zweier Personen sich sowohl durch Ähnlichkeit wie Verschiedenheit bestimmt. Die nun zu besprechenden Erzählungen beschreiben nicht allein ein solches Verhältnis, sondern verkomplizieren es noch. Denn eine Struktur der Differenz wird behauptet, dann aber von einer Beziehung der Ähnlichkeit durchkreuzt. Während bislang die anfangs etablierte Differenz bzw. Ähnlichkeit die Handlung in Gang setzte, den Verlauf der Erzählung bestimmte und zu einem Ende führte, das sich aus diesem Anfangsverhältnis (notwendig) ergab, so scheinen *Der Wille zum Glück* und *Der kleine Herr Friedemann* etwas anders zu verfahren. Denn hier ist die Beziehung der Protagonisten nicht ganz so eindeutig wie in den bislang besprochenen Fällen. Ähnlichkeit und Differenz spielen gleichzeitig eine Rolle, sie spielen einander in die Hand: innerhalb eines durch Differenz hervorgerufenen Spannungsbogens[9] entpuppt sich die Ähnlichkeit als wesentlich handlungstreibend, als Mittel der Verführung und als Werkzeug der Zerstörung.

Paolo und Friedemann sind zunächst wieder typische Außenseitercharaktere, deren Beziehung zu anderen durch Verschiedenheit (in diesem Fall Krankheit und Kunst) gekennzeichnet ist. Auch hier bedeutet eine zu große Verschiedenheit den Verlust des Menschlichen: beide werden mit Tieren verglichen.

Auch hier gehen beide am Ende zugrunde, wenn auch aus entgegengesetzten Gründen: In *Der Wille zum Glück* ist der Tod Resultat der Vereinigung, im *Friedemann* Resultat ihrer Verweigerung. In beiden Fällen aber, wie im folgenden gezeigt werden soll, ist trotz der Sonderstellung der Helden nicht die Differenz das Gefahrvolle, sondern die Anziehung durch Ähnlichkeit, die im gleichen Atemzug die Differenz aussetzt, intensiviert und in der höchsten Intensivierung, dem Tod des nur einen, wiederum annulliert. In diesen beiden Erzählungen werden also die fundamentalen und gleichzeitig einzigen möglichen Beziehungen zu anderen, die der Gleichheit und Verschiedenheit, überschnitten, mit dem Ergebnis, daß Ähnlichkeit und Differenz sich gegenseitig kontaminieren und jede dauernde Relation unmöglich wird.

Paolo habe, so heißt es, mit dem Instinkt des egoistischen Kranken die „Vereinigung mit blühender Gesundheit" (2.1, 61) gesucht. Und seine erste Tanzstundenliebe scheint eine solche Suche des Gegensätzlichen als Grund

---

[9] Die Krankheit Paolos, die eine Ehe unmöglich macht; die Verkrüppelung Friedemanns, die sein Verhältnis zu Gerda so ungewöhnlich erscheinen, einen geradezu den Atem anhalten läßt.

seiner Verliebtheit zu bestätigen: „Das kleine Mädchen, das es ihm angethan, ein blondes, fröhliches Geschöpf, verehrte er mit einer schwermütigen Glut" (2.1, 51). Ein solches Angezogenwerden durch das ganz und gar Andere findet sich bekannterweise im *Tonio Kröger*. Die blonde Inge und der blonde Hans Hansen erfüllen einzig die Funktion, all das zu verkörpern, was der Held der Geschichte entbehrt oder zu entbehren vermeint. Allerdings tritt dort das Differentsein als formale Struktur zurück hinter der Konstruktion des symbolischen Gegensatzes ‚Kunst–Leben'.

Aber was ist mit Ada? Der Erzähler spricht von dem „egoistische[n] Instinkt" (2.1, 61) des Kranken, nachdem Paolo seine Absicht zu verstehen gab, Ada zu heiraten. Der Ausdruck „blühende Gesundheit" ist also auf sie zu beziehen. An keiner anderen Stelle wird Gegenteiliges behauptet, allerdings auch nicht der Eindruck der Gesundheit bestätigt, was auffällt angesichts Manns Leitmotivtechnik, die gerade, wenn es darum geht, Unterschiede hervorzustreichen, besonders stark verwendet wird (vgl. z.B. die wiederholte Hervorhebung der Gesundheit Antons in *Tristan*). Alles, von diesem einen Satz abgesehen, was über Ada sonst gesagt wird, scheint vielmehr ihre Ähnlichkeit zu Paolo herauszustreichen. Ihr Name ist vokalreich und ausländisch klingend wie der seine; sie hat eine jüdische Mutter, er eine südamerikanische; beide sehen südländisch aus. Mit ihrer weißen, kraftlosen, wie knochenlosen Hand, die sie an die Stirn führt, „wie um besser sehen zu können" (2.1, 56), mit ihrer verschleierten Stimme, dem dunklen, zitternden Blick ist sie alles andere als ein Bild „blühender Gesundheit", viel eher eine Figur des Todes, die an Unheimlichkeit Paolos raubtierhafter Gespanntheit in nichts nachsteht. Von beiden wird gesagt, sie seien ihrem Alter voraus, Paolo in der „für sein Alter bemerkenswert[en]" (2.1, 51) Intensität seiner Emotionen, während Ada mit den „für ihr Alter reifen Formen" und ihren weichen, fast trägen Bewegungen „kaum den Eindruck eines so jungen Mädchens" (2.1, 55) macht. Ihren „trägen Bewegungen" und der verschleierten Stimme, mit der sie ihn begrüßt, antwortet wiederum die „fast schläfrige[] Langsamkeit" Paolos, mit der er sich über ihre Hand beugt. (2.1, 55 f.) Vor allem aber gleichen sie sich in der trotzigen Entschlossenheit, mit der sie ihr Ziel verfolgen, und der hinter gespannter Ruhe verborgenen Leidenschaft.

Der „Wille zum Glück" also, von dem im Titel die Rede ist, bezeichnet beide gleichermaßen. Die Erzählung folgt der Bewegung dieses doppelten Willens; sie konstituiert sich aus ihm und endet mit ihrem Abschluß: der Erfüllung in der Heirat, die gleichzeitig Paolos Tod bedeutet. Am Ende also hat sich, nicht anders als bei Piepsam und Mindernickel, die Anfangsdifferenz noch gesteigert; aber der Weg dahin führt über die Ähnlichkeit, über die Verführung durch die ihm ähnliche Ada, und die Vereinigung des Ähnlichen bringt ihm

den Tod. Die letzte Szene zeigt Ada mit dem toten Paolo. Sein Tod ist gleichzeitig die Bestätigung der Ähnlichkeit (Ada zeigt den gleichen Ausdruck des
Triumphes wie Paolo zuvor) sowie die Manifestierung absoluter Differenz
(Ada steht zu Häupten des Leichnams), die aber ebenso wie die Ähnlichkeit
durch den Tod auch wieder annulliert wird (der Tod als endgültiger Schnitt
jeder möglichen Beziehung und der Vergleichbarkeit).

Auch der kleine Herr Friedemann verliebt sich das erste Mal während seiner
Schulzeit. Auch hier, man kann es das Tonio-Kröger-Syndrom nennen, in ein
„blondes, ausgelassen fröhliches Geschöpf" (2.1, 90). Diese eindeutige Gegensätzlichkeit aber verkompliziert sich im zweiten Liebeserlebnis Friedemanns.
Einerseits wird die Verschiedenheit noch gesteigert bis ins Groteske und ständig unterstrichen: der kleine Herr Friedemann, verwachsen, der der Frau in
üppigen Formen nur an die Brust reicht, dessen Kleinheit noch deutlicher her-
vortritt bei der ersten Begegnung, die Gerda hoch oben auf dem Jagdwagen,
die Pferde lenkend, zeigt. Doch zerbricht Friedemann nicht an der Differenz
(er ist nicht Piepsam), sondern an ihr, an Gerda von Rinnlingen, und das ist
nur möglich, weil sich auf der Grundlage einer für den Verlauf der Handlung
äußerst relevanten Ähnlichkeit eine Beziehung zwischen beiden ergibt, so daß
sie sich, der Anschein zumindest wird erweckt, näher sind als sonst jemandem.
Gerdas Augen sind wie die seinen braun, und mit diesen gleichfarbigen Augen
sieht sie ihn direkt an, was sonst in der Regel niemand tut: „Als ihre Blicke sich
trafen, sah sie durchaus nicht beiseite, sondern fuhr fort, ihn ohne eine Spur
von Verlegenheit aufmerksam zu betrachten, bis er selbst, bezwungen und
gedemütigt, die Augen niederschlug." (2.1, 101) Gerda, anders als die anderen,
die ihn mit einer distanzierten Höflichkeit behandeln, mit einer Mischung aus
Scheu und Mitleid, will den fundamentalen Unterschied, der ihn auszeichnet,
scheinbar nicht anerkennen. So sieht sie nicht weg, sondern sieht ihn direkt an,
spricht ihn an mit einer Offenheit, als wären sie Leidensgenossen:

,Sie sehen auch jetzt noch nicht gesund aus', sagte sie ganz ruhig und blickte ihn
unverwandt an. ,Sie sind bleich, und Ihre Augen sind entzündet. Ihre Gesundheit läßt
überhaupt zu wünschen übrig?'
    ,Oh ...' stammelte Herr Friedemann, ,ich bin im Allgemeinen zufrieden...'
    ,Auch ich bin viel krank', fuhr sie fort, ohne die Augen von ihm abzuwenden [...].
(2.1, 107f.)

Zu der Unterschiedlichkeit und der Ähnlichkeit tritt hier also noch etwas
hinzu, das man invertierte Gleichheit nennen könnte. Beide sind krank, aber
auf entgegengesetzte Weise. Friedemann ist äußerlich so deformiert, daß niemand umhin kann, es sofort zu bemerken. Dabei wird sein ,stilles Glück' von
den Leuten nicht bemerkt:

Das wußten die Leute wohl nicht [...], daß dieser unglückliche Krüppel [...] das Leben zärtlich liebte, das ihm sanft dahinfloß, ohne große Affekte, aber erfüllt von einem stillen und zarten Glück, das er sich zu schaffen wußte. (2.1, 92)

Bei Gerda dagegen ist es, folgt man ihren eigenen Worten, genau umgekehrt: „Auch ich bin viel krank [...], aber niemand merkt es. Ich bin nervös und kenne die merkwürdigsten Zustände." (2.1, 107 f.)

Gerda nun betont vor allem die Gleichheit und verführt Friedemann damit zum Geständnis seiner Liebe. Sie sitzen zusammen auf einer Bank im Garten und Frau von Rinnlingen fragt erneut, aber dieses Mal noch direkter, nach seinem Gebrechen, dann nach seinem Alter und zuletzt fragt sie ihn, ob er glücklich gewesen sei. Als er es verneint, sagt sie: „Ich verstehe mich ein wenig auf das Unglück" (2.1, 117), und Friedemann folgt dieser Einladung, ihr sein Herz zu öffnen. Sie hatte diesen Moment vorbereitet, indem sie, trotzdem ihr Blick und ihre Fragen einerseits immer auf seine Verkrüppelung zielten, die Gemeinsamkeiten unterstrich. Sie will mit ihm musizieren und weist gleichzeitig darauf hin, wie beide mit ihrer Liebe zur Musik in der Stadt eine Ausnahme bilden: „Ich kann etwas begleiten. Es würde mich freuen, hier jemanden gefunden zu haben..." (2.1, 108) Sie sagt ihm auch, daß sie sich in dieser kleinen Stadt beobachtet vorkomme. Sie führt ihn im Mondlicht auf die Bank am Fluß, auf der sie sitzen wie ein Liebespaar, das sich von der Gesellschaft abgesondert hat. Als es aber dann zum Geständnis Friedemanns kommt, wird die Unterschiedlichkeit als Groteske inszeniert. Wieder wird der Größenunterschied, ausgerechnet in der klassischen Situation des Liebesgeständnisses, noch künstlich verstärkt: Er kniet zu ihren Füßen, während sie „hoch aufgerichtet, ein wenig von ihm zurückgelehnt" (2.1, 118) auf der Bank sitzt. Und dann schleudert sie ihn noch mit grausamem Spott zu Boden, weil er es gewagt hat, ihr seine Liebe zu gestehen. Er ist jetzt nicht mehr nur ein Krüppel, sondern ein Tier, mit unmenschlicher Stimme keuchend, „wie ein Hund" (ebd.). Dabei schien Gerda – nichts anderes hätte Friedemann bewegen können, ihr sein Herz zu öffnen – ihm die ganze Zeit sagen zu wollen: „Du armer, armer Mensch, eigentlich bin ich doch wie du, von allen unverstanden." Doch es war nur ein Spiel, ein leichtfertiges Überspielen seines Andersseins, das ihn zerstören muß, weil er in die unmögliche Lage gedrängt wurde, weder wie die anderen sein zu können, noch nicht wie sie zu sein.

Abschließend soll noch eine andere Möglichkeit erwähnt werden: die Möglichkeit einer Beziehung, die die problematische Ähnlichkeit wie unerträgliche Differenz überschreitet, ein utopisches Moment, das in *Wälsungenblut* aufscheint. Dort verkörpern die Zwillinge, aber auch die zwei Pfauen auf

Sieglindes Kleid, die einander zugewandt, eine Girlande in ihren Schnäbeln halten, und die zwei „einander vollkommen gleich[en]" (2.1, 457) Pferde den Gedanken einer perfekten Ähnlichkeit, die Vollkommenheit der gelungenen Symmetrie, das Wunder des Einen zum zweiten Mal, eine Doppelheit, die, anders als im Narzißmythos, tatsächlich besteht. Über den gestickten Pfauen auf Sieglindes Kleid hängt an einer Perlenkette „ein großer, eiförmiger Edelstein" (2.1, 446) und symbolisiert so die Einheit des Doppelten, den Ursprung des Zweifachen im Einen, aber auch die Vollkommenheit, die Mangellosigkeit, die Geschlossenheit und Abgeschlossenheit des Verdoppelten, das (wie die Pfauen) in spiegelbildlicher Symmetrie auf ewig einander zugewandt bleiben kann, in einer auch den Zuschauenden unendlich befriedigenden, durch nichts gestörten und störbaren Harmonie. Doch bleibt dies letztlich dem Ornamentalen vorbehalten, den ruhenden Pfauen oder den hübsch nebeneinander vor den Wagen gespannten Pferden. Den Zwillingen (in *Wälsungenblut* und viel später in *Der Erwählte*) ist ein solches beziehungslos Doppeltes nicht möglich; das Staunen über das nochmalige Gelingen des Eigenen wird gleich zur Verführung durch Ähnlichkeit und endet in „hastige[m] Getümmel" (2.1, 463) und „schwindelnde[r] Verkehrtheit" (VII, 38). Jedes Nebeneinander wird unweigerlich Beziehung, d.h. wahrgenommen als Ähnlichkeit oder Differenz, die jeweils spannungsvoll auf eine noch größere Intensität zutreiben.

Karl Ernst Laage

Theodor Storms Makler Jaspers in der Novelle *Carsten Curator*

Ein Vorbild für Thomas Manns Makler Gosch in den *Buddenbrooks*

Theodor Storms Dichtung hat – stärker als man dies bisher angenommen hat – für Thomas Mann,[1] insbesondere für seinen Roman *Buddenbrooks*,[2] eine bedeutsame Rolle gespielt. Ein Beispiel ist die Gestalt des Maklers Jaspers in Storms Novelle *Carsten Curator*, die – wie im Folgenden dargelegt werden soll – Thomas Mann stark beeindruckt hat.

Der Makler Jaspers gehört zu den ausdrucksstärksten grotesken Gestalten, die der Husumer Dichter geschaffen hat. Jaspers ist bei Storm einerseits eine Art Kontrastgestalt zum Kaufmann Carsten Carstens, und zwar äußerlich wie auch im ethischen Sinne. Während Carstens verdientermaßen den Ehrennamen „Curator" erhalten hat, weil er sich für seine Mitmenschen einsetzt und „nicht den eigenen Gewinn" im Auge hat (LL II, 456)[3], stehen die „Geschäfte" für den Makler Jaspers im Vordergrund, selbst wenn sie Unheil über die Mitmenschen bringen. Jaspers ist der „Stadtunheilsträger", gleichsam die Verkörperung des Unheils, das die Menschen trifft bzw. das er ankündigt. Auch äußerlich ist er als „Unheilsträger" gekennzeichnet. Sein häßliches Äußeres hat Storm besonders stark hervorgehoben: Jaspers wird schon bei der ersten Begegnung mit dem Curator (auf der Rathaustreppe: LL II, 463 f.) gezeichnet als ein „kleiner ältlicher Mann in einem braunen abgeschlissenen Rock", der sich auf ein „schwankendes Stöckchen" stützt, mit einem „kleinen faltigen Gesicht", aus dem „kleine graue Augen" hervor„starren" und eine „Altweiberstimme" „herauskräht"; sein Kopf ist bedeckt mit einer „fuchsigen Perücke" und einem „hohen Zylinderhut". Den „weit größeren" (!) Carstens spricht er mit „Freundchen" an, als ob er mit ihm auf einer Stufe stünde und

---

[1] Vgl. neben Thomas Manns Storm-Essay (zit. Anm. 5) meinen Aufsatz: Thomas Manns Verhältnis zu Theodor Storm und Iwan Turgenjew dargestellt an der Novelle „Tonio Kröger", in: BlTMG 20, 15–29, sowie meine Abhandlung: Theodor Storm. Studien zu seinem Leben und Werk mit einem Handschriftenkatalog, 2., erw. und verb. Aufl., Berlin: Schmidt 1988, S. 90–96.

[2] Vgl. meine Untersuchung: Theodor Storm – ein literarischer Vorfahre von Thomas Manns „Buddenbrooks"?, in: TM Jb 15, 2002, 15–32.

[3] Zitate im Folgenden aus dem Text der Novelle *Carsten Curator* in: Theodor Storm: Sämtliche Werke in 4 Bänden, hrsg. von Karl Ernst Laage und Dieter Lohmeier, Frankfurt/Main: Deutscher Klassiker Verlag 1987/88 [= LL mit Band- und Seitenzahl].

ihn schon – wie der Teufel![4] – in seiner Gewalt hat. Sein menschenverachtender Zynismus wird sichtbar, wenn er den Vater im Hinblick auf das gefürchtete Vergehen des Sohnes ‚tröstet' mit den Worten: „wenn der Kopf auch weggeht, es bleibt doch immer noch ein Stummel sitzen" (LL II, 464).

Als „Signale" und Wiedererkennungsmotive werden Details des im Eingangsteil gezeichneten Bildes von Jaspers beim Auftreten des Stadtunheilsträgers in späteren Szenen wiederholt: Beim zweiten Auftreten des Maklers in der Weihnachtsabendszene (auf dem Weg zur Poststation, wo der Vater seinen Sohn abholen will: LL II, 482 f.), redet Jaspers den Kaufmann, immer aufdringlicher werdend, vier Mal mit „Freundchen" an. Jaspers wird so – im Rückgriff auf die frühere Szene – als „Stadtunheilsträger" charakterisiert, und dieser Abend ist – wie sich später herausstellt – tatsächlich der Beginn von neuem „Unheil", das über den Vater hereinbricht.

In einer späteren Szene (als Jaspers dem Vater das verhängnisvolle Angebot macht, den „Krämerladen" in der „Süderstraße" für seinen Sohn zu kaufen [LL II, 493 f.],) werden vom Dichter alle Signale gesetzt, um den Makler als Unheilsbringer zu kennzeichnen („Altweiberstimme", „fuchsige Perücke", „kleines faltenreiches Gesicht" und die Anrede „Freundchen"). Ja, Jaspers wird hier von Storm noch häßlicher gezeichnet als vorher: Die „dampfende Perücke", die er von seinem „blanken Schädel" herunternimmt, ist ein „Scheusal", und seine Augen werden als „von Geschäftigkeit funkelnd", „klein", „zudringlich" und „schlau" bezeichnet. Zwei Anekdoten tun ein Übriges, um seinen menschenverachtenden Zynismus hervorzuheben.

Beim Kauf des Krämerladens in der Süderstraße gibt dann „Herrn Jaspers' Fuchsperücke" (LL II, 505) die entsprechenden Signale, nämlich, dass neues Unheil heraufzieht. Und später kündigt die hüpfende „Fuchsperücke auf Herrn Jaspers Haupte" an, dass dem Laden der Konkurs droht und dass das Haus in der Süderstraße bald „durch seine schmutzigen Maklerhände" gehen wird (LL II, 510).

Die Geschichte endet damit, dass auch das vom Großvater erbaute Haus des Kaufmanns, das Haus „an der Twiete", von dem Makler veräußert wird: „während drinnen der Auktionshammer schallte, ging er [Carsten Curator], von Anna gestützt, aus seinem alten Hause, um es niemals wieder zu betreten" (LL II, 521).

Beim Überblick über die ganze Novelle wird die leitmotivische Funk-

---

[4] „Freundchen" spricht der Makler Jaspers den Curator an: Anspielung auf das vertraute Verhältnis des Teufels zum Menschen. Vgl. etwa in Goethes *Faust I*, wo Mephisto Faust mit „mein Freund", „mein guter Freund" oder „teurer Freund" anspricht (Johann Wolfgang von Goethe: Werke, textkritisch durchgesehen und mit Anmerkungen versehen von Erich Trunz, Hamburg: Wegner 1948 ff. [= Hamburger Ausgabe, Bd. 1], z.B. Zeile 1436, 2038, 2061, 2347).

tion der Maklergestalt deutlich: Jaspers tritt immer dann auf, wenn eine neue Phase des Unheils sich ankündigt. Wie ein böses Omen, ja geradezu wie ein Menetekel, erscheint der Makler an den Schnittpunkten der Novelle:

1. als Heinrichs Versagen in Flensburg deutlich wird (LL II, 463 f);
2. als Heinrichs Betrügereien in Hamburg sich ankündigen (LL II, 482 f);
3. als der Vater für ihn den Krämerladen in der Süderstraße, der später dann in den Konkurs geht, kauft (LL II, 505 f); und schließlich,
4. als das Haus in der Süderstraße und dann auch das Vaterhaus in der Twiete versteigert werden müssen (LL II, 520).

Das Auftreten des Maklers signalisiert also jedes Mal eine neue Phase des Niedergangs und besiegelt schließlich mit dem Verkauf des Hauses an der Twiete das Ende einer ehrbaren Kaufmannsfamilie.

In ganz ähnlicher Weise ist die Gestalt des Maklers Gosch in den *Buddenbrooks* konzipiert. Dass Thomas Mann Storms Novelle *Carsten Curator* kannte und dass sie großen Eindruck auf ihn gemacht hat, wissen wir aus seinem Storm-Essay: Thomas Mann nennt die Novelle dort „eine Erzählung von wunderbar ernster und unerbittlicher Schönheit" (IX, 258)[5]. Wann genau er sie gelesen hat, wissen wir nicht;[6] aber dass Storms Makler-Gestalt ihm während der Arbeit an den *Buddenbrooks* präsent war, das wird deutlich an der Konzeption und Funktion der Gestalt des Maklers Gosch. Anders als bei Storm allerdings, der in der Novelle seine Makler-Gestalt nur mit verhältnismäßig wenigen Strichen zeichnet, wird die Gestalt des Maklers Sigismund Gosch von Thomas Mann – wie es im Roman möglich und nötig ist – ausführlich beschrieben.

Zum ersten Mal taucht die Figur des Maklers am Tag der „Revolutschon" auf (1.1, 209 f.), bezeichnenderweise zusammen mit dem Konsul Buddenbrook. Und schon hier wird – wie bei Storm – die Häßlichkeit und Unheimlichkeit der Maklergestalt hervorgehoben, wie er „malerisch in seinen langen Mantel gehüllt" „mit der einen seiner langen und mageren Hände" den „Jesuitenhut" lüftet und mit einer „glatten und höfischen Gebärde der Demut" den Konsul

---

[5] Siehe auch meine kommentierte Ausgabe des Storm-Essays (Thomas Mann: Theodor Storm. Essay, hrsg. und kommentiert von Karl Ernst Laage, Heide: Boyens 1996, S. 30).

[6] Für eine frühe Lektüre der Werke Theodor Storms spricht mehreres: u.a. eine Stelle in dem Brief Thomas Manns an Elmer Otto Wooley vom 20.9.1954, in der Thomas Mann sagt, dass Storms Werk eine „Jugendzärtlichkeit" sei, die „durch sein ganzes Leben fortgewirkt" habe (in: Schriften der Theodor-Storm-Gesellschaft, Bd. 13 [1964], S. 46). Storms Bedeutung für *Tonio Kröger* spricht ebenfalls für eine frühe Storm-Lektüre (vgl. auch Hans Wysling: Dokumente zur Entstehung des „Tonio Kröger", in: Paul Scherrer/Hans Wysling: Quellenkritische Studien zum Werk Thomas Manns, Bern/München: Franke 1967 [= TMS 1], S. 48–63).

begrüßt (1.1, 197). Die nachfolgende Beschreibung ergänzt und verstärkt den Eindruck des Häßlichen und Unheimlichen:

Sein glattrasiertes Gesicht zeichnete sich aus durch eine gebogene Nase, ein spitz hervorspringendes Kinn, scharfe Züge und einen breiten, abwärts gezogenen Mund, dessen schmale Lippen er in verschlossener und bösartiger Weise zusammenpreßte. Es war sein Bestreben – und es gelang ihm nicht übel – ein wildes, schönes und teuflisches Intrigantenhaupt zur Schau zu stellen, eine böse, hämische, interessante und furchtgebietende Charakterfigur zwischen Mephistopheles und Napoleon ... Sein ergrautes Haar war tief und düster in die Stirn gestrichen. Er bedauerte aufrichtig, nicht bucklig zu sein. – (Ebd.)

Stärker als bei Storm ist hier die Maklergestalt ins Teuflische[7] und Theatralisch-Furchteinflößende gesteigert. Das Häßliche und Unheilverkündende aber erweist sich als der Grundcharakter beider Maklerfiguren: „mit knochiger Hand" ergreift Gosch den Arm des Konsuls und „mit gräßlicher Flüsterstimme" spricht er ihn an (1.1, 207).

Auch beim zweiten Auftritt steht der Makler in den *Buddenbrooks* an der Seite des Konsuls.[8] In diesem Zusammenhang wird er aber wiederum negativ gezeichnet: Er „ging umher wie ein brüllender Löwe und machte sich anheischig, ohne Umschweife jeden zu erdrosseln, der nicht gewillt sei, für Konsul Buddenbrook zu stimmen" (1.1, 452); ja, er ist der „finstere Makler", der bereit ist, für die Frau des Konsuls „eine That von gräßlicher Ruchlosigkeit zu begehen" und diese „mit teuflischem Gleichmut" zu verantworten (1.1, 453).

Das dritte Auftreten des Maklers ist – wie bei Storm – gekoppelt mit dem Verkauf eines Hauses, mit dem Verkauf des Elternhauses (1.1, 652 ff.). Er wird jetzt beschrieben als ein „kleiner, glattrasierter Greis" mit „schlohweißem Haar", der sich „in gebückter Haltung" „mit beiden Händen auf die weiße Krücke seines Stockes" stützt, mit „spitz hervorspringendem Kinn", „bösartig zusammengepreßten Lippen" und einem „abscheulichen und durchdringend tückischem Blick", der mit „zischender, gepreßter und verbissener Stimme", mit „verzerrten Lippen und grauenerregenden Gesten" von dem „erdrückenden Risiko" spricht, das er mit dem Kauf des Mannschen Gebäudes auf sich nimmt.

Das letzte Mal erscheint der Makler beim Verkauf des neuen Hauses in der Fischergrube (1.1, 769), und er wird hier gezeichnet wie in den vorangehenden Szenen, ja, sogar noch um mehrere Grade häßlicher: mit „schlohweißem Haar", „gräßlich vorgeschobenem Kinn", so dass er „vollkommen bucklig"

---

[7] Ansätze allerdings auch bei Storm (siehe oben).
[8] Er setzt sich ein für dessen Wahl zum Senator (1.1, 452 f.).

aussieht, um dann mit zischender Stimme, „kalt" und „geschäftlich" „mit tückischem Lächeln" sein Kaufangebot vorzutragen.

In den Details stimmen die Maklergestalten Storms und Thomas Manns nur wenig überein; beide Dichter zeichnen jedoch eine häßliche, unterwürfige, kleine (!), geschäftstüchtige, geldgierige Gestalt; beide Autoren bemühen sich um Annäherungen an die Gestalt eines Geistes, den die Aura des Bösen umgibt, und eines Teufels, mit dessen Auftreten Unheil sich ankündigt.

Überraschend ähnlich ist die Funktion, die Storm und Thomas Mann „ihren" Maklergestalten im Gesamtgefüge der Dichtung zuweisen. Sowohl Jaspers als auch Gosch tauchen jeweils an den Schnittpunkten der Erzählung auf, wenn ein neuer Abschnitt der Entwicklung auf den Untergang hin eingeleitet wird.

Deutlich bei Storm: Die häßliche Gestalt des Maklers Jaspers taucht jedes Mal dann auf, wenn durch Heinrichs Fehlverhalten eine neue Phase des Unheils über die Curatorfamilie hereinbricht: Im Zusammenhang mit seinen Geldunterschlagungen in Flensburg, mit seinen Betrugsdelikten in Hamburg, mit dem Konkurs des Krämerladens in der Süderstraße, schließlich beim Verkauf der Häuser.

Differenzierter und breiter angelegt ist die Gestalt des Maklers Sigismund Gosch bei Thomas Mann: In den ersten beiden Auftritten ist der Makler noch Mitstreiter des Konsuls, z.T. auch Kontrastfigur. Aber Phasen des Verfalls der Familie kündigen seine Auftritte dennoch an: So stirbt gleich nach dem ersten Auftritt des Maklers und dessen ausführlicher Beschreibung der Repräsentant der alten, vorrevolutionären Zeit, Lebrecht Kröger, der Schwiegervater des Konsuls. Es folgt die blamable Grünlich-Geschichte; mit Christians Rückkehr in die Firma und auch an Thomas Buddenbrook selbst werden dann Zeichen des Verfalls sichtbar (z.B.: „das bläuliche, allzu sichtbare Geäder an seinen schmalen Schläfen" [1.1, 257]).

Nach dem zweiten Auftreten des Maklers sind die Wahl des Konsuls in den Senat und die Errichtung des neuen Hauses in der Fischergrube zwar äußerlich Höhepunkte; sie erweisen sich aber bald als Beginn von neuen Verfallsphasen (Thomas selbst: „„Wenn das Haus fertig ist, so kommt der Tod'" [1.1, 473]). Das machen auch die darauf folgenden Rückschläge deutlich (u.a. das Scheitern von Tonys Ehe, der Verlust der Pöppenrader Ernte).

Deutliche Einschnitte signalisieren dann die letzten beiden Auftritte des Maklers. Wie bei Storm stehen sie im Zusammenhang mit dem Verkauf von Häusern: mit dem Verkauf des Hauses in der Mengstraße (1.1, 652 f.) und später des neuen Hauses in der Fischergrube (1.1, 768 f.). Beide Male erscheint der Makler Gosch, und sein Auftreten wirkt wie ein sichtbares Menetekel, als böses Zeichen für den „Verfall der Familie".

Die Rolle des Maklers Jaspers in Theodor Storms Novelle *Carsten Curator* und seine Häßlichkeit haben Thomas Mann offenbar stark beeindruckt und ihn angeregt, eine ähnlich unheimliche und unheilverkündende Gestalt in den *Buddenbrooks* auftreten zu lassen, um so die Phasen des Verfalls stärker hervorzuheben.

Karl-Josef Kuschel

„Ist es nicht jener Ideenkomplex bürgerlicher Humanität?"

Glanz und Elend eines deutschen Rotariers – Thomas Mann

Für Heinz-Dieter Assmann in Freundschaft

Am 2. November 1928 wird im Münchner Hotel Vier Jahreszeiten ein neuer Rotary-Club gegründet. Es ist nach Hamburg, Frankfurt am Main und Köln der vierte auf deutschem Boden. Zu den Gründungsmitgliedern gehören international schon damals so bekannte Persönlichkeiten wie die Schriftsteller Bruno Frank und Karl Wolfskehl, der Grafiker und Bühnenbildner Emil Preetorius oder der Dirigent Hans Knappertsbusch. Auch Thomas Mann gehört zu ihnen.

Worauf ist seine Mitgliedschaft zurückzuführen? Allein auf den schon damals erreichten Prominenten-Status als einer der führenden Schriftsteller der Weimarer Republik? Auf seine Stellung als einer der führenden Repräsentanten des Münchner kulturellen und geistigen Lebens? Die Gründe liegen tiefer. Sie haben zu tun mit einer Konvergenz von Thomas Manns bis dahin erreichtem geistigen Profil mit der Grundidee der rotarischen Bewegung. Ziel des folgenden Essays ist es, *erstens* diesen inneren Zusammenhang nachzuweisen, *zweitens* das geistige und politische Drama zu rekonstruieren, das sich mit der Mitgliedschaft Thomas Manns im Münchner Rotary-Club entwickeln sollte, und *drittens* aus dem exemplarischen Fall einige grundsätzliche Folgerungen abzuleiten zum Problem von Labilität und Stabilität eines Ethos.[1]

---

[1] Die Beziehung Thomas Manns zu Rotary wurde bisher nur in kleineren Beiträgen behandelt, wobei vor allem der Konflikt im Zusammenhang mit der „Ausstoßung" im Vordergrund stand, ohne dass die Verfasser auf Archiv- und Aktenmaterial hätten zurückgreifen können oder – wo der Fall – Thomas Manns konzeptionelle Äußerungen zur rotarischen Idee werkgeschichtlich loziert hätten: Rolf Kruse: Thomas Mann und Rotary, Privatdruck, Offenburg 2002; Manfred Wedemeyer: Thomas Mann als Rotarier, in: ders.: Den Menschen verpflichtet. 75 Jahre Rotary in Deutschland, 1927–2002, Hamburg: Der Rotarier 2002, S. 50–61; Paul U. Unschuld: Chronik des Rotary-Clubs München (1928–2003), München: Cygnus 2003, bes. S. 23f., 30f., 38f., 85–90; Paul Erdmann (Red.): 75 Jahre Rotary Club Stuttgart, Stuttgart: Rotary Club 2004, S. 49–56.

I. Anfänge und Grundidee: Rotary

Chicago, Februar 1905. Dass Rechtsanwalt Paul Harris (1869–1947), damals 36 Jahre alt und aufgewachsen auf einer kleinen Farm im Neu-England-Staat Vermont, den Drang verspürt, unter Geschäftsfreunden einen Kreis zu gründen, der „in rotation" (daher Rotary) sich treffen sollte, hatte nicht nur mit seinem intensiven, in der Dorfgemeinschaft gewachsenen Bedürfnis nach Geselligkeit und Freundschaft zu tun, sondern auch mit der wirtschaftlich-sozialen Situation einer Megalopolis wie Chicago. In seiner Autobiografie *My Road to Rotary* (abgeschlossen 1945) kann man nachlesen, dass für Harris, „a simple man but one with a great vision"[2], wie es in einem Geleitwort zur Autobiographie heißt, die Gründung von Rotary auch eine Reaktion auf die eigene Verlorenheit, Isolation und Einsamkeit im – so wörtlich – „virile, aggressive, paradoxical Chicago"[3] gewesen ist, einer Stadt mit extremen sozialen Spannungen um die Jahrhundertwende des 19. zum 20. Jahrhunderts. In nur dreißig Jahren, von 1870 bis 1900, hatte sich die Einwohnerzahl von 300.000 auf 1,7 Mio. versechsfacht. „Die Krankheiten", so Harris,

mit denen Chicago in diesen Tagen angesteckt war, herrschten auch anderswo im Land. Generell gesprochen war das Geschäftsleben in einem schlechten Zustand. Geschäftspraktiken waren nicht in Übereinstimmung mit hohen ethischen Prinzipien, mit Respekt für Konsumenten, Angestellte und Wettbewerber. Gemeinschaftsgeist war fast überall äußerst niedrig. Es war eine Zeit für einen Wechsel zum Besseren. Sie musste kommen.[4]

I.1. Gegenzeichen in gnadenloser Zeit

Eine Anschauung der sozialen und ökonomischen Zustände im damaligen Chicago gibt uns in der deutschen Literatur kein Geringerer als Bert Brecht. Ihm verdanken wir eine der literarisch fruchtbarsten Auseinandersetzungen mit dem Komplex ‚Chicago', versucht der Schriftsteller sich doch seit Mitte der 20er Jahre an Dramenprojekten wie *Mortimer Fleischhacker*, später *Joe Fleischhacker in Chicago* genannt. Absicht ist, das chaotische System der Chicagoer Weizenbörse literarisch durchschaubar zu machen – im Spiegel der riesigen Chicagoer Fleischfabriken, die zum Schicksal von Hunderttausenden von Menschen geworden sind. Brecht gibt sich alle Mühe, durch Studium

---

[2] Paul Harris: My Road to Rotary. The Story of a Boy, a Vermont Community, and Rotary (1945), Nachdruck Rotary International [Zürich], S. XI.

[3] Ebd., S. 234.

[4] Ebd. (Übersetzung hier und bei den folgenden Zitaten durch den Verfasser.)

dokumentarischen Faktenmaterials in diese Dschungel-Welt einzudringen, was ihm nur teilweise gelingt. Am Ende gehen all seine Bemühungen auf in dem nachmals berühmten Stück *Die heilige Johanna der Schlachthöfe*, entstanden zwischen 1929 bis 1931.[5]

Auslöser für die Auseinandersetzung mit ‚Chicago' ist bei Brecht die Lektüre von Upton Sinclairs Roman *The Jungle*, der nicht zufällig ein Jahr nach der Gründung von Rotary erscheint, 1906. Er trägt in der damaligen deutschen Übersetzung den Titel *Der Sumpf*. Dieser Roman erzählt die Geschichte einer aus Litauen stammenden Einwandererfamilie, um an ihr das menschliche Drama rund um die Chicagoer Schlachthöfe transparent zu machen: Krankheit, Arbeitslosigkeit, Kriminalität, Prostitution, Korruption. Die Zustände sind himmelschreiend und niederdrückend zugleich, aber Sinclair entwickelt in seinem Buch eine Hoffnungsperspektive: die Selbstorganisation der Arbeiter in Gewerkschaften und einer sozialistischen Partei.

In diesem Kontext von Gegenbewegungen gegen die – so der deutsche Rotary-Chronist Manfred Wedemeyer – „egoistische Kälte des Geld- und Machtstrebens", gegen den „gnadenlosen Konkurrenzkampf und die Vernachlässigung des Gemeinwohls" im Chicago der Jahrhundertwende[6] muss auch die Gründung von Rotary gesehen werden. Dabei spielt die soziale und religiöse Herkunft des Gründervaters eine wesentliche Rolle. Harris entstammt der Tradition des Kongregationalismus, dessen Wurzeln auf die Pilgerväter (Mayflower 1620) und damit auf den angelsächsischen Puritanismus zurückreichen. Amerikanischer kann man kirchlich kaum sein. Anders als bei Anglikanern oder Katholiken gibt es in den *Congregational Churches* keine ausgebauten Hierarchien, keine kirchlichen Superstrukturen. Jede *congregation*, jede Gemeinde, geleitet von einem charismatischen Pastor, ist selbständig und unabhängig, hat durch die Kraft des Heiligen Geistes und gestützt auf die alleinige Autorität der Heiligen Schrift die Vollmacht zur verantwortlichen Ordnung ihres Gottesdienstes und Lebens. Sozialpsychologisch drückt sich dies in einem starken, gemeindezentrierten Zusammengehörigkeitsgefühl, ethisch in der hohen Verantwortung des Einzelnen für die Gemeinschaft aus.

Harris ist von dieser Ende des 19. Jahrhunderts noch ungebrochenen Welt des puritanischen Neu-England zutiefst geprägt. In Wallingford, Vermont, wächst er bei seinen Großeltern auf, weil die Eltern sich aus ökonomischen Gründen trennen müssen. In seiner Autobiographie präsentiert er vor allem

---

[5] Zum ‚Chicago'-Komplex im Werk von Bert Brecht vgl. Karl-Josef Kuschel: Das Weihnachten der Dichter. Große Texte von Thomas Mann bis Rainer Kunze, Düsseldorf: Patmos 2004, S. 98–108.

[6] Manfred Wedemeyer (zit. Anm. 1), S. 19.

die Welt der *Vermont Community* (so schon im Untertitel seines Buches).
Von den 42 Kapiteln sind 28 ausschließlich der (idealistisch beschriebenen)
Kindheit auf dem Dorf gewidmet, zwei weitere schildern ausführlich Tod
und Begräbnis der beiden ihn prägenden Menschen: Großvater und Großmutter. Erzählt wird das alles in großer Schlichtheit, ohne jeden Anspruch
auf Selbstanalyse oder Zeitgeschichtlichkeit, anekdotenhaft, dialoggesättigt,
mit vielen naturlyrischen dichterischen Zeugnissen durchsetzt. Über den
weiteren Ausbildungsweg an der *Vermont Military Academy*, den Univer-
sitäten von Vermont und Princeton, über das Jura-Studium an der *University
of Iowa* bei Harris nur wenige Abschnitte. Ebenfalls nur ein kurzes Kapitel
über ein ruheloses Hin- und Herreisen im eigenen Land und einen Trip nach
Europa, nach England. „Five Years of ‚Folly'" nennt Harris das, „Fünf Jahre
der ‚Dummheiten'". Schon ist er bei der Gründung von Rotary, die man sich
schlichter nicht vorstellen kann: Vier Männer einfacher Berufe beginnen sich
regelmäßig zu treffen, ein Kohlenhändler, ein Konfektionär, ein Bauinge-
nieur und Harris, der sich damals in Chicago als Rechtsanwalt zu behaupten
sucht.

I.2. Das Grund-Ethos

Ohne seine kirchlich-religiösen Wurzeln aber ist Harris' „great vision"
undenkbar. Im Vorwort zur Autobiographie läßt er keinen Zweifel, was der
„Junge" aus New England den Erwachsenen für sein Leben „gelehrt" hat.
Alle Schlüsselworte sind religiös-moralisch geprägt, wenn es heißt:

Liebe zum Leben auf dem Lande. Den Segen eines wohlgeordneten New England
Hauses. Die Bedeutung von Erziehung und Hingabe an hohe Ideale. Der Junge
lehrte den Erwachsenen die Notwendigkeit, tolerant zu sein gegenüber allen Formen
religiösen und politischen Glaubens. Er lehrte ihn, nicht zu kritisch gegenüber den
Ansichten anderer zu sein, was immer diese Ansichten sein mögen. Der Junge lehrte
den Erwachsenen die Freuden von Nachbarschaftlichkeit, Freundlichkeit und gutem
Willen allen gegenüber.[7]

Nicht verwunderlich daher, dass Harris von Anfang an den Zweck von
Rotary nicht darin sieht, aus seinen Mitgliedern „social, religious or racial
composites" zu machen, wohl aber darin, Menschen aus verschiedenen Beru-
fen, unterschiedlich in sozialem Status, religiöser Überzeugung und Nationalität zusammenzubringen, „in order that they may be more intelligible to each

---

[7] Paul Harris (zit. Anm. 2), S. VIII.

other and therefore more sympathetic and friendly and helpfull"[8]. Das hat Wurzeln in der sozial-ethischen Praxis seiner Kongregation, ist doch ein solches, soziale und gesellschaftliche wie kirchliche und sogar religiöse Grenzen überschreitendes und überwindendes Denken Ende des 19. Jahrhunderts für den Kongregationalismus charakteristisch. Dass „the Lord's blessings" auf allen ruhen, dass die Kirchen (ob Kongregationalisten, Baptisten oder Katholiken) unterschiedliche Wege zu dem einen „Kingdom", dem einen „Reich Gottes", sein können, beschreibt Harris in einer der wenigen Passagen, die überhaupt Einblick in seine geistigen Hintergründe geben.[9]

Hinzu kommt die Erfahrung der gleichzeitigen Präsenz unterschiedlicher Konfessionen und Religionen in der Riesenstadt Chicago. Es ist kein Zufall, dass man in dieser Stadt 1893, im Zusammenhang mit der damaligen Weltausstellung, der *Columbian Exhibition*, auf die Idee kommt, auch ein „Parlament der Religionen der Welt" einzuberufen – ein kirchen- und religionsgeschichtlich beispielloser Vorgang.[10] Harris besucht diese Ausstellung. Er sieht darin ein Hoffnungzeichen während der Jahre seiner Vagabundiererei, „confirmation of his faith in the future possibilities of that fascinating metropolis".[11] Dabei muss offen bleiben, ob er das „Parlament" direkt registriert oder nicht. Aber vom Geist des damals singulären Ereignisses (Aufmarsch einer hinduistischen und buddhistischen Delegation im Chicago der Jahrhundertwende!) konnte man damals kaum unbeeinflusst sein, zumal wenn man aus der kongregationalistischen Tradition Neu-Englands stammt.

Von Anfang an arbeitet das Organisationskomitee des „Parlaments", geleitet von einem Chicagoer Rechtsanwalt namens Charles Carroll Bonney und von einem angesehenen Chicagoer Pfarrer von der *First Presbyterian Church*, John Henry Barrows, ökumenisch und interreligiös: Protestanten Seite an Seite mit Katholiken und Juden, schließlich dann mit Angehörigen der großen Religionen. „Brüderlichkeit der Religionen" ist das große Programmwort in Chicago 1893. Harris äußert sich im selben Geist. Rotary sei „weder eine Religion noch ein Ersatz für Religion". Es arbeite aus „religiösen Impulsen im modernen Leben und besonders im Geschäftsleben und in internationalen Beziehungen".[12] Und es arbeitet auf Dauer offensichtlich so erfolgreich, dass Harris im Rückblick mit Selbstbewusstsein hinzufügen kann: Rotarys Pro-

---

[8] Ebd., S. 233.
[9] Ebd., S. 25 f., 32.
[10] Zur Geschichte des „Parlaments der Religionen der Welt" vgl. Karl-Josef Kuschel: Das Parlament der Weltreligionen 1893/1993, in: Erklärung zum Weltethos. Die Deklaration des Parlamentes der Weltreligionen, hrsg. von Hans Küng und Karl-Josef Kuschel, München: Piper 1993 (= Serie Piper, Bd. 1958), S. 89–123.
[11] Paul Harris (zit. Anm. 2), S. 220.
[12] Ebd., S. 263.

gramm, „ein besseres Verständnis zwischen verschiedenen rassischen Gruppen und zwischen Anhängern verschiedener Religionen" zu fördern, sei von größerem Erfolg gekrönt als die „Verhandlungen von Diplomaten"![13] Denn:

> Wenn von allen Formalitäten und Glaubensbekenntnissen befreit, blüht die Kameradschaftlichkeit. Rotary zieht keine Grenzen der Politik oder Religion; Muslime, Buddhisten, Christen und Juden brechen das Brot zusammen in glücklicher Kameradschaftlichkeit. Rotary ist so populär im Kasten-getrennten Indien wie in anderen Ländern. Es gibt keinen Proselytismus bei Rotary. Mitglieder haben das Recht auf ihre eigene Meinung in Fragen von kontroverser Natur. Die Basis ist breit genug, um alle Arten und Lebensbedingungen von Menschen zu integrieren, damit sie freundschaftlich eingestellt und tolerant gegenüber den Sichtweisen anderer sind und selbstlos.[14]

„Das Brot miteinander brechen"? Das religiös aufgeladene Pathos ist charakteristisch für ein Gründungsereignis in damaliger Zeit. Und diesem Ur-Sprung der „great vision" sind wir hier auf der Spur im Versuch, so etwas wie die Grundidee oder das Grund-Ethos von Rotary zu rekonstruieren, völlig unabhängig von der Frage, ob dieses rassen-, klassen- und religionsübergreifende Grundethos in der Praxis gerade auch amerikanischer Rotary-Clubs gelebt wurde und wird (Testfall für nordamerikanische Rotary-Clubs gerade der Südstaaten: die Rassenfrage!). Ob die amerikanische rotarische Bewegung bis heute nicht stärker auf gesellschaftlich-geschäftlicher Beziehungspflege und weniger auf ethisch-anthropologischen Grundsatzreflexionen beruht, wird man zumindest fragen dürfen, ist aber hier nicht zu diskutieren.

Sieht man von quasi religiösen Selbststilisierungen bei Harris ab, wird am Ursprung von Rotary (gewissermaßen in der „Vision" des Gründervaters) ein Anspruch sichtbar, mehr sein zu wollen als ein Interessenverband oder ein Freizeitangebot. Man will eine Gemeinschaft bilden, verpflichtet einem Ethos, das berufs-, nationen- und religionenübergreifend ist und so Menschen unterschiedlicher sozialer Herkunft, politischer Überzeugungen und religiöser Bekenntnisse im Handeln für andere verbindet. Schon beim ersten Rotary-Kongress 1910 adoptiert man als Motto „He profits most, who serves his fellows best", ein Jahr später verkürzt auf „He profits most, who serves best". 1932/33 wird die Vier-Fragen-Probe („The Four-Way-Test") offiziell angenommen. Jeder Rotarier soll sich bei dem, was er sagt und tut, fragen:

Ist es wahr? Ist es fair für alle Beteiligten? Fördert es Freundschaft und guten Willen? Dient es dem Wohl aller Beteiligten?

---

[13] Ebd., S. 264.
[14] Ebd., S. 270.

Zweifellos ein realistisches Ethos, das vor allem auf dem Prinzip der Wechselseitigkeit beruht. Drei von vier Fragen betonen die Gegenseitigkeit im Sinne der Goldenen Regel, die als deutsches Sprichwort bekanntlich lautet: „Was du nicht willst, das man dir tu', das füg auch keinem andern zu". Oder positiv: „Was du willst, dass dir geschieht, tue auch den anderen". Das ursprüngliche rotarische Dienst-Motto „Derjenige gewinnt am meisten, der am besten dient" ist also von einem der Gegenseitigkeit verpflichteten lebenspraktischen Realismus bestimmt. Es scheint mir von daher dem stärker „idealistisch" formulierten heutigen Motto überlegen: „Service above self". Übersetzt heißt das soviel wie „Dienst vor dem eigenen Selbst". Das klingt nach idealistischer Selbstüberforderung. Statt realistischer Gegenseitigkeit idealistische Selbstlosigkeit!

I.3. Die Internationalisierung

Tatsache ist: Das Ethos eines gemeinschaftsstiftenden ethischen Universalismus wirkt sich in den folgenden Jahren in der immer stärkeren Internationalisierung Rotarys aus. 1910 entsteht der erste Club außerhalb der Grenzen der Vereinigten Staaten in Winnipeg, Kanada. 1911 finden sich erste Rotary-Clubs in Dublin sowie in London und Belfast. Eine Einteilung in Distrikte wird nötig: fünf für die USA, zwei für Kanada, einer für Großbritannien und Irland. 1911 kommt eine eigene Zeitschrift heraus, ab 1912 The Rotarian genannt.

Club-Gründungen auf dem europäischen Festland werden zunächst durch den Ersten Weltkrieg verhindert, nach Ende dieses Krieges aber energisch betrieben. 1920 entsteht in Madrid der erste festlandseuropäische Rotary-Club. Dann in rascher Folge Gründungen in Skandinavien, den Beneluxstaaten, in der Schweiz und in Österreich, schließlich auch in osteuropäischen und südeuropäischen Staaten. Und nachdem Deutschland 1926 Mitglied des Völkerbundes ist, können nun auch Club-Gründungen auf deutschem Boden vorangetrieben werden. München 1928 profitiert von dieser Bewegung. Diese spezifisch deutsche Geschichte Rotarys ist hier nicht weiter zu verfolgen. Nachlesen kann man das Wichtigste in dem 2002 erschienenen informativen Band *Den Menschen verpflichtet. 75 Jahre Rotary in Deutschland* von Manfred Wedemeyer.

Aufgrund der skizzenhaft rekonstruierten geistigen Wurzeln der rotarischen Idee kann es nicht verwundern, dass auch in der maßgebenden *deutschen* Rotary-Publikation *Der Rotarier für Deutschland und Österreich. Monatsschrift des 73. Distriktes,* herausgegeben vom Rotary-Club München, die drei Schlüsselbegriffe Freundschaft, Gemeindienst, Völkerverständigung eine zentrale Rolle spielen – und zwar vom ersten Heft Oktober 1929 an. Beispiel dafür ist der Beitrag von Wilhelm Cuno, den man als früheren Reichskanzler und jetzigen Präsidenten der Hamburg-Amerika-Linie nicht nur als Gründungspräsidenten des Hamburger Clubs, sondern auch als *Governor* des 73. (Deutschland und Österreich umgreifenden) Distriktes gewinnen kann. Auch Cuno betont in seinem ersten Rundschreiben als *Governor*:

> Rotary ist keine Religion oder kirchliche Moral und fördert doch die Religiosität, indem von jedem Rotarier erwartet wird, dass er treu seinem Glauben lebt. Rotary ist kein politisches Bekenntnis und macht doch jedem Mitglied zur Pflicht, sein Land und Volk zu lieben und seine Interessen in erster Linie zu fördern. Das ist besonders in unseren Ländern, die am meisten unter dem Kriege und dessen Folgen gelitten haben, unsere vornehmste Aufgabe [...]. Deshalb sind die internationalen Aufgaben von Rotary kein Gegensatz zur nationalen Pflicht, sondern eine zeitgemäße und natürliche Betätigung nationalen Sinnes, wie es namentlich die heutige Zeit fordert.[15]

Auffällig an diesem Text ist nicht nur die Anspielung auf die völkerzerrüttende Katastrophe des Ersten Weltkriegs, auffällig ist auch hier die innere Verknüpfung der rotarischen Idee mit „Religion" oder „Moral". Zwar will Rotary kein Ersatz verfasster Religionen, keine Konkurrenz zu einer „kirchlichen" Moral sein. Und doch sollen die Mitglieder der Clubs – konzeptionell-programmatisch gesprochen – „Religiosität" fördern, erwartet man von ihnen eine Treue zu „Glaubensüberzeugungen". Die Benutzung solch religiös getönter Begriffe – auch wenn sie hier in weiterem Sinn gebraucht werden – erhärtet die Überzeugung, dass es auch bei den deutschen Rotary-Clubs von Anfang an nicht bloß um ein gesellschaftlich-geschäftliches Miteinander, sondern auch um eine ethische Selbstverpflichtung gehen sollte. Rotary vertritt oder ersetzt keine Religion oder Kirche, fördert aber doch „Religiosität" im universalen, umfassenden Sinn. Rotary verlangt kein politisches Bekenntnis, ist aber in der Erfüllung seines selbstgestellten Auftrags nicht unpolitisch. Rotary ist verwurzelt in einzelnen Nationen, denkt und handelt aber zugleich völkerverbindend, menschheitlich-universal.

Im selben Heft von *Der Rotarier* (Juli 1929) findet sich ein weiterer aufschlussreicher Beitrag eines Frankfurter Rotariers zu *Rotarys internationalem Gedanken*. Die Welt, in der man heute lebe, sei nun einmal gekennzeichnet durch „Verknüpfungen des Lebens eines Menschen zu dem anderen". Die technische Entwicklung bringe „die Menschen aller Nationen enger und häufiger zusammen – im Zeitalter des Radios und des Flugzeugs". Die

---

[15] Wilhelm Cuno: Erster Monatsbrief vom 1. Juli 1929, in: Der Rotarier, H. 1 (1929/30), S. 4–7, 6 f.

rotarische Idee müsse deshalb im Kontext von Weltpolitik begriffen werden. „Wirkliche Weltpolitik" aber existiere nur dann, wenn man sich bemühe um die „Beseitigung nationaler Vorurteile", und zwar „durch die Verbreitung der Kenntnis der wirklichen Verhältnisse bei fremden Nationen, die Erweckung der Achtung vor Menschen fremder Völker, deren Sitten, Meinungen und Erfahrungen von den unsrigen abweichen".[16] Die daran anschließende Einordnung in die große deutsche Tradition zeigt das Bemühen, Rotary in Deutschland zu inkulturieren und ihm so ein ideelles Konzept zu geben. Grundgedanken Lessings und des deutschen Idealismus klingen an:

Der Weg der rotarischen Idee geht über die Person. Die Erziehung des Menschengeschlechtes, dasjenige Ziel, dem der deutsche klassische Idealismus Herders und Schillers nachstrebte, wird als erste und letzte Aufgabe von dem rotarischen Ideenkreis wieder aufgenommen. Was sich damals vor hundert Jahren in den Köpfen einzelner, von der Mit- und Nachwelt oft nur halb verstandener Männer entwickelte, lebt verjüngt heute wieder auf. Aber diese Gedanken bleiben nicht mehr im Reich der Ideen haften, sind nicht nur wunschhaftes Bild im Geiste von Träumern. Das junge Amerika schuf in Rotary etwas, dessen die Welt in der Wirklichkeit mehr denn je bedarf: *es schuf die Organisation der Moral auf der Erde.*[17]

Wir werden uns dieser Formulierung zu erinnern haben: „Organisation der Moral auf der Erde" …

II. Entwicklung zum „Menschheitsgedanken": Thomas Mann

Im selben ersten Heft des ersten Jahrgangs von Der Rotarier, dessen Schriftleiter vom 5. Heft des 1. Jahrgangs (also von Februar 1930) an Thomas Manns Schriftstellerkollege Karl Wolfskehl ist, findet sich nun überraschenderweise auch ein kleiner, etwas weniger als zwei Druckseiten umfassender Prosatext von Thomas Mann: *Vom schönen Zimmer.* Eine erste Spur, ein erstes öffentliches Zeichen seiner rotarischen Präsenz. Sie ist nicht zufällig. Thomas Mann passt in diesen ideellen Kontext. Denn seine Entwicklung, so lässt sich zeigen, führt im Laufe seiner Lebens- und Werkgeschichte zu einer immer stärkeren Entsprechung zu dem, was ich das rotarische Grund-Ethos genannt habe.

Dabei sieht Thomas Manns geistig-politische Entwicklung bis zu Beginn der 20er Jahre völlig anders aus. Der 1901 erschienene Roman *Buddenbrooks*

---

[16] L. R. Grote: Rotarys internationaler Gedanke, in: Der Rotarier, H. 1 (1929/30), 15–19, 18.
[17] Ebd., S. 18 f.

hatte den damals 26jährigen mit einem Schlag in die erste Reihe deutscher Schriftsteller katapultiert. 1909 war der Roman *Königliche Hoheit* gefolgt, 1912 die Novelle *Der Tod in Venedig*. Thomas Mann hatte sich als ein subtiler Analytiker des Verfalls der bürgerlichen Gesellschaft vor dem Ersten Weltkrieg erwiesen. Seine literarischen Texte spiegeln eine Faszination für Untergang und Verfall, eine Ästhetik der Dekadenz sowie den Grundkonflikt zwischen Leben und Kunst, Bürgertum und Künstlertum, Lebenstrieb und Todestrieb. Alles ist noch konzentriert auf den Einzelnen und sein Verhältnis zur Welt. Alles steht noch im Zeichen eines von Richard Wagner beeinflussten Kunstideals, eines von Nietzsche bestimmten Ästhetizismus und eines von Schopenhauer beeinflussten Lebenspessimismus. Politisch? Politisch hatte sich Thomas Mann dabei als ein antisozialistischer Konservativer, antidemokratischer Monarchist und antieuropäischer Nationalist erwiesen, nachzulesen vor allem in seinem nach Ende des Ersten Weltkriegs 1918 erschienenen Monster-Essay *Die Betrachtungen eines Unpolitischen*.

II.1. Was ist Humanität?

Vier Jahre später, 1922, setzt eine neue Entwicklung ein. Sie lässt sich datieren auf eine Berliner Rede Thomas Manns unter dem Titel *Von deutscher Republik*. Ursprünglich als Würdigung von Gerhart Hauptmann zu dessen 60. Geburtstag gedacht, wird diese Rede unter dem Eindruck der im Juni desselben Jahres erfolgten Ermordung von Reichsaußenminister Walther Rathenau zu einem Manifest zugunsten der neuen Republik. Ausdrücklich setzt der Redner alles daran, sein Publikum „für die Republik zu gewinnen" und für das, was Demokratie genannt werde und was er, Thomas Mann, jetzt „Humanität" nenne. (15.1, 522) Republik und Demokratie? Sie seien heute (nach dem Untergang der Monarchie) „innere Tatsachen", die zu leugnen „lügen" heißen würde. (15.1, 524) Jugend und Bürgertum fordert Thomas Mann auf, ihren Widerstand gegen Republik und Demokratie aufzugeben und endlich Vertrauen zu fassen.

Hier fällt nun erstmals programmatisch das für uns nun künftig entscheidende Wort: „Humanität". Denn Thomas Mann liegt daran – in Kontinuität mit seinen demokratiekritischen Äußerungen vor dem Ersten Weltkrieg –, nicht Demokratie bloß politisch, sondern tiefer, grundsätzlicher zu rechtfertigen. Dabei ist „Humanität" für ihn zwar ein „altmodischer", heute aber wieder „lockender" Begriff. Warum? Weil er eine „Mitte" benennt, die angesichts der Extreme der Zeit dringend nötig ist: eine Mitte

[z]wischen ästhetizistischer Vereinzelung und würdelosem Untergange des Individuums im Allgemeinen; zwischen Mystik und Ethik, Innerlichkeit und Staatlichkeit; zwischen todverbundener Verneinung des Ethischen, Bürgerlichen, des Wertes und einer nichts als wasserklar-ethischen Vernunftphilisterei [...]. (15.1, 559)

II.2. *Der Zauberberg* und die Zukunft der Menschheit

Schon hier also, 1922, kristallisiert sich eine Position heraus, die Thomas Mann auch künftig politisch-kulturell durchhalten wird – und zwar in Äquidistanz zum Ästhetizismus im Geiste Nietzsches, der ihn selber tief beeinflusst hatte und der nun als „Vereinzelung", „Mystik", „Innerlichkeit" und „Verneinung des Ethischen" durchschaut wird. In Äquidistanz aber auch zu einem sich anbahnenden faschistisch-völkischen Totalitarismus, der das Individuum im „Allgemeinen" aufheben will und das Leben auf Ethik und Politik reduziert. Zwischen diesen beiden Extremen beansprucht Thomas Mann eine Mitte zwischen Verneinung des Ethischen und Politischen und dem Sichausliefern an eine „Vernunftphilisterei", d.h. an den Primat des Ethischen und Politischen. Eine Mitte, die er, unbescheiden, wie er sein konnte, gleich dann auch „deutsche Mitte" (15.1, 559) nennt und bei der Politik und Geist, Ethos und Eros für Einzelne und die Gesellschaft eine lebensbejahende Synthese eingehen sollten.

Sollten! Denn Humanität ist für Thomas Mann – angesichts der Bedrohung durch Gegen-Mächte aller Art – nie gesichert, sondern stets gefährdet, politisch wie anthropologisch. Humanität ist kein naiver Sonntagsbegriff, sondern ein Zielpunkt menschlicher Evolution. Als bedrohte ist Humanität stets neu zu erkämpfen. Und dieser Kampf um Humanität ist nun künftig auch Gegenstand seines literarischen Gestaltens. Sichtbarer Ausdruck ist der 1924 erschienene Roman *Der Zauberberg*, dessen Grundpositionen wir uns wenigstens in aller Knappheit vergegenwärtigen müssen. Er bildet den endgültigen Wendepunkt Thomas Manns hin zu einem Denken in Kategorien wie „Welt", „Menschheit", „Universalität".

Zentrale Figur des Romans ist ein junger angehender Ingenieur aus Hamburg namens Hans Castorp, der seinen erkrankten Vetter in einer im Schweizer Hochgebirge gelegenen international renommierten Heilanstalt für Lungenkranke besucht. Rasch nimmt ihn die dort herrschende mondän-morbide Stimmung von Eros und Tod gefangen. Aus den ursprünglich geplanten drei Wochen werden sieben Jahre Aufenthalt, während derer der freiwillig zum Patienten Gewordene der Faszination des Verfalls immer stärker erliegt. Als ihn zuletzt der Ausbruch des Ersten Weltkriegs zu den Waffen ruft, hat er jede Lebenstüchtigkeit verloren. Am Schluss sieht man ihn als Soldat eine feindliche Stellung angreifen, die ihm den Tod bringen wird.

Auch in diesem Roman werden noch einmal bisherige Grundthemen Thomas Manns variiert: Sympathie mit dem Tod, Dekadenz, Eros, Ästhetizismus. Und doch ist die mit dem Ausbruch des Ersten Weltkriegs einsetzende fundamentale zeitgeschichtliche Umwälzung und der dadurch erzwungene Neuorientierungsprozess auch an diesem Roman nicht spurlos vorübergegangen. Im *Zauberberg* hat sich der Autor nach dem essayistischen jetzt auch in seinem erzählerischen Werk der Sphäre des Politischen geöffnet, und zwar in universaler Dimension. Gespiegelt wird dies an brillanten Rededuellen zweier Bewohner des *Zauberbergs*, dem italienischen Aufklärer Ludovico Settembrini und dem Jesuiten jüdischer Herkunft Leo Naphta, vertreten beide doch völlig unterschiedliche, ja einander feindlich entgegengesetzte Auffassungen vom zukünftigen Weg der Menschheit.

– *Settembrini*, Enkel eines italienischen Freiheitskämpfers, ist ein leidenschaftlicher Verfechter von Vernunft, Arbeit, Wissenschaft, Fortschritt und Demokratie. Als künftigen Idealzustand sieht er eine von diesen Werten her bestimmte „allgemeine glückliche Weltrepublik" an.

– *Naphta* dagegen, Mitglied des soldatisch geprägten Jesuitenordens, propagiert in düsterer Weise Ich-Aufgabe, unbedingten Gehorsam, totalitäre Disziplin und „heiligen" Terror. Als Endziel der Menschheit schwebt ihm eine Art Kommunismus mit mittelalterlich-kirchlichen Zügen vor.

Die geistigen Waffengänge dieser Kontrahenten verfolgt der naiv-ahnungslose Hans Castorp fasziniert. Stets gehen sie zugunsten Naphtas aus. Ein ums andere Mal gelingt es ihm, Settembrinis optimistisch-ratiogläubige Schwelgereien über Menschheitsglück und Weltverbesserung mit einer messerscharf-zynischen Dialektik argumentativ zunichte zu machen. Aber keinem gelingt es, Castorp wirklich auf seine Seite zu ziehen. Kritische Distanz hält er zu beiden, nicht zuletzt deshalb, weil sowohl bei Settembrini als auch bei Naphta „Lehre" und „Leben" weit auseinanderklaffen. Stattdessen formuliert Castorp nach einem einschneidenden traumatischen Erlebnis seine Grundhaltung so:

Ich will dem Tode Treue halten in meinem Herzen, doch mich hell erinnern, daß Treue zum Tode und Gewesenen nur Bosheit und finstere Wollust und Menschenfeindschaft ist, bestimmt sie unser Denken und Regieren. *Der Mensch soll um der Güte und Liebe willen dem Tode keine Herrschaft einräumen über seine Gedanken.* (5.1, 748)

Wie immer dieses „Bekenntnis" einer einzelnen literarischen Figur für die Gesamtaussage eines Romans zu werten ist, sie ist – übersieht man die weitere Entwicklung Thomas Manns – wegweisend für die künftige geistig-politische Position seines Autors. Das Streben des fiktiven Aufklärers und Humanisten Settembrini, der die Verwirklichung einer auf demokratischen Prinzipien basierenden, von politischer Freiheit, von Wohlstand, Frieden und Völkerrecht bestimmten Weltrepublik anstrebt, ist tendenziell auch die seines Erfinders, den jetzt – im Zeichen der neuen Republik – nicht länger nur die Belange der Kunst und des Einzelnen beschäftigen. Der ehemals Unpolitische beginnt sich Gedanken zu machen über Situation und Zukunft der Menschheit. Selbstsorge wird ergänzt durch Weltsorge, Deutschtum durch Weltbürgerlichkeit. Bei aller Gebrochenheit solcher Weltbürgerlichkeits-Konzepte scheint in ihnen nun doch ein Wahrheitsmoment verborgen, das Thomas Mann auch künftig festzuhalten gedenkt. 1923, noch vor der Veröffentlichung des *Zauberbergs*, werden in Aufnahme einer Schrift des bekannten evangelischen Theologen und Kulturphilosophen Ernst Troeltsch (1865–1923) unter dem Titel *Naturrecht und Humanität in der Weltpolitik* (posthum Berlin 1923) Gedanken wie diese niedergeschrieben:

Zur Ideen- und Idealwelt der naturrechtlich bestimmten europäischen Humanität gehört der Gedanke der Menschheitsorganisation, – ein Gedanke geboren ganz aus jener schon stoisch-mittelalterlichen Verbindung von Recht, Moral und Wohlfahrt, die wir als utilitaristische Aufklärung so tief – und mit ursprünglich zweifellos großem revolutionären Recht so tief – zu verachten gelernt haben, ein Gedanke, kompromittiert und missbraucht in aller Erfahrung, verhöhnt und vorgeschützt von den Machthabern der Wirklichkeit, und ein Gedanke dennoch, der einen unverlierbaren Kern regulativer Wahrheit, praktischer Vernunftforderung birgt, und dessen grundsätzlicher Verleugnung kein Volk – und sei es aus den anfänglich geistigsten Gründen – sich schuldig machen kann, ohne an seinem Menschentum nicht nur gesellschaftlich, sondern tief innerlich Schaden zu nehmen. (15.1, 725)

Diese Art der Argumentation setzt Thomas Mann auch nach Erscheinen des Romans 1924 fort. In seinem Aufsatz *Deutschland und die Demokratie* plädiert er 1925 jetzt für die „Einordnung Deutschlands in die Weltdemokratie" (15.1, 947), im Vortrag *Lübeck als geistige Lebensform* 1926 definiert er „Deutschtum" angesichts der nationalistischen Borniertheit des aufkommenden Faschismus jetzt als „Weltbürgerlichkeit, Weltmitte, Weltgewissen, Weltbesonnenheit" (Ess III, 37). Sätze, die begreiflich machen, warum Thomas Mann zwei Jahre später ganz organisch der rotarischen Gemeinschaft beitreten kann, in der er Ideen von „Weltbürgerlichkeit" und „Menschheitsgedanken" verwirklicht sehen mochte.

II.3. *Joseph* und die „Einheit des Menschengeistes"

Organisch passt ebenfalls dazu, dass Thomas Mann sich nach dem *Zauberberg* von Ende 1926 an eines weiteren großen Prosa-Projekts anzunehmen beginnt, das ungewollt und ungeplant ebenfalls menschheitsgeschichtliche Dimensionen anzunehmen beginnt. Die Ursprungsidee ist, die biblische Joseph-Geschichte in Form einer historischen Novelle noch einmal zu erzählen. Im Prozess der Arbeit aber wächst sich schon früh alles zu einem großen Roman aus, und nach 17 Jahren Arbeit sind es vier große Bände geworden: *Joseph und seine Brüder*, erschienen zwischen 1933 und 1943.

Während im Oktober 1927 die ersten Rotary-Clubs auf deutschem Boden gegründet werden, ist Thomas Mann mit der Ausarbeitung des *Joseph*-Manuskripts beschäftigt. Erste Lesungen erfolgen Ende 1927 noch in München, dann in der ersten Hälfte 1928 in zahlreichen Städten Deutschlands. Er ist selber überrascht, wie erste Selbstzeugnisse verraten, wie sehr ihn jetzt „das Religiöse anzieht".[18] Er habe das Religiöse „bisher nur mit der naiven Ehrfurcht eines Daseinsmenschen vor dem Unbekannten angesehen". Doch jetzt ziehe es ihn „unendlich heftig an", und er glaube, das geschehe nicht zufällig, sondern „notwendig". Und wörtlich: „Das Religiöse wird unsere ganze nächste Zukunft bestimmen. Das Ästhetische in jeder Form ist endgültig vorüber."[19] Im Religiösen sieht Thomas Mann später, als das Roman-Projekt fortgeschritten ist, den stärksten Ausdruck dafür, dass die „Menschheitsbildung ein einheitliches Ganzes ist und daß man in den verschiedenen Kulturen die Dialekte der einen Geistessprache findet".[20] Kein Gebiet sei so geeignet, „die humane Einheit des Geistes deutlich zu machen, wie das Religiöse".[21]

So hatte Thomas Mann schließlich auch durch die Aufarbeitung der Religionsgeschichte der Menschheit die frühere Verengung auf den Einzelnen überwunden. Im *Zauberberg* war es die Hinwendung des Einzelnen zu Gesellschaft und Politik gewesen. Im *Joseph*-Roman ist es jetzt die Öffnung für das Menschheitsgeschichtliche. Der Problemkomplex „Humanität" bekommt so noch einmal eine ganz andere Intensität, und zwar durch Einbeziehung der Tiefenschichten der Geschichte, die zugleich immer auch Tiefenschichten des menschlichen Bewusstseins sind. Religionsgeschichte und Tiefenpsychologie gehen jetzt im neuen großen Roman-Projekt eine ingeniöse Synthese ein, gel-

---

[18] Thomas Mann: Selbstkommentare. „Joseph und seine Brüder", hrsg. von Hans Wysling unter Mitarbeit von Marianne Eich-Fischer, Frankfurt/Main: Fischer Taschenbuch 1999 (= Fischer Taschenbuch, Informationen und Materialien zur Literatur, Bd. 6896), S. 20.
[19] Ebd.
[20] Ebd., S. 55.
[21] Ebd.

ten doch die „archäologischen" Vorstöße nicht nur den Tiefenschichten der Kultur, sondern auch denen der Seele:

Das Problem des Menschen hat vermöge extremer Erfahrungen, die er mit sich selbst gemacht, eine eigenartige Aktualität gewonnen; die Frage nach seinem Wesen, seiner Herkunft und seinem Ziel erweckt überall eine neue humane Anteilnahme – das Wort ‚human' in seinem wissenschaftlich-sachlichsten, von optimistischen Tendenzen befreiten Sinn genommen –; Vorstöße der Erkenntnis, sei es ins Dunkel der Vorzeit oder in die Nacht des Unbewußten, Erkundungen, die sich an einem gewissen Punkte berühren und zusammenfallen, haben das anthropologische Wissen in die Tiefen der Zeit zurück, oder, was eigentlich dasselbe ist, in die Tiefen der Seele hinab, mächtig erweitert, und die Neugier nach dem menschlich Frühesten und Ältesten, dem Vorvernünftigen, Mythischen, Glaubensgeschichtlichen ist rege in uns allen. Solche ernsten Liebhabereien der Zeit stimmen nicht schlecht überein mit dem Geschmack eines persönlichen Reifestandes, der anfangen mag, sich vom Individuell-Besonderen zu desinteressieren und sich dem Typischen, das heißt aber dem Mythischen zuzuwenden.[22]

Das also ist der Weg Thomas Manns in den zwanziger Jahren: von der Vereinzelung in die Bürgerlichkeit, vom Ästhetizismus zum Ethos, von der Politikverachtung zum Weltbürgertum, vom Individuell-Besonderen eines jeden Menschen zum Typischen, Allgemeinen, Menschlichen.

III. Verherrlichung

Nachdem am 7./8. Februar 1929 die *Charter*feier des Rotary-Clubs München vollzogen ist, hält Thomas Mann am 5. März bei einem Abend-*Meeting* bereits einen Vortrag. Thema: „Lessing" – aus gegebenem Anlass. Es ist das Jahr des 200. Geburtstags dieses größten Schriftstellers der deutschen Literatur vor Goethe. Thomas Mann kann sich vor den Rotariern auf diejenige Rede stützen, die er bereits am 21. Januar 1929 aus Anlass von Lessings Geburtstag in der Berliner Akademie der Künste gehalten hatte (IX, 229–245). Welch ein Auftakt für seine rotarischen Aktivitäten! In der anlässlich der *Charter*feier veröffentlichten Festschrift des Clubs erscheint ein kleiner Ausschnitt aus der Akademie-Rede unter einem eigenen Titel: *Lessing und der Pastor* (XIII, 316 f.) Der Eindruck von diesem Vortrag führt unter anderem zu dem Beschluss, künftig öfter im Club solche abendliche Vortragsanlässe durchzuführen.

---

[22] Ebd., S. 37 f.

III.1. Rotarische Ehrung für den Nobelpreisträger

Gut acht Monate später, am 12. November, erhält Thomas Mann die Mitteilung aus Stockholm, ihm werde der Literatur-Nobelpreis des Jahres 1929 verliehen. Schon eine Woche darauf, am 19. November, ehrt ihn sein Club in einem denkwürdigen *Meeting* im üblichen „Clublokal", dem Münchner Hotel Vier Jahreszeiten. „Wir Münchner Rotarier" – so der damalige Club-Präsident Felix Sobotka – „begrüßen Sie als unsern Freund, auf den wir stolz sind und den wir mit und ohne Nobelpreis als noblen Geist und noble Seele und wahrhaften Rotarier lieben."[23] In der Tat hat seine „Weltberühmtheit" den Rotarier Thomas Mann nie davon abgehalten, wie sein Biograph Klaus Harpprecht sich ausdrückt, „der unerbittlichen Präsenzpflicht bei den wöchentlichen Sitzungen mit bürgerlicher Pünktlichkeit zu genügen".[24]

III.2. „Weltehrenbürger des Geistes"?

Der Grafiker und Bühnenbildner Emil Preetorius hält die Festrede. Zielsicher greift er in seiner Würdigung den Punkt heraus, der in rotarischem Kontext für Thomas Mann der entscheidende ist: „Humanität". Preetorius nennt es „große Menschlichkeit". Das Pathos seiner Eloge ist heute schwer erträglich. Die geistes- und kulturgeschichtliche Einordnung des Geehrten nimmt Verherrlichungszüge an und ist gerade deshalb ein bemerkenswertes Dokument Thomas Mannscher Wirkung:

So wie wir Rotarier, wie der engere Freundeskreis, der heute mit so viel Stolz, mit so viel Liebe auf Thomas Mann blickt, so hat das durch die Schrecken der Zeit sich neu bildende Europa diesen Thomas Mann gefunden und erlebt. Erlebt als einen der allen sichtbaren, reinen Repräsentanten des Europäertums, dessen Adel und Würde der griechische Mensch geschaffen hat, jenes Europäertums, zu dem heute die zerstückte Welt sich wieder bekennen will und mit ihm die gesittete Menschheit, für die Europa, ja Europa immer noch und auch lange noch Maß und Muster zu sein hat. So ist der Nobelpreis für Thomas Mann eine Ehrung jenes Geistes, jenes Ethos, jenes Wechselbezugs von Ich und Allgemeinheit, von wahrer, verstehender Brüderlichkeit, in der Schaffen und Empfangen zusammenklingen wie in einem großen Geisterchor. [...] Uns allen, liebe Rotarier Münchens, ist ja zugefallen, was heute Thomas Mann zum stolzen Repräsentanten menschlicher, ernster, verantwortungsvoller Arbeit macht, zum Weltehrenbürger des Geistes.[25]

---

[23] Ansprache des Präsidenten des Rotary-Clubs München bei der Feier zu Ehren des rotarischen Nobelpreisträgers Thomas Mann, in: Der Rotarier, H. 1 (1929/30), S. 139.

[24] Klaus Harpprecht: Thomas Mann. Eine Biographie, Reinbeck bei Hamburg: Rowohlt 1995, S. 655.

[25] Emil Preetorius: Festrede im Münchner Rotary-Club zum Nobelpreis für Thomas Mann, in: Der Rotarier, H. 1 (1929/30), S. 139–141, 140f.

„Reiner Repräsentant des Europäertums", „Weltehrenbürger des Geistes"? An diese Verherrlichungsrhetorik werden wir uns erinnern, wenn die Zeiten gewechselt haben.

III.3. „Ideenkomplex bürgerlicher Humanität"?

Thomas Mann äußert sich in seiner Dankesansprache ebenfalls noch einmal zum Thema „Humanität",[26] freilich ungleich nüchterner, realistischer. Denn Humanität sieht er – wir kennen mittlerweile seine Position der „Mitte" – hineingestellt in eine Welt, „die von wilden Entschlossenheiten, von blutigen Extremen der Entschlossenheit zerrissen" sei. Umso dringender all das, was mit dem – so wörtlich – „Ideenkomplex der Humanität" verbunden sei, ein Komplex, der sich zusammensetze „aus Begriffen wie Freiheit, Gerechtigkeit, Behutsamkeit, Wissen, Güte und Form". So bestimmt, lasse sich Humanität – auch diese Denkfigur ist uns mittlerweile vertraut – übersetzen, ja ersetzen, mit dem deutschen Wort „Bürgerlichkeit", einer Bürgerlichkeit, die nichts zu tun habe mit „bourgeoiser Klassenmitte" oder einem „internationalen Kapitalismus". „Bürgerlichkeit" sei vielmehr in einem „höchsten und geistigen Sinn" zu verstehen – eben als Äquidistanz zu allen Extremen rechter oder linker Art, zu allen Fanatismen, so wie Erasmus von Rotterdam und Goethe es zu ihrer Zeit praktiziert hätten. Wenn er, Thomas Mann, diese Haltung eingenommen habe, so möge hier der Grund für die ihm „widerfahrene Auszeichnung" gelegen haben, konkret „in dem Glauben der Welt an die erhaltenden sowohl wie die zukünftigen Kräfte", die „dem Ethos bürgerlicher Humanität eingeboren" seien. Diese Lebenshaltung sei „Ausdruck eines Glaubens". Und so sei es „nicht Überheblichkeit und Selbstgefälligkeit", sondern eben nur der Ausdruck dieses „überpersönlichen Glaubens", wenn er, Thomas Mann, die Hoffnungen teile, die die Welt mit der Verleihung dieses Preises zum Ausdruck gebracht habe.

So vorbereitet, kann der Geehrte am Schluss seiner Dankesrede auch ganz organisch auf „unsere Sache, unsere Organisation, den Rotary-Club" zu sprechen kommen. Was sei dessen „innerste Verfassung", dessen „geistiges Fundament"? Seine Antwort kleidet er in die rhetorische Frage:

Ist es nicht eben dieser Ideenkomplex bürgerlicher Humanität, in dessen Zeichen er sich konstituiert hat und der ihn beseelt, diese Ideeneinheit von Freiheit, Bildung, Menschlichkeit, Duldsamkeit, Hilfsbereitschaft und Sympathie, die das Wesen der

---

[26] Thomas Mann: Dankesrede anlässlich der Club-Feier zur Nobelpreisverleihung, in: Der Rotarier, H. 1 (1929/30), S. 141 f.

Humanität, der höheren Bürgerlichkeit ausmacht? In diesem Lichte sehe ich unsere Gemeinschaft, wenn ich Sie bitte, mit mir auf ihr Gedeihen, ihr Wohl zu trinken, Welt-Rotary und insbesondere unser Münchner Club, sie leben hoch!

Im Protokoll wird noch eigens erwähnt, dass der Beifall nach allen Ansprachen von einer, „auch für den temperamentvollen Münchner Club ungewöhnlichen Stärke" gewesen sei.[27]

Wir haben es hier mit dem Schlüsseltext zu tun, der unsere Hauptthese belegt, dass die Mitgliedschaft Thomas Manns in einem rotarischen Club sich in der Sache legitimiert durch die innere Entsprechung seines in den zwanziger Jahren (durch politische Kämpfe und geistige Auseinandersetzungen) errungenen geistigen Profils mit der Grundidee und dem Grund-Ethos Rotarys. Die Schlüsselkategorie heißt „Ideenkomplex bürgerlicher Humanität". Eine genaue Analyse seiner Schriften zeigt, dass diese drei Begriffe („Ideenkomplex", „Bürgerlichkeit", „Humanität") inhaltlich präzise bestimmt und geistig-kulturell – angesichts der Bedrohung durch politische Extremismen – genau kalkuliert sind.

III.4. Ein Werk der „Weltgeltung"?

Mitrotarier dürften diesen inneren Zusammenhang durchaus verstanden haben, hatte doch auch Thomas Mann als deutscher Rotarier die rotarische „Vision" ebenfalls bewusst in einer Weise rezipiert, dass sie mit besten Traditionen des deutschen Idealismus und europäischen Humanismus kompatibel zu sein schien. Auch seine konzeptionellen Beiträge zum „geistigen Fundament" Rotarys sind ein Versuch der Inkulturation und damit der geistig-ethischen Fundierung Rotarys in der spezifisch deutschen Tradition.

Dokumentiert wird dies auch durch einen kleinen *Glückwunsch an Thomas Mann* durch den rotarischen Freund Bruno Frank im zweiten Heft des Rotariers vom Oktober 1929, das gleich zu Beginn ein Portrait-Foto des neuen Nobelpreisträgers bringt. 1887 in Stuttgart geboren, studierter Jurist, 1912 aber in Tübingen mit einer literaturwissenschaftlichen Arbeit promoviert, hatte Frank sich in den zwanziger Jahren – er ist Nachbar von Thomas Mann in München – als Verfasser von historischen Romanen und Erzählungen einen Namen gemacht (vielfach kreisend um die Gestalt Friedrichs des Großen: *Tage des Königs*, Erzählungen 1924, *Trenck*, Roman 1924, *Zwölftausend*, Drama 1927). Ein Schriftsteller eigenen Rechts also, der weiß, wovon er redet,

---

[27] So in: Der Rotarier, H. 1 (1929/30), S. 142.

wenn er seinen „Glückwunsch" literarisch begründet. Ganz und gar nicht selbstverständlich sei es, dass Thomas Mann als Deutscher von den „Besten, Urteilsfähigsten auf der ganzen Erde" diese Ehrung empfangen habe. Denn deutsche Prosa sei seit den Zeiten Goethes und der Romantik „unbekannt in der Welt" gewesen. Im Vordergrund hätten „Routine, Epigonentum, unterhaltsame Trivialität" gestanden. Anders sei dies erst geworden um die Jahrhundertwende, als „Nietzsches Lebenswerk" allgemein sichtbar geworden sei. Nietzsche habe die „Prosa als Kunstform für die Deutschen neu entdeckt". Er habe „Weltgeltung" erlangt und die besten derer, die nach ihm kamen, seien seine Jünger und rechtmäßigen Erben: Stefan George, „der hymnische Meister", Thomas Mann, „der Erzähler". Frank schließt seine kurze Würdigung mit dem Abschnitt:

Ich umschreibe nicht sein Werk; es ist für jeden von uns gekanntes und geliebtes Gut. Jeder weiß, was er mit seiner letzten, bisher bedeutendsten Dichtung, dem ‚Zauberberg‘, gegeben hat: nicht weniger als eine großartig umfassende Inventur des europäischen Geisteszustandes vor dem Kriege. Er steht heute auf seiner Höhe, ein vollkräftiger Mann, dem Neuen und Zukünftigen offen; so früh hat ihn diese Ehrung erreicht. Die 150'000 Männer, die über alle Erdteile hin in ‚Rotary‘ vereint sind, dürfen stolz darauf sein, dass dieser Dichter zu ihnen gehört.[28]

Auch als die braune Flut viele rotarische Freunde aus Deutschland „hinwegspült", unter ihnen Bruno Frank, verlieren sich die beiden Schriftsteller nicht aus den Augen. Thomas Mann, der durch Rezensionen und später durch Nachrufe Bruno Frank immer wieder geehrt hat und würdigen wird,[29] wird den Freund zuerst im Schweizer, dann im kalifornischen Exil wiedersehen...

IV. Vergeistigung

Die Verleihung des Nobelpreises an Thomas Mann in Stockholm am 10. Dezember ist verbunden mit weiteren rotarischen Aktivitäten, so am 11. Dezember einem Empfang im Rotary-Club Stockholm. Die Rede des Stockholmer Club-Präsidenten Kurt Belfrage auf Thomas Mann ist im Rotarier nachzulesen.[30] Ein erstaunliches Dokument, sieht doch dieser schwe-

---

[28] Bruno Frank: Glückwunsch an Thomas Mann, in: Der Rotarier, H. 1 (1929/30), S. 90–90b, 90a.
[29] Vgl. Thomas Manns Beiträge zu Bruno Frank. (X, 484–488 und 566 f.)
[30] Kurt Belfrage: Rede auf Thomas Mann am 11. Dezember 1929, in: Der Rotarier, H. 1 (1929/30), S. 171 f.

dische Rotarier schärfer, als man dies in Deutschland je sah, die Affinität von Thomas Manns Denken mit dem rotarischen Grundethos. Dieser „Freund" sei „nicht nur der ausgezeichnete Erzähler, der hervorragende Künstler und Dichter, sondern auch der echte Rotarier"; seine Bücher seien „von rotarischen Gedanken und rotarischer Welt- und Lebensanschauung erfüllt". Ja, der schwedische Präsident erkennt sogar die große Wandlung im Werk des Dichters, der im Zeichen des Romans *Buddenbrooks* noch ganz „von seinem individualistischen Ich" erfüllt gewesen sei, sich mit den Jahren aber mehr und mehr „in das strenge Land der Wirklichkeit" gezogen gefühlt habe. Und wörtlich fügt Kurt Belfrage hinzu:

Auch wir Laien müssen unbedingt bemerkt haben, wie Thomas Mann mehr und mehr menschlich und vertieft geworden ist. Ehrlicher als die meisten haben Sie versucht, Ihre eigene Zeit zu verstehen und gegen diese Zeit Gerechtigkeit zu üben. Auch hinter dem barbarischen Schauspiel des Weltkrieges haben Sie eine vernünftige Meinung gesucht. Sie haben wohl wie alle Leute bemerkt, dass der Weltkrieg eine mächtige Steigerung des Bewusstseins und der nationalen Leidenschaften gebracht hat, aber, ein echter Rotarier, dürfen Sie auch behaupten, dass alles nach dem Kriege einander unendlich nähergerückt ist, dass der kulturelle Austausch reger als je zuvor geworden ist, dass es Erlebnisse unterirdischer Beziehungen des Wiedererkennens und der Verwandtschaftsfeststellung von Nation zu Nation gibt, wie sie früher nicht möglich waren. Wie ein wahres Rotaryprogramm klingen diese Worte: ‚Keinem Volke ist wohl allein mit sich selbst. Ein jedes bedarf, um nicht zu stagnieren und zu vertrocknen, der Ergänzung und Befruchtung durch die anderen. Mehr und mehr tritt in unserer Zeit über das Nationale das Wesentliche, Persönliche, das menschlich Verwandte hervor.' Der Dichter, der diese Worte geschrieben hat, ist kein Ideologe, kein blasser Europäer à tout prix; er ist, wie die Besten von uns, ein guter Bürger, ein echter treuer Sohn seines Landes. So jung ist unser heutiger Gast, dass er noch an das Leben glauben darf; so stark ist er noch, dass er von geistiger Gesundheit und Erneuerung der Menschen träumen und dichten kann.

Auf der Rückreise von Stockholm macht Thomas Mann Station in Kopenhagen und nimmt auch hier an einem Empfang im Rotary-Club teil. Außerdem liest er aus *Buddenbrooks* und *Joseph und seine Brüder*. Zurück in München, erzählt er am 21. Januar 1930 vor seinem Club von seiner Nobelpreis-Rede und hebt dabei die Veranstaltungen der Stockholmer und Kopenhagener Clubs sowie den weltweiten Freundschaftsgeist der Rotarier hervor.[31] Wichtiger noch: Am 13. September 1930 vertritt er seinen Club auf der Regional-

---

[31] Zit. nach Gert Heine/Paul Schommer: Thomas Mann Chronik, Frankfurt/Main: Klostermann 2004, S. 211. Unter dem 21. Januar ist hier eingetragen: „Erzählt auf einer Sitzung des Münchner Rotary-Clubs im Restaurant Walterspiel von seiner Nobelpreis-Rede und hebt dabei die Veranstaltungen der Stockholmer und Kopenhagener Clubs sowie den weltweiten Freundschaftspreis der Rotarier hervor".

Konferenz Europa-Asien in Den Haag und hält dort den Vortrag *Die geistige Situation des heutigen europäischen Schriftstellers.*[32] Ein Text, direkt ausgearbeitet für und vorgetragen vor Rotariern. Grund genug, uns wenigstens dessen Grundgedanken zu vergegenwärtigen.

IV.1. Entschieden: Weltgestaltung – übernational

Noch einmal positioniert Thomas Mann den Schriftsteller im Machtkampf der Ideologien. Von zwei Seiten sei die Kunst angefochten, denunziert, verachtet – ganz entsprechend den Ideologien der damaligen Zeit, Kommunismus und Faschismus. Wofür Ästhetik, Spiel, Kunst – angesichts himmelschreiender sozialer Gegensätze? Ist nicht einzig der Kampf, der soziale Klassenkampf, und damit die direkte Anprangerung der sozialen Zustände die einzig „erlaubte und gebotene Betätigung des Geistes"?[33] Von der anderen Seite eine analoge Attacke. Eine „naturkonservative Bewegung", die gegen den Intellektualismus polemisiert, eine Bewegung also von Geistfeindlichkeit und Gegenaufklärung. Die Idee der Kunst? Heute „in den Händen von bösartigen Spießbürgern und Militaristen, die, wenn sie ,Seele' sagen, den Gaskrieg meinen und tief verärgert sind, wenn wir ihnen nicht auf den Leim dieser Verwechslung gehen." Thomas Mann dagegen:

Wir wollen von dem Unfug dieses philisterhaften Lebenstiefsinnes und dieser falschen Heldenfrömmigkeit nichts wissen. Wir haben uns unserer Haut gewehrt gegen den Andrang eines sozialistischen Aktivismus, im Glauben an die Kunst. Wir sind Sozialisten in dem Augenblick, wo der Ästhetizismus der Dummheit und Schlechtigkeit uns für seine Sache in Anspruch nehmen möchte. Wir sind Dichter, das heißt Menschen des Abenteuers und sinnlichen Traumes – es mag sein. Aber wir schwören zum Geiste, wenn die Seele, in Unehre geraten, der Menschheit Schande zu machen droht, und wenn die Stunde uns aufruft, setzen wir unser Wort ein für Ziele einer anständigen Rationalität.[34]

So von beiden Ideologien angefochten, erkennt der Redner in Den Haag in der Situation des Schriftstellers „im Grunde die des Menschen überhaupt". Im Kern gehe es überall und grundsätzlich darum, „unveräußerliche Rechte der individuellen und nationalen Persönlichkeit in Einklang zu bringen mit kate-

---

[32] Thomas Mann: Die geistige Situation des heutigen europäischen Schriftstellers, in: Der Rotarier, H. 1 (1929/30), S. 403–408. Unter dem Titel *[Die geistige Situation des Schriftstellers in unserer Zeit]* auch in: X, 299–306.
[33] Ebd., S. 405.
[34] Ebd., S. 407.

gorischen Pflichten, die das Gemeinschafts- und Völkerleben uns" auferlege. Und genau hier sieht Thomas Mann die Bedeutung einer „erdumspannenden Organisation" wie Rotary:

> Rotary kommt aus Westen, der klassischen Sphäre des Individualismus, wie man sagt. Aber es ist ja falsch, den Freiheitstrieb nur der einen und den Instinkt, zu dienen, nur der anderen Rasse scheidend zuzuweisen und danach die Völker einzuteilen. [...] Die Aufgabe, Freiheit und Dienst zu vereinen, ist übernational, wie der Rotary-Club es ist. In ihm haben sich Männer aller Zungen und Zonen zusammengefunden, die wohl wissen, welche ewig kostbaren Werte mit der Sphäre des Ich, der Sphäre der Kunst und Kultur verbunden sind, und die entschlossen bleiben, den Vorwurf der Frivolität von ihr abzuwehren; Männer jedoch, ebenso entschlossen, sich durch keine falsche Seelenhaftigkeit beirren zu lassen im dienenden Willen zu einer vernünftig-besseren und menschenwürdigen Weltgestaltung.[35]

Zum zweiten Mal geht Thomas Mann programmatisch auf das rotarische Grund-Ethos ein. Jetzt aber ist nicht mehr nur abstrakt vom „Ideenkomplex bürgerlicher Humanität" die Rede, von bloßen Programmworten wie „Freiheit, Bildung, Menschlichkeit, Duldsamkeit, Hilfsbereitschaft und Sympathie" wie 1929 bei der Danksagung anlässlich der Nobelpreis-Feier. Jetzt wird Thomas Mann im Blick auf Rotary konkreter, zupackender, fordernder. Im rotarischen Grundethos findet er ebenfalls so etwas wie eine Mitte, besser: eine Synthese von Individualismus und Volksverbundenheit, von Freiheit des Einzelnen und Dienst an der Gemeinschaft. Und dies national wie übernational. Unter Rotariern glaubt er „Männer aller Zungen und Zonen" zusammengefunden, die um die Bedeutung des Individuums und gleichzeitig um die Bedeutung von „Kunst und Kultur" wüssten und fähig seien, diese Sphären vom „Vorwurf der Frivolität" in Schutz zu nehmen. Ein Schutz aber, der nicht auf „falscher Seelenhaftigkeit" beruhe. Warum nicht? Weil in der rotarischen Gemeinschaft der Einzelne einen „dienenden Willen" aufbringe „zu einer vernünftig-besseren und menschenwürdigen Weltgestaltung".

Nie vorher hatte sich Thomas Mann in solcher Weise zur rotarischen Bewegung geäußert. Und vollends ist der Versuch erkennbar, die rotarische Grundidee mit seinem Konzept einer „Mitte", seinem Begriff von „Bürgerlichkeit" und „Humanität" zu verknüpfen und dadurch für die deutsche geistig-politische Situation kritisch anwendbar zu machen. Die „übernationale" Idee Rotarys als Gegenkonzept zu einer nationalistischen Verengung, als kritischer Gegenentwurf zu einem völkischen Totalitarismus, dessen Suggestivkraft für die Massen in Deutschland immer beunruhigender zu spüren ist. Was folgt? Es folgen noch einmal zwei Vorträge vor den Münchner Club-

---

[35] Ebd., S. 408.

freunden: *Mein Sommerhaus* (1931) sowie *Meine Goethereise* (1932). Dann spitzt sich ein Drama zu, das Thomas Manns Leben verändern wird. Ohne dass er das weiß, werden diese beiden Reden zu seinen Abschiedsgeschenken an Rotary Deutschland.

IV.2. Hingerissen: Leben in „ungeheurer" Landschaft

Stellen wir uns die Münchner Rotarier noch einmal vor. Stellen wir uns vor, wie sie, versammelt im Club-Lokal Hotel Vierjahreszeiten zu München, der rhetorischen und narrativen Verführungskunst des „Zauberers" erliegen. Eine grandiose Landschaft stellt er ihnen vor Augen: die Kurische Nehrung, nur über den äußersten Osten des deutschen Reiches zu erreichen, nördlich von Königsberg gelegen. Die Nehrung ist eine schmale, 99 Kilometer lange Landbrücke, eine brillante Laune der schöpferischen Natur. Sie trennt das Kurische Haff zur Landseite (Süßwasser) von der Ostsee (Salzwasser).

Im Juli 1929 besucht Thomas Mann anlässlich einer Reise nach Ostpreußen auch die Kurische Nehrung und entdeckt das kleine Fischerörtchen Nidden, damals in Litauen gelegen, im „Ausland" also. Dieser Ort lässt ihn nicht mehr los. Noch im selben Jahr erwirbt er hier ein Grundstück, lässt ein Ferienhaus bauen, und schon im Jahr darauf, 1930, kann ein erster Sommer im eigenen Haus verbracht werden. Von manchen Stellen in diesem Ort kann man beide Gewässer zugleich sehen. Welch ein Naturschauspiel! Von besonderem Reiz nicht nur die Farben, die Wälder und die Gewässer, sondern insbesondere die Dünen. Begeistert berichtet Thomas Mann seinen rotarischen Freunden von der „weißen Küste", die man hier finde; man könne glauben, „in Nordafrika zu sein". Eine halbe Stunde von seinem Häuschen entfernt, und schon sei man mit diesem „merkwürdigen Naturphänomen" konfrontiert:

Die ungeheuren Sandwände der Düne soll man lieber nicht hinaufklettern, denn das Herz wird dabei sehr angestrengt. Kennen Sie die Dünen bei List auf Sylt? Man muß sie sich verfünffacht denken, man glaubt in der Sahara zu sein. Der Eindruck ist elementarisch und fast beklemmend, weniger wenn man sich auf den Höhen befindet und beide Meere sieht, als in den tiefen eingeschlossenen Gegenden. Alles ist weglos, nur Sand, Sand und Himmel. Immer wieder überkommt mich hier der Eindruck des Elementarischen, wie ihn sonst nur das Hochgebirge oder die Wüste hervorruft. Die Farbenpracht ist unvergleichlich, wenn der Osthimmel das Feuerwerk des Westlichen widerspiegelt. Diese Farbenpracht ist unbeschreiblich. Zarteste Pastellfarben in Blau und Rosa, und der federnde Boden ist geschmückt mit den feinen Wellenlinien, die der Wind hineinzeichnet. (XIII, 60 f.)

Der hier geschilderte „Eindruck des Elementarischen" erinnert an Schlüssel-kapitel aus Thomas Manns Prosawerk: Das „Meer"-Erlebnis in den *Budden-brooks* und das „Schnee"-Erlebnis im *Zauberberg*. Was hätte er nach dieser ersten Skizze literarisch noch alles aus dieser Landschaft machen können, wenn sie ihm ein Leben lang als Anschauungsmaterial hätte dienen können. Doch nur dreimal kann die Familie ihr Sommerhaus nutzen, 1930, 1931 und 1932. Dann kehrt sich in Deutschland politisch alles um. Der Weg nicht nur an die Kurische Nehrung ist für Thomas Mann ein für allemal abgeschnitten.

Sein Haus durchläuft eine wechselhafte Geschichte. 1939, nach der Annek-tierung des Memelgebietes durch Hitler-Deutschland, wird es konfisziert. 1946, im Zuge der Einverleibung Litauens als Republik der stalinistischen Sowjetunion, geht es in russischen Besitz über. Mitte der 50er Jahre setzen durch litauische Schriftsteller Bemühungen ein, Thomas Manns früheren Besitz zu erhalten und kulturell zu nutzen. Seit 1990 gibt es die litauische Thomas-Mann-Gesellschaft. Ihr ist wesentlich zu verdanken, dass das Haus 1995/96 anhand der erhaltenen Pläne restauriert wird. Seit Mai 1996 be-herbergt es – vom litauischen Staat finanziert – das Thomas-Mann-Museum und das Thomas-Mann-Kulturzentrum. Der Rotary-Club Marbach-Back-nang hat das neue Reetdach finanziert ...[36]

IV.3. Not-Wendig: Maßnehmen an Goethes Weltbürgertum

Schon unter dem Eindruck des politischen Wetterwechsels hatte Thomas Mann im Frühjahr 1932 – aus Anlass des hundertsten Todestages des Dich-ters – noch eine „Goethereise" (XIII, 63–75) angetreten und seinen rotarischen Freunden am 5. April davon berichtet. „Herr Präsident! Liebe Rotarier!" Die Anrede ist korrekt, die Entschuldigung entspricht den Regeln. Er sei „in letz-ter Zeit, mehr nolens als volens, ein sehr schlechter Rotarier gewesen", der sich selten habe sehen und daher allen Grund habe, eine „kleine Reparation" eintreten zu lassen.

Diese „Reparation" freilich hat es in sich, spiegelt sie doch die rotarische Idee noch einmal im Portrait Goethes auf einzigartige Weise wider. Thomas Mann war im März 1932 nach Prag, Wien und Berlin gereist und hatte hier jeweils über *Goethe als Repräsentant des bürgerlichen Zeitalters* (IX, 297–332) gesprochen. Geendet hatte die Reise in Weimar, wo er am 21. März 1932 an der „Reichsfeier" zu Goethes Ehren teilnimmt und einen nochmals

---

[36] Siehe: „Alles ist weglos". Thomas Mann in Nidden, bearbeitet von Thomas Sprecher (= Mar-bacher Magazin, Sonderheft 89/2000), S. 111.

anders strukturierten Vortrag beisteuert: *Goethe's Laufbahn als Schriftsteller* (IX,333–362).

Seine Reise-Erzählung im Club ist von gewollter Dramaturgie, bezieht er doch die äußeren politischen Ereignisse mit ein. Am Tag der Abreise, 13. März, Reichspräsidentenwahl. Hitler und Hindenburg stehen zur Abstimmung. In diesem Jahr kann der greise Feldmarschall Hitler noch von der Macht verdrängen. In Prag dann eine Begegnung mit Max Brod, dem später weltberühmten Nachlassverwalter Franz Kafkas, der damals erst acht Jahre tot ist. Wir stellen uns Max Brod als *Cicerone* für Thomas Mann vor – durch Prag, durch seine Stadt! Des Besuchers Hommage an Kafka wird in ein Hesse-Zitat gekleidet. Schon damals habe Hesse Kafka „den heimlichen König der deutschen Prosa" genannt! Dann der Goethe-Vortrag im Prager Deutschen Theater, einem Raum für zweitausend Personen. Launig spricht Thomas Mann den „Rotarier Knappertsbusch" an, den Musiker und Dirigenten, der dem Vortrag offensichtlich lauscht: „Wenn Rotarier Knappertsbusch dort vor seinem Orchester steht, so kann er seiner Sache sicher sein, aber ob ich hier die Vorzüge meines Manuskriptes an den Mann würde bringen können, stand mir nicht so ganz fest." (XIII, 67)

Dann die Reise nach Wien, Vortrag in der Hofburg. Das Hotel Imperial bleibt nicht unerwähnt, wie nirgendwo auf der Reise die Hotels unerwähnt bleiben. Standesgemäß will er untergebracht sein. Faszinierend sein Zusammentreffen mit dem „alten Sigmund Freud", Bergstraße 13, später eine weltberühmte Adresse. Thomas Mann gewinnt einen „tiefernsten Eindruck" von diesem Mann, der „so viel Veränderungen in der geistigen Welt" hervorgerufen habe! Bescheidene Selbstzurücknahme: „Ich durfte mich längere Zeit mit diesem bedeutenden Mann unterhalten." (XIII, 69) Auch eine Begegnung mit Franz Werfel wird erwähnt, einem Schriftsteller, so erfolgreich wie er selber, jetzt verheiratet mit Alma, der Witwe Gustav Mahlers. Sie können nicht ahnen, dass beide sich im kalifornischen Exil wiedersehen werden...

Dann Berlin. Wieder der Verweis auf das Hotel (Savoy), wieder der Goethe-Vortrag, diesmal in der Preußischen Akademie der Künste. Weiter nach Weimar, Hotel Fürstenhof, nicht Erbprinz oder Elefant, wie deutlich vermerkt wird. Jetzt wird es hochdramatisch: politisch und kulturell. Ausgerechnet Weimar ist eine Hochburg der Nazis. Goethes Stadt als „Zentrale des Hitlertums"! (XIII, 71) Welch ein Kontrast dazu die private Wohnung Goethes. Thomas Mann fällt auf, „mit welchem asketischen Sinne dieser große Mensch sich das Privateste seiner Wohnung eingerichtet" habe. (XIII, 72) Dann der eigene Goethe-Vortrag, die Teilnahme an der Aufführung verschiedener Goethe-Stücke, am Festprogramm in der Stadthalle. Ein der Nazi-Ideologie nahestehender Schriftsteller (Guido Kolbenheyer) spricht über Goethes Weltbürgertum, indem er es dementiert. Goethes *Iphigenie* sei ein „durch und durch völkisches Stück"! (XIII, 73 f.) Ausgerechnet Kolbenheyer wird – gut zwei Jahre nach der „Ausstoßung" von Thomas Mann (davon wird ausführlich zu berichten sein) – Mitglied des Münchner Rotary-Clubs werden![37]

Schon in Weimar ist Thomas Mann angewidert, hatte er selber doch Goethe ganz anders präsentiert und will er die Feiern zu Ehren Goethes ganz anders genutzt sehen. Die rotarische Idee blitzt noch einmal auf, wenn er den Rotariern ausdrücklich sagt, die Goethe-Feier habe für ihn eine „ökumenische Internationalität". Jetzt, 1932, zum hundertsten Todestag Goethes, sei die Stunde, Deutschtum in seinem tiefsten und umfassendsten Sinn nach außen und innen zu demonstrieren. Überall werde Goethe gefeiert:

Das zeigt, daß das Deutschtum doch einmal, in einem historischen Augenblick, durch die Persönlichkeit Goethe's in ihrer Mischung von Größe und Urbanität wirklich die ganze Welt zur Liebe, zur Bejahung, zur Bewunderung hingerissen hat. Dieses Jahr 1932 ist tatsächlich ein Ehrenjahr des deutschen Menschen und der deutschen Kultur. Und sowenig wie faktisch-praktisch das deutsche Volk Nutzen davon haben mag, so kann die Erhebung des deutschen Selbstbewußtseins, die damit verbunden ist, einem leidenden Volk, wie das deutsche ist, nur zu statten kommen. Ich möchte sagen: Der Deutsche ist nur zu geneigt, sich für verachtet zu halten und dadurch sich das Blut zu vergiften. Nun, es ist zur Verachtung sehr wenig Grund, und auch Goethe, der weiß Gott an seinen Deutschen vieles auszusetzen hatte, wie jeder große Deutsche das getan hat, hat doch an unsere Unverwüstlichkeit und an unsere Zukunft niemals zu glauben aufgehört. Jeder von Ihnen, meine lieben Rotarier, der Gelegenheit hat, mit dem Ausland in Berührung zu kommen, wird die Erfahrung gemacht haben, daß die Welt diesen Glauben teilt. Wir sind nichts weniger als verachtet. Wir sind allenfalls gefürchtet. Aber in Goethe, diesem Liebling der Menschheit, sind wir auch geliebt. (XIII, 75)

„*Meine lieben Rotarier*": Offenkundig ist, dass Thomas Mann zu diesem Zeitpunkt der rotarischen Bewegung dieses Ideal „ökumenischer Internationalität" im Geiste Goethes noch zutraut. Warum auch nicht? Wer, wenn nicht die dem Freundschafts-, Gemein- und Völkerverständigungsdienst verpflichteten Rotarier wären die geeigneten Träger dieser Idee einer unlösbaren Verbindung von Deutschtum und Weltbürgertum, Patriotismus und Internationalität, lokaler Verwurzelung und ökumenischem Bewusstsein? Die beiden Goethe-Vorträge des Jahres 1932 sollten genau dies vor Augen führen. Sie sind eine Konkretisierung, Vertiefung und Anwendung dessen, was Thomas Mann

---

[37] Ausschnitte aus den Ideologie-gesättigten Reden Kolbenheyers im Kontext von Rotary bietet Paul U. Unschuld (zit. Anm. 1), S. 117–120. Fazit des Münchner Chronisten: „Die Lektüre der Ausführungen Kolbenheyers mag aus heutiger Sicht Kopfschütteln und Übelkeit hervorrufen; das ,Sich-Ausleben der weißen Rasse' hat sich in millionenfachem Tod ausgelebt."

einmal mehr „Humanität" nennt (nicht zu verwechseln mit seichter Menschlichkeit), einmal mehr „Bürgerlichkeit" (nicht zu verwechseln mit Spießertum) und einmal mehr Weltfähigkeit-Weltgültigkeit (nicht zu verwechseln mit dem „nur Weltläufigen, einem minderen internationalen Gebrauchsgut" [Ess III, 337]). Offensichtlich noch bis zu diesem Zeitpunkt hält Thomas Mann seine Rotarier für „Männer", „entschlossen, sich durch keine falsche Seelenhaftigkeit beirren zu lassen im dienenden Willen zu einer vernünftig-besseren und menschenwürdigen Weltgestaltung", wie er es zwei Jahre zuvor auf der Rotarier-Konferenz in Den Haag formuliert hatte.[38]

Von daher ist es konsequent, wenn er in der Zeitschrift Der Rotarier (im März-Heft 1932) einen Auszug aus seinem Weimarer Vortrag mit dem Titel *Goethe als Erzieher* abdrucken lässt. Konsequent, weil der bewusst ausgewählte Abschnitt noch am stärksten mit der rotarischen Selbstverpflichtung auf ein Ethos (und damit auf eine Verpflichtung zur Selbsterziehung) kompatibel ist. Wie anders wären Schlüsselsätze aus diesem Text zu verstehen? Thomas Mann und mit ihm der amtierende Schriftleiter des Rotariers, Karl Wolfskehl, wollen offensichtlich, dass ihre Mit-Rotarier genau diese Sätze zur Kenntnis nehmen:

Der Schriftsteller, so kann man definieren, ist der Erzieher, der selbst auf dem sonderbarsten Wege erzogen worden, und immer geht die Erziehung bei ihm Hand in Hand mit dem Kampf mit sich selbst. Es ist ein Ineinander des Inneren und Äußeren, ein Ringen mit dem Ich und der Welt zugleich, und ein bloßes objektives Erziehertum unter Voraussetzung der eigenen Perfektheit ist leere Schulmeisterei. Dieses Ringen aber mit dem weiteren Ich, der Nation, dies Bestehen auf einer Selbstkorrektur und Selbstbezwingung, die man selber übt, diese pädagogische Solidarität mit der Umwelt, dem Volk, eine Solidarität, die sich natürlich oft als Distanzierung, kritische Kälte und Strenge äußert, wie wir sie aus den Worten und Urteilen aller großen Deutschen, im Besonderen Goethes und Nietzsches, kennen, – wieviel mehr Verbundenheit liegt darin als in der grölenden Selbst- und Volksbestätigung des Hurrapatrioten![39]

V. Verstossung

Dann ist mit dem 30. Januar 1933 die politische Situation in Deutschland schlagartig anders: Adolf Hitler ist Reichskanzler.

---

[38] Siehe Anm. 35.
[39] Thomas Mann: Goethe als Erzieher, in: Der Rotarier, H. 3 (1932), S. 81 ff., 82.

V.1. Im Schatten des Faschismus

Keine zwei Wochen später, am 10. Februar, spricht Thomas Mann in München anlässlich des 50. Todestags von Richard Wagner über *Leiden und Größe Richard Wagners* und reist am nächsten Tag nach Amsterdam, ohne zu ahnen, dass dies sein Abschied von Deutschland sein wird. In Brüssel und Paris hält er denselben Vortrag in französischer Sprache, um dann in die Schweiz weiterzureisen, wo er am 24. Februar in Arosa seinen geplanten Winterurlaub antritt. Die politischen Ereignisse in Deutschland überschlagen sich jetzt:

15. Februar: Infolge der politischen Gleichschaltung der Preußischen Akademie der Künste wird Heinrich Mann zum Rücktritt vom Amt des Präsidenten der Sektion für Dichtkunst gezwungen, der auch Thomas Mann angehört. Der drohenden Verhaftung entzieht Thomas Manns Bruder sich am 21. Februar durch Flucht nach Frankreich.

27. Februar: Brand des Reichstags. Ein Tag später die „Verordnung zum Schutz von Volk und Staat". Erste Massenverhaftungen politisch Andersdenkender sind die Folge.

5. März: Wahl eines neuen Reichstags. Die NSDAP erringt zusammen mit den Deutschnationalen endgültig die Mehrheit der Mandate.

21. März: „Tag von Potsdam". Massenpropagandistisch wirksam wird die Versöhnung von kaiserlichem und nationalsozialistischem Deutschland zur Schau gestellt.

24. März: Das „Ermächtigungsgesetz". Es macht den Weg zu einer totalitären Herrschaft der Nationalsozialisten endgültig frei.

1. April: Boykott jüdischer Geschäfte. Erstmals wird gezielt öffentlicher Terror gegen Angehörige des deutschen Judentums ausgeübt.

7. April: „Gesetz zur Wiederherstellung des Berufsbeamtentums". Mit diesem Paragraphenwerk, das den später berühmt-berüchtigten „Arierparagraphen" enthält (Juden sind vom aktiven Staatsdienst ausgeschlossen), beginnt die systematische und öffentliche Diskriminierung und Isolierung deutscher Bürger jüdischer Provenienz in ihrem Vaterland.

Und Thomas Mann? Seit langem hatte er sich den Hass der Nazi-Propagandisten zugezogen. Seit Jahren hatte er, wie wir hörten, vor der Ideologie des völkischen Totalitarismus gewarnt. Schon im Oktober 1930 hatte er im selben Beethoven-Saal zu Berlin, in dem er einst seine programmatische Rede *Von deutscher Republik* gehalten hatte, zur Hitler-Bewegung Stellung genommen, als die NSDAP bei den Reichstagswahlen vom 14. September ihren ersten Massenerfolg erzielte. Gespeist aus „geistigen und pseudogeistigen Zuströmungen" sei der Nationalsozialismus eine „Bewegung mit der Riesenwelle exzentrischer Barbarei und primitiv-massendemokratischer Jahrmarktsroheit". (Ess III, 267) Eineinhalb Jahre später, im August 1932, reagiert Thomas Mann ähnlich auf rechtsradikale Terrorakte in Königsberg. In einem Zeitungsartikel unter dem Titel *Was wir verlangen müssen* gibt er seiner Hoffnung Ausdruck, die „blutigen Schandtaten" würden den Bewunderern des Nationalsozialismus endlich die Augen öffnen über – so wörtlich – „die wahre Natur dieser Volkskrankheit, dieses Mischmasches aus Hysterie und vermuffter Romantik, dessen Megaphon-Deutschtum die Karikatur und Verpöbelung alles Deutschen ist". (Ess III, 345) Das Megaphon aller Nazi-Megaphone, Joseph Goebbels, reagiert darauf mit dem Aufruf, Thomas Mann zu verbieten, sich einen deutschen Schriftsteller zu nennen.[40]

Angesichts dieser dramatischen politischen Entwicklung muss der in der Schweiz urlaubende Thomas Mann den Rat aus Familie und Freundeskreis bitterernst nehmen, vorerst nicht nach München zurückzukehren. In der Stadt des „Braunen Hauses", in der sich überdies die Zentralen der SA und SS befinden, Heinrich Himmler Leiter der Polizeidirektion und Reinhard Heydrich Leiter der Politischen Polizei ist, wäre ihm eine Verhaftung sicher gewesen. Nichts anderes bleibt ihm übrig, als vorläufig in der Schweiz auszuharren. Nach Aufenthalten in Arosa (24. Februar bis 17. März) und Lenzerheide (17. bis 24. März) übersiedelt Thomas Mann mit der Familie nach Lugano (26. März bis 29. April 1933), bevor er sich, nach einem Sommeraufenthalt in Südfrankreich, Ende September in Küsnacht am Zürichsee niederlässt.

V.2. Die Ausstoßung

Doch die politischen Ereignisse holen auch ihn rascher ein, als er denkt. Mitte März fordert die Preußische Akademie der Künste von allen Mitgliedern der Sektion für Dichtkunst eine Ja/Nein-Antwort auf eine von Gottfried Benn formulierte und vom Akademie-Präsidenten verschickte Erklärung, die auf eine uneingeschränkte Loyalitätsverpflichtung zur neuen Regierung hinausläuft. Noch in Lenzerheide führt dieser erpresserische Druck bei Thomas Mann vollends zu einer körperlichen Zerrüttung. (Tb, 18.3.1933) In einem Antwortschreiben an den Präsidenten der Akademie, Max von Schillings, erklärt er seinen Austritt und erwägt gleich noch weitere Rückzüge: „Ich erwäge entsprechende Schreiben an die ‚Deutsche Akademie', den Pen-Club, den Rotary-Club u. auch das Völkerbunds-Komitee." (Tb, 19.3.1933) Thomas Mann kann zu diesem Zeitpunkt nicht ahnen, was sich in München gegen ihn zusammenbraut.

---

[40] Manfred Wedemeyer (zit. Anm. 1), S. 56.

4. April 1933: Die Anwesenheitsliste des an diesem Tag stattfindenden regulären rotarischen Wochen-*Meetings* weist im Fall von Thomas Mann zwei bemerkenswerte Markierungen auf. Hinter seinem Namen steht das Wort „Beurlaubt", so wie auf den entsprechenden Listen der vier vorausgegangenen *Meetings*.[41] Jetzt aber, am 4. April, ist zusätzlich der Name „Mann, Prof. Thomas" gestrichen. Dasselbe auch bei 14 anderen Mitgliedern des Clubs. Drei Rotarier jüdischer Provenienz, darunter Bruno Frank und Karl Wolfskehl, die sich bereits im Ausland befinden, werden brieflich durch ein Schreiben des damaligen Club-Präsidenten Wilhelm Arendts vom selben 4. April 1933 in Kenntnis gesetzt. Das klingt so:

Ihre längere Abwesenheit von München hindert uns, mit Ihnen über Ihre Zugehörigkeit zum hiesigen Club zu sprechen. Sie dürften aber die Entwicklung in Deutschland genügend verfolgt haben, um zu verstehen, dass wir es für unvermeidlich halten, Sie aus unserer Mitgliederliste zu streichen.

Mit vorzüglicher Hochachtung!
gezeichnet Arendts, Präsident[42]

Kenntnis von der Existenz eines solchen Schreibens erhält Thomas Mann in Lugano offensichtlich aus München. Jüdische Rotarier wie Bruno Frank sind „gestrichen". Er informiert den Freund, der bereits vor ihm, einen Tag nach dem Reichstagsbrand, in die Schweiz geflohen war und jetzt ebenfalls in Lugano lebt.[43] Auf Franks Hilfe hatte er sich in diesen Wochen bereits stützen können, transportiert der Freund doch die Familie Mann mit seinem eigenen Wagen von Lenzerheide nach Lugano. Der Kontakt ist entsprechend eng:

Br. Frank mit kurzen Worten benachrichtigt, daß er (wie wohl auch die anderen Juden) aus der Mitgliederliste des *Rotary-Clubs* (!) gestrichen ist. Ein neues Zeichen

---

[41] Das Original der Anwesenheitsliste des Wochen-*Meetings* des RC München vom 4. April 1933 ist reproduziert bei: Paul U. Unschuld: Nach der Rückkehr der Akten. Anmerkungen zu dem RC München während der NS-Zeit von 1933–1937, in: ders.: Chronik des Rotary-Club München (zit. Anm. 1), zwischen den Seiten 80 und 81. Nach den Recherchen des Stuttgarter Rotariers Paul Erdmann im Archiv des Rotary-Clubs München, die mir vorliegen, war Thomas Mann zwischen dem 3. Januar und 4. April bei drei *Meetings* anwesend, bei sechs entschuldigt sowie bei fünf *Meetings* (einschließlich 4. April) „beurlaubt". Offiziell „beurlaubt" wurden diejenigen Rotarier, die des öfteren hintereinander abwesend sein mussten, um ihnen eine „Präsenzrüge" zu ersparen und die Präsenzstatistik des Clubs zu entlasten.
[42] Eine Kopie des Originals dieses als „Einschreiben" versandten Briefes befindet sich bei Manfred Wedemeyer (zit. Anm. 1), S. 58.
[43] Bruno Frank war einen Tag nach dem Reichstagsbrand (28. Februar 1933) zunächst nach Bissone (Tessin) gereist, wo die Mutter seiner Frau Liesl, die Operetten-Diva Fritzi Massary, ein Haus besitzt. Später übersiedelt er nach Lugano.

für den Geisteszustand in Deutschland. Sehr unheimlich. Mein Austritt beschlossene Sache. Es fragt sich nur, ob ich auf den Widersinn im Verhalten des Clubs hinweise. (Tb, 6.4.1933)

Doch der Club kommt seinem Austritt zuvor, erhält Thomas Mann doch zwei Tage später dasselbe Schreiben von Club-Präsident Arendts. Seine Reaktion spiegelt Fassungslosigkeit:

Ich erhalte vom Rotary-Club München denselben Brief mit der trockenen Mitteilung der Streichung meines Namens, wie Frank. Er kam mir unerwartet. Hätte es nicht gedacht. Erschütterung, Amüsement und Staunen über den Seelenzustand dieser Menschen, die mich, eben noch die ‚Zierde' ihrer Vereinigung ausstoßen, ohne ein Wort des Bedauerns, des Dankes, als sei es ganz selbstverständlich. Wie sieht es aus in diesen Menschen? Wie ist der Beschluß dieser Ausstoßungen zustande gekommen? (Tb, 8.4.1933)

Eine „trockene Mitteilung"? Mehr als das. Zwei Sätze in kältester Bürokratenprosa. Im ersten Satz sogar noch der Versuch subtiler Schuldzuweisung. „Ihre längere Abwesenheit hindert uns", als sei der Belangte es selber schuld, dass man mit ihm so verfahre. Zweiter Satz: Geheuchelte Verständniswerbung: „... verstehen, dass wir es für unvermeidlich halten". Das Opfer wird aufgefordert, die Zwangslage des Täters zu „verstehen", die es angeblich selber herbeigeführt hat. Raffiniert dreht man so das Verhältnis von Opfer und Täter um und entlastet sich selbst von jeder Verantwortung. Ganze zwei Sätze genügen, und schon ist man „gestrichen", existiert man nicht mehr für die angeblichen „Freunde". Kein Wort der Erklärung, des Bedauerns. Die beflissene Eile, knapp zwei Wochen nach dem „Ermächtigungsgesetz", lässt auf kalkulierte „Exekution" zum passenden Moment schließen. Wir werden die Hintergründe dieses Vorgangs zu klären versuchen. Zunächst die weitere Entwicklung.

V.3. Die Hinrichtung

Dass seine rotarische Existenz über Nacht „gestrichen" werden kann, ist für ihn erschütternd genug. Schwerer wiegt noch, dass gerade auch rotarische Freunde sich jetzt an einer Kampagne gegen ihn beteiligen, die einer öffentlichen Hinrichtung gleichkommt. Sein Münchner Richard-Wagner-Vortrag vom 10. Februar wird plötzlich zu einem skandalträchtigen Politikum. Nicht weniger als acht Wochen nach der Rede und wohl in Reaktion auf die Veröffentlichung des umfangreichen Wagner-Manuskripts in der Neuen

Rundschau (April 1933) mit vorherigem Auszug in der Vossischen Zeitung (27.3.1933) erscheint zunächst in der Münchner Zeitung vom 15. April, dann in der Osterausgabe der Münchner Neuesten Nachrichten vom 16./17. April wie aus heiterem Himmel ein relativ kurzer, dafür aber umso massiverer *Protest der Richard-Wagner-Stadt* gegen Thomas Mann. Unterzeichnet haben ihn 44 Persönlichkeiten des Münchner kulturellen Lebens, darunter die Rotarier Dr. Arthur Bauckner (Staatstheaterdirektor), Professor Gottfried Boehm (Vorstand des Instituts für Physikalische Therapie und Röntgenologie der Universität am Krankenhaus links der Isar), Geheimrat Professor Reinhard Demoll (Vorstand der Biologischen Versuchsanstalt für Fischerei), Clemens von Franckenstein (Generalintendant des Bayrischen Staatstheaters), Professor Hans Knappertsbusch (Bayrischer Staatsoperndirektor) und Wilhelm Leupold (Verlagsdirektor der Münchner Zeitung). Knappertsbusch gilt nach heutigen Erkenntnissen als der eigentliche Initiator dieses „Protestes".[44] Ausgerechnet Knappertsbusch, den Thomas Mann im Jahr zuvor noch so launig in seinem Goethereise-Vortrag angesprochen hatte.[45]

Was ist passiert? Aus einer hochkomplexen, in jahrzehntelanger Auseinandersetzung mit Richard Wagner entstandenen, wahrhaft „huldigenden Summe der langjährigen Wagner-Faszination Manns"[46] haben die „Protestler" Einzelformulierungen isoliert, um Thomas Mann „ästhetisierenden Snobismus" vorwerfen zu können. Richard Wagner habe er „herabgesetzt", ja „beleidigt", einen Musiker, der doch „musikalisch-dramatischer Ausdruck tiefsten deutschen Gefühls" sei. Süffisant wird gleich zweimal in dem kurzen

---

[44] „TM hatte ursprünglich Hans Pfitzner für den Initiator des ‚Protests der Wagner-Stadt München' gehalten, aber dann von Frau Hedwig Pringsheim in München erfahren, daß vermutlich Knappertsbusch die treibende Kraft hinter der Denunziation war." (Tb, 1933–1934, S. 722)

[45] Zur historischen Gerechtigkeit gehört in diesem Zusammenhang die Feststellung, dass Knappertsbusch, der weder Zeuge der Wagner-Rede in München war noch das Manuskript in der Neuen Rundschau gekannt haben dürfte, wohl weniger aus politischen denn künstlerisch-ästhetischen Gründen den „Protest" initiiert haben wird. Bewusst oder unbewusst nimmt er allerdings die politische Ausnutzbarkeit des „Protestes" und vor allem die verheerenden politischen Folgen für Thomas Mann persönlich in Kauf. Von Anfang an entschiedener Gegner des Nationalsozialismus, wird er 1935 in den Ruhestand versetzt, weil er zu politischen Konzessionen nicht bereit ist. Schon Ende April 1933 tritt er aus dem Rotary-Club München aus, aus „Solidarität mit den unter Zwang ausgeschlossenen jüdischen Mitgliedern" (so Walther Meuschel, in: Paul U. Unschuld [zit. Anm. 1], S. 40). Vgl. auch Thomas Mann: „Ließ mir noch Thee geben. Briefe, darunter ein außerordentlich hübscher von einem Manne in Princeton, Lindley, dem ich schon früher einmal auf einen Brief geantwortet und ihm einen seelischen Dienst damit erwiesen. Er schreibt jetzt in großer Erfülltheit über den Jaakob. K. berichtet dazu, daß Reisiger diesen Brief durchaus in Deutschland veröffentlichen wolle. (?) Auch, daß die Herz verlange, Knappertsbusch solle in Sachen unseres Hauses intervenieren, da er jetzt gegen jedermann seine Reue über den Streich von damals bekunde." (Tb, 2.2.1934)

[46] So zu Recht Hermann Kurzke: Thomas Mann. Epoche – Werk – Wirkung, 2. Aufl., München: Beck 1991, S. 235.

Text auf Thomas Manns politische Wende angespielt, um ihn so als besonders „unzuverlässig" bloßzustellen. „Herr Mann", so wörtlich, habe „das Unglück erlitten", seine „früher nationale Gesinnung bei der Errichtung der Republik einzubüßen und mit einer kosmopolitisch-demokratischen Auffassung zu vertauschen". Dagegen die „Protestler":

> Wir lassen uns eine solche Herabsetzung unseres großen deutschen Musikgenies von keinem Menschen gefallen, ganz sicher aber nicht von Herrn Thomas Mann, der sich selbst am besten dadurch kritisiert und offenbart hat, dass er die ‚Gedanken eines Unpolitischen' nach seiner Bekehrung zum republikanischen System umgearbeitet und an den wichtigsten Stellen in ihr Gegenteil verkehrt hat. Wer sich selbst als dermaßen unzuverlässig und unsachverständig in seinen Werken offenbart, hat kein Recht auf Kritik wertbeständiger deutscher Geistesriesen.[47]

„Wertbeständiger deutscher Geistesriese"? Die Komik dieser Formulierung ist unfreiwillig, aber kaum überbietbar. Gar nicht komisch musste dies auf den Betroffenen wirken. In Lugano erfährt Thomas Mann vom Faktum des *Protestes* durch eine über das Münchner Radio verbreitete Meldung und reagiert entsetzt: „Schauriger, deprimierender und erregender Eindruck von dem reduzierten, verwilderten und gemeinbedrohlichen Geisteszustand in Deutschland." (Tb, 16.4.1933) Als er am nächsten Tag mit Bruno Frank die „Gemeinheit jener Radiosendung" bespricht, weiß er bereits, was sie bedeutet: einen „Akt mörderischer Denunziation". (Tb, 17.4.1933) Vollends fassungslos ist er, als er zwei Tage später das gedruckte Dokument in den Händen hält:

> Frank überbrachte das hundsföttische Dokument. Heftiger Choc von Ekel und Grauen, durch den der Tag sein Gepräge erhielt. Entschiedene Befestigung des Entschlusses, nicht nach M. zurückzukehren und mit aller Energie unsere Niederlassung in Basel zu betreiben. (Tb, 19.4.1933)

Innerhalb von nur zwei Wochen hatte sich Thomas Manns Situation dramatisch zugespitzt: Nach der kalt-bürokratisch vollzogenen clubinternen „Ausstoßung" jetzt auch noch eine öffentliche Hinrichtung. Eine Rückkehr unter diesen Umständen nach München? Vollends undenkbar! Und selbst rotarische Freunde sind unter den Denunzianten!

Wie tief gerade diese Verletzung sitzt, zeigt ein bewegend-verzweifelter Brief Thomas Manns, den er von Küsnacht aus im April 1934 an das Berliner

---

[47] Der Text der Wagner-Rede unter dem Titel *Leiden und Größe Richard Wagners* (1933), in: Ess IV, 11–72. Der *Protest der Richard-Wagner-Stadt München* ist gedruckt in: Ess IV, 342 f., Thomas Manns *Erwiderung* in: Ess IV, 73 f.

Reichsministerium des Innern schreiben wird. Die zuständigen Münchner Behörden sollen zur Erneuerung seines Reise-Passes bewegt werden, der seit einem Jahr abgelaufen ist. Wie sehr betont er gerade hier sein positives Verhältnis zu Deutschland, insbesondere zur Stadt München. Wie sei er doch gerade dort gefeiert worden anlässlich des Nobelpreises! Und wie sehr habe es der Wagner-Protest auf seine „Ausstoßung" abgesehen. Beschwörend versucht Thomas Mann, seinem Adressaten das Unrecht klarzumachen:

Ich hielt mich in Lugano auf, als die Nachricht von diesem lärmenden, mit erschreckender Gehässigkeit unternommenen Angriff zu mir drang, den Freunde, Rotary-Brüder, Künstler, Kameraden, bis dahin mir scheinbar wohlgesinnte, ja ergebene Menschen gegen mich unternommen hatten, und mit einem Schlage veränderte sich das Bild, das ich mir von meiner Lage gemacht hatte. (Ess IV, 80)

Auch „*Rotary-Brüder*"! „Sehr unheimlich" musste der ganze Vorgang in der Tat einem Mann erscheinen, der – nur gut drei Jahre ist es her – bei der rotarischen Nobelpreis-Feier noch als „reiner Repräsentant des Europäertums" und „Weltehrenbürger des Geistes" verherrlicht worden war, dem die rotarische Gemeinschaft versichert hatte, „stolz" auf ihn zu sein; mit und ohne Nobelpreis sei er „als nobler Geist und noble Seele und wahrhafter Rotarier" geliebt! Wie hatte Bruno Frank damals unwidersprochen schreiben können: „Die 150'000 Männer, die über alle Erdteile hin in Rotary vereint sind, dürfen stolz darauf sein, dass dieser Dichter zu ihnen gehört". „Zierde" dieser „Vereinigung"? Das war er in der Tat gewesen!

Doch was in München geschieht, ist nur der Beginn einer systematischen „Austreibung" Thomas Manns aus Deutschland. Sie findet mit der ruchlosen formellen Aberkennung der deutschen Staatsbürgerschaft im Dezember 1936 (seitdem sind Thomas Mann und seine Familienangehörigen tschechoslowakische Staatsbürger[48]) und dem unmittelbar darauf erfolgenden Entzug der Thomas Mann schon 1919 verliehenen philosophischen Ehrendoktorwürde durch die Universität Bonn[49] ihren Tiefpunkt.

V.4. Das Vorgehen gegen jüdische Mitglieder

Was hat sich in München abgespielt? In Lugano trifft Thomas Mann seinen rotarischen Freund Drey und erfährt Einzelheiten:

---

[48] Vgl. *Thomas Mann zu seiner „Ausbürgerung"* (1936), in: Ess IV, 180.
[49] *Ein Briefwechsel* (1937), in: Ess IV, 183–191.

Am Quai Begegnung mit dem Ex-Rotarier Drey, der über die dortigen Vorgänge berichtete. Es ist brutaler Zwang geübt worden; die Unanständigkeit des Verhaltens erscheint weniger schlimm. Doch bleibt das Schweigen der einzelnen Mitglieder bestehen. (Tb, 15.4.1933)

Was im Rotary-Club München nach dem 30. Januar und insbesondere am 4. April 1933 geschehen ist, lässt sich heute aufgrund der Archiv-Akten wenigstens in Grundzügen mit hoher Wahrscheinlichkeit rekonstruieren.[50] Wir gewinnen ein klares Bild davon, wie „der Beschluss dieser Ausstoßungen zustande gekommen" ist. Vorauszuschicken ist: Von Anfang der „Machtergreifung" an sind die Rotary-Clubs in Deutschland unter politischem Druck, stehen doch die neuen Machthaber der rotarischen Bewegung nicht nur misstrauisch, sondern mit offener Ablehnung gegenüber. Schon längst in der nationalsozialistischen Presse geäußerte Verdächtigungen, Rotary sei amerikanisch und jüdisch gesteuert, agiere geheimbündlerisch, verrate deutsche Interessen und verbreite pazifistische Gesinnung, werden jetzt verschärft. Ein Verbot Rotarys liegt im Bereich des Möglichen.

Verantwortliche in der rotarischen Führung des 73. Distrikts bemühen sich denn auch umgehend, eine offizielle Tolerierung der Clubs zu erreichen. Auch in München sind Präsident und Vorstand beunruhigt. Gerade hier drängt man auf eine möglichst rasche Klärung der „Frage der Stellung der Nationalsozia-

---

[50] In der *Chronik des Rotary-Clubs München zum 75. Jubiläum seiner Gründung* (zit. Anm. 1) finden sich zwei sehr unterschiedliche Beiträge zur Geschichte dieses Clubs nach 1933. Zum einen der Beitrag des 2003 bereits verstorbenen Zeitzeugen Walther Meuschel (Gründungsmitglied des RC München) über *Gründung, Auflösung, Wiederbegründung des RC München*, S. 13–70, insbesondere wichtig hier die Seiten 35–41. Die ohne Kenntnis der Akten niedergeschriebenen Erinnerungen dieses Zeitzeugen sind in vieler Hinsicht lückenhaft und harmonisierend. Dagegen verfügte Paul U. Unschuld über die mittlerweile zugänglichen Akten und konnte von daher die Geschehnisse insbesondere am 4. April 1933 in München genauer rekonstruieren, ohne letzte Klarheit gewinnen zu können: *Nach der Rückkehr der Akten. Anmerkungen zu dem RC München während der NS-Zeit von 1933–1937*, S. 71–85. Aufgrund eigener Archiv-Recherchen kann der Stuttgarter Rotarier Paul Erdmann die Abläufe insbesondere am 4. April 1933 in großen Zügen mit hoher Wahrscheinlichkeit rekonstruieren. Ein erster Versuch findet sich in Paul Erdmann: Zur Geschichte des Rotary Club Stuttgart, in: 75 Jahre Rotary-Club Stuttgart, Druck durch den Rotary-Club Stuttgart 2004, S. 21–79, bes. S. 49–56. In einer als Privatdruck vorliegenden Untersuchung unter dem Titel *Widerspruch und Widerstand Stuttgarter Rotarier gegen das Nazi-Regime* (2005) sowie in zwei großen Schreiben an mich vom 7.9. und 3.10.2005 hat Paul Erdmann darüber hinaus weitere Klärungen vorgenommen. Für unseren Zusammenhang besonders aufschlussreich ist die präzise Rekonstruktion der Ereignisse am 4. April 1933 im Zusammenhang mit dem Rotary-Club München. Aufgrund der Archiv-Recherchen kann der Ablauf dieses Tages nun genau nachvollzogen werden: Gemeinsames Frühstück der Münchner Rotarier mit den auswärtigen Gästen – Klubführer-Konferenz – gemeinsames Mittagessen der Münchner und der auswärtigen Rotarier – Präsidium des RC München – Fortsetzung und Abschluss der Klubführer-Konferenz mit wichtigen Beschlüssen – Brief von Präsident Arendts an Thomas Mann. Ich stütze mich in meinen hier dargelegten Ausführungen auf die verdienstvollen Untersuchungen Paul Erdmanns.

listen zu Rotary", wie es in einem Brief des Münchner Club-Präsidenten Wilhelm Arendts vom 20. März 1933 heißt. Ja, Arendts droht in einem Schreiben vom 28. April sogar mit seinem „Austritt aus dem Münchner Club", falls die Klärung nicht in Kürze erfolge.[51] Als Generaldirektor der Bayerischen Versicherungsbank sieht er sich politisch offensichtlich unter besonderem Druck. Früher Mitglied der Bayerischen Volkspartei, strebt er in diesen Wochen eine Mitgliedschaft in der NSDAP an, die auch am 1. Mai 1933 erfolgt. Da will er in Sachen Rotary Klarheit. Aber ist „brutaler Zwang" gegen die Rotarier in München ausgeübt worden? Die rotaryinternen Diskussionen sprechen dagegen, wie wir sehen werden.

Am 4. April spitzt sich alles zu, an dem Tag, der mit dem Ausstoßungs-Brief an Thomas Mann enden wird. Denn an diesem Tag, einem Dienstag, kommt es in München nicht nur zum regulären Mittags-*Meeting* des rotarischen Clubs und einer Sitzung des Clubvorstands wohl unmittelbar danach, sondern auch vom Vormittag an zu einer Tagung der „Klubführer" (Präsidenten, Vizepräsidenten, Sekretäre) des 73. Distrikts. 42 Repräsentanten deutscher und österreichischer Clubs kommen im Münchner Hotel Vier Jahreszeiten zusammen, um unter Vorsitz des damaligen *Distriktgovernors*, Prinzhorn (Wien), über die neue politische Situation und ihre Konsequenzen für Rotary zu beraten. So gut wie „ganz Rotary" Deutschland-Österreich ist an diesem Tag in München vertreten. Eine der zentralen Fragen lautet: Wie soll man mit den „jüdischen Mitgliedern" künftig verfahren?

Die Aussprache am Vormittag zeigt ein höchst differenziertes Bild. In einigen Clubs ist die Frage „nicht aktuell" (sie haben keine jüdischen Mitglieder), andere (darunter Stuttgart, Baden-Baden, Pforzheim, Mannheim) sprechen sich gegen eine Nötigung jüdischer Mitglieder aus. Wieder andere (darunter München) wollen ihren jüdischen Mitgliedern den Austritt nahelegen. Mitprotokoliert hat die Sitzung der Stuttgarter Club-Sekretär Haussmann. Seinen Aufzeichnungen zufolge hat der Münchner Präsident Wilhelm Arendts bereits bei der vormittäglichen Aussprache keinen Zweifel daran gelassen, dass er noch am selben Tag eine Vorstandssitzung seines Clubs anberaumt habe, auf der „den jüd. Mitgld. der Austritt nahegelegt" werden solle. Die (für ihn offensichtlich groteske) Alternative fasst er in die rhetorische Frage: „Sollen wir als jüdische Großloge erscheinen?"[52]

Zu dieser Vorstandssitzung kommt es offensichtlich unmittelbar nach dem gemeinsamen Mittagessen. Aufgrund der Aussprache am Vormittag musste Arendts damit rechnen, dass die Mehrheit der Rotary-Clubs im 73. Distrikt

[51] Belege bei Paul U. Unschuld (zit. Anm. 1), S. 77.
[52] Zit. nach Paul Erdmann (zit. Anm. 50), S. 49.

nicht für einen Ausschluss von Juden votieren würde. So will er offensichtlich noch vor der vorgesehenen Beschlussfassung der Distriktkonferenz am Nachmittag für München vollendete Tatsachen schaffen. Der Vorstand folgt ihm: Die 13 jüdischen Mitglieder des Münchner Rotary-Clubs werden ausgeschlossen, darunter Bruno Frank und Karl Wolfskehl. Ihre Streichung kann nun vollzogen werden und wird auch, wie auf der Anwesenheitsliste vom 4. April 1933 vermerkt, vorgenommen. Die Distriktkonferenz selber votiert am Nachmittag nahezu einstimmig dafür, in der „Frage der jüdischen Mitglieder" „keine vorherige Änderung" vorzunehmen. Nur bei „Neuwahlen des Vorstands" beschließt man, „jüdische Mitglieder zunächst nicht in den Vorstand aufzunehmen".

Zu diesem Zeitpunkt also, am 4. April, gibt es – so Paul Erdmann – „trotz der gewaltigen antijüdischen Stimmungsmache, die im Lande herrschte, noch keine Mehrheit, die sich gegen Mitgliedschaft von Juden ausgesprochen hätte".[53] Der Stuttgarter *Alt-Governor* Fischer hatte dafür nicht zufällig während der Sitzung das rotarische Ethos ins Spiel gebracht: „Keine Nötigung d. jüdisch. Mitgld. in irgend einer Weise. Entweder wir stehen zu unseren Freunden oder wir fallen mit ihnen."[54] Einen formellen „Arierparagraphen" hat es denn auch in den deutschen Rotary-Clubs nicht gegeben, wird offenbar von den neuen Machthabern auch nicht aufoktroyiert, als am 10. Juli 1933 im Völkischen Beobachter die offizielle – von Hitler wohl persönlich genehmigte – Anerkennung Rotarys durch das nationalsozialistische Regime publik gemacht wird. Der Dankesbrief vom *Bezirksgovernor* Dr. August Menge an die Clubs seines Bezirks vom 15. Juli 1933 zeigt, welchen politischen Preis man auf Seiten der rotarischen Führung für diese offizielle Anerkennung zu zahlen bereit ist:

Auf mein Rundschreiben Nr. 1 vom 10. Juli 1933 sind mir von den Klubs des Distriktes Süd-Ost viele Briefe zugegangen, in denen die Freude über die Anerkennung des ‚Deutschen Rotary' durch die Reichsregierung zum Ausdruck kommt, aber ebenso auch der feste Wille, alle Kräfte für Volk und Vaterland und damit für das ‚Deutsche Rotary' einzusetzen.

Ich danke den Klubs für ihre Bereitwilligkeit zur Mitarbeit, die wir nicht zuletzt leisten wollen, um dem Führer Adolf Hitler einen Teil des Dankes, den wir ihm für die Anerkennung des ‚Deutschen Rotary' schulden, abzutragen.[55]

Was den Rotary-Club München angeht, so stehen wir vor dem nüchternen Faktum: Innerhalb des rotarischen Spektrums votieren gerade die Vertreter

---

[53] Ebd., S. 48.
[54] Ebd.
[55] Zit. nach Paul Erdmann: Widerspruch und Widerstand. Stuttgarter Rotarier gegen das Naziregime, Privatdruck 2005, S. 38.

des Münchner Clubs für einen Ausschluss von Juden, ohne dass freilich der Club als Ganzer dies erfahren, geschweige denn beschlossen hätte. So erfahren die Münchner Rotarier offensichtlich nichts von der Aussprache während der Klubführer-Tagung am Vormittag des 4. April, als man sich zu einem gemeinsamen Mittags-*Meeting* im Hotel Vier Jahreszeiten mit den auswärtigen Gästen trifft, auf dessen Anwesenheitsliste, wie wir hörten, nicht nur die Namen der jüdischen Mitglieder, sondern auch der von Thomas Mann gestrichen sind. Der Vorstand bewahrt Stillschweigen und schafft vor der Fortsetzung der Klubführer-Tagung am Nachmittag vollendete Tatsachen. Man entscheidet in dieser politisch hochbrisanten Frage offensichtlich – so noch einmal Paul Erdmann – „nach dem *Führerprinzip*, ohne dass die Mitglieder konsultiert worden wären".[56]

V.5. Das Vorgehen gegen politisch Missliebige

Doch damit nicht genug: Neben dem Ausschluss von Juden werden gleich auch noch politisch Missliebige aus dem Münchner Rotary-Club entfernt. Es handelt sich um Mitglieder, denen man das denunziatorische Etikett ‚Marxisten' aufgeklebt hat, um sie leichter kaltstellen zu können. Auch Thomas Mann gehört zu ihnen. Dass ausgerechnet er als ‚Marxist' abgestempelt werden konnte, hat seinen Sachgrund vor allem in einer Rede, die er am 22. Oktober 1932 im Arbeiterheim zu Wien-Ottakring gehalten und in der er sich zur Idee (nicht zur Parteipolitik) des Sozialismus positiv geäußert hatte.[57] Begreiflich, dass ein solches „Bekenntnis" aus dem Munde Thomas Manns sensationell erscheinen muss, in der Presse weit verbreitet wird und entsprechend von seinen politischen Gegnern und Feinden ausgenutzt werden kann. Wie gefährlich diese Ausnutzung ist, geht aus einem schaurigen Dokument hervor, das am 12. Juli 1933 der Leiter der Politischen Polizei, Reinhard Heydrich, an den Reichsstatthalter in Bayern schreibt, „Maßnahmen gegen Thomas Mann" betreffend:

Der Schriftsteller Thomas *Mann*, geboren 6. Juni 1875 in Lübeck, welcher sich zuletzt in München aufgehalten hat und nunmehr sich im Ausland befindet, ist Gegner der nationalen Bewegung und Anhänger der marxistischen Idee. Dies hat er zu wiederholten Malen in Wort und Schrift kundgegeben. [...]

---

[56] Ebd., S. 52.

[57] Text unter dem Titel *Thomas Mann und der Sozialismus. Ein Bekenntnis vor den Wiener Arbeitern*, abgedruckt in: Ess III, 348–352. Dasselbe gilt für seinen Text *Bekenntnis zum Sozialismus*, den er als Beitrag für eine Veranstaltung des Sozialistischen Kulturbundes in der Berliner Volksbühne im Januar 1933 verfasst hatte. Text unter dem Titel *Bekenntnis zum Sozialismus* in: Ess III, 353–358.

Diese undeutsche, der nationalen Bewegung feindliche, marxistische und juden-
freundliche Einstellung gab Veranlassung, gegen Thomas Mann Schutzhaftbefehl zu
erlassen, der aber durch die Abwesenheit desselben nicht vollzogen werden kann.
Nach den Weisungen der Ministerien wurden jedoch sämtliche Vermögenswerte
beschlagnahmt.[58]

Dass aber neben Juden auch Leute wie Thomas Mann aus dem Münchner Rotary-
Club „ausgestoßen" wurden, geht wohl im Wesentlichen auf die Initiative Wilhelm Leupolds zurück, Verlagsdirektor der Münchner Zeitung. Sie wird, wie
wir hörten, in Kürze als erste den „Richard-Wagner-Protest" gegen Thomas
Mann veröffentlichen, der auch Leupolds Unterschrift trägt. Die „öffentliche
Hinrichtung" des Schriftstellers, knapp zwei Wochen nach der Ausstoßung aus
dem Rotary-Club, wird also in seiner nationalkonservativ geprägten Zeitung
erfolgen. Der Zusammenhang zwischen der Rotary-Ausstoßung und der Veröffentlichung des „Protestes" ist somit offenkundig. Es sind weitgehend diesel-
ben Personen, die beides betreiben. Verräterisch ein Schreiben Leupolds vom
20. Mai 1933 an den rotarischen *Bezirksgovernor* Dr. August Menge, in dem er
schon in der Rückschau zugesteht, den Ausschluss bestimmter Herren „wegen
ihrer politischen Gesinnung" angeregt und gutgeheißen zu haben:

Ich hielt es für meine Pflicht, das zu sagen [angebliche Drohung mit Schutzhaft für
Rotarier], weil ich aus rein menschlichen Gründen Härten für Männer verhüten
wollte, die ansich weiter nichts Unrechtes getan haben, als Mitglied des Rotary-Klubs
zu sein. Ich denke selbstverständlich dabei nicht etwa an die Herren, die wegen ihrer
politischen Gesinnung unter meiner Anregung und mit meinem Beifall ausgeschlossen worden sind.[59]

„*Unter meiner Anregung und mit meinem Beifall*": Leupold, der bereits am
Vormittag vor der Distriktversammlung am Frühstücks-*Meeting* mit den
auswärtigen Gästen teilnimmt und auch beim Mittags-*Meeting* anwesend ist
(freilich nicht bei der Vorstandssitzung, da er dem Präsidium nicht angehört),
dürfte also an diesem für Thomas Mann brisanten 4. April seinen ganzen
Einfluss geltend gemacht haben: „Unter meiner Anregung und mit meinem
Beifall"! Ungeniert gibt er sich damit, wie der Münchner Chronist Paul U.
Unschuld schreibt,

als der Kopf zu erkennen, der hinter dem Ausschluss der allein aus politischen Gründen angefeindeten Clubmitgliedern stand. Es ist nicht mehr eindeutig festzustellen,
wer diese Clubmitglieder im einzelnen waren. Mit Sicherheit zählte jedoch Thomas

---

[58] Thomas Mann. Ein Leben in Bildern, hrsg. von Hans Wysling und Yvonne Schmidlin, Zürich:
Artemis 1994, S. 317.
[59] Zit. nach Paul U. Unschuld (zit. Anm. 1), S. 78.

Mann zu denjenigen, die aufgrund ihrer ‚politischen Gesinnung' aus der Mitglieder-liste gestrichen wurden. Bekanntlich zählte Leupold [...] zu den zahlreichen Unter-zeichnern des wenig später, am 16./17. April 1933, in den *Münchner Neuesten Nach-richten* veröffentlichten ‚Protests der Richard-Wagner-Stadt München' gegen die Rede Thomas Manns vom 10. Februar 1933 über ‚Leiden und Größe Richard Wagners'. Man kann also davon ausgehen, dass Leupold bereits am 4.4.1933 eine starke Ableh-nung gegen den Dichter hegte, dem bekanntlich Goebbels wenige Monate zuvor die Anerkennung als deutscher Schriftsteller abgesprochen hatte.[60]

V.6. Die Verharmlosung

Nach außen freilich versucht man in München diese Ausstoßungs-Praxis durch Satzungsformalismus zu tarnen. Als bereits am 12. April, acht Tage nach der offiziellen Ausstoßung, die französische Zeitung Temps die Nach-richt publiziert, der Rotary-Club München „a rayé de la liste de ses membres les écrivains réputés Thomas Mann et Bruno Frank", reagiert der Münchner Sekretär auf eine entsprechende briefliche Nachfrage eines im ägyptischen Alexandria (!) lebenden deutschen Rotariers formalistisch:

... stimmt es, dass den beiden Schriftstellern der Austritt aus dem Klub nahegelegt wurde. Dieser Schritt aber wurde nicht durch die Tatsache bewirkt, dass die Herren Juden waren, sondern dadurch, dass sich beide sofort nach Beginn der Nationalen Revolution ins Ausland begaben und damit den in nationalsozialistischen Kreisen bestehenden Ansichten, dass sie Staatsfeinde seien, die Vermutung der Wahrschein-lichkeit gaben. Thomas Mann ist z.B. gar kein Jude, hat sich aber ganz offen schriftlich für den Marxismus erklärt, so dass für den Klub München keine Möglichkeit bestand, eine andere Stellung einzunehmen.[61]

Noch kälter ist die Auskunft, die man von München aus den Stuttgarter Freunden erteilt, nachdem diese entsprechende Anfragen aus Paris und Lon-don erhalten hatten. Der Münchner Club habe „die Mitgliedschaft der beiden Herren [Bruno Frank und Thomas Mann] für erloschen erklärt, nachdem beide ohne vorherige Abmeldung mit unbekanntem Aufenthalt in das Ausland verzogen" seien.[62] Das glauben die Stuttgarter sogar eine Zeit lang. Wie auch anders? Sie können zunächst nicht wissen, wie sehr sie getäuscht werden. Raf-finiert haben auch hier Täter sich zu Opfern gemacht: Ins „Ausland" hätten die betreffenden Herren sich ja begeben und so die Vermutung, „Staatsfeinde" (!) zu sein, wahrscheinlich gemacht; ihr Aufenthalt sei schließlich unbekannt,

---

[60] Ebd., S. 81.
[61] Ebd., S. 85.
[62] Ebd., S. 55.

und so müsse man die Mitgliedschaft für „erloschen" erklären; man habe gar keine andere „Möglichkeit"... Die Wahrheit ist: Nach dem Ermächtigungs-gesetz vom 24. März werden die 13 jüdischen und einige politisch missliebige Mitglieder im Münchner Rotary-Club fallen gelassen. Unter dem begonnenen öffentlichen antisemitischen Druck bleiben vor allem jüdische Mitglieder den Wochen-*Meetings* fern und können dadurch, formell korrekt, von der Liste gestrichen werden.[63] Andere werden direkt aus dem Club herausgedrängt. Betrieben und vollzogen hat das Ganze der Vorstand, doch bleibt, um Tho-mas Manns Wort noch einmal aufzugreifen, „das Schweigen der einzelnen Mitglieder" – zumindest ihm gegenüber.

Denn so stillschweigend vollzog sich die „Gleichschaltung" der Clubs durchaus nicht.[64] Selbst in München treten Rotarier aus dem Club aus, weil sie den Ausschluss jüdischer und politisch verfemter Mitglieder für einen Verrat an der rotarischen Idee halten, darunter Hans Knappertsbusch. Von Januar bis Juni 1933 verliert der Rotary-Club München insgesamt 26 Mitglieder, im Ganzen 40 Prozent der Mitgliederschaft.[65] In anderen Clubs ähnliche Ent-wicklungen, so dass „die Zahl der Rotarier im Distrikt 73 von rund 1700 im Jahr 1933 auf 1200 zurückgeht. 1934 wird durch Neuaufnahmen und Grün-dung neuer Clubs der alte Bestand wieder erreicht."[66] Jetzt sind die „Fronten" ja auch begradigt, jetzt sind die Clubs „gesäubert".

Einer, der Mitglied bleibt, ist ausgerechnet Emil Preetorius, der 1929 die Verherrlichung Thomas Manns anlässlich des Nobelpreises mitbetrieben hatte. Nach einem Besuch in der Schweiz (mehr als ein Jahr liegen die Münch-ner Ereignisse zurück) lautet die entsprechende Tagebuchnotiz:

Zum Thee Emil *Preetorius,* der sich gestern angemeldet. Gealtert, ernst. Viel über Deutschland. Ich stellte ihn offen wegen seines Nicht-Austritts aus dem Rotary-Club zur Rede. Seine eigene Gefährdung in jener Zeit, nun ja. Er hat, persönlich, von Hitler den Eindruck eines ordinären und schlechtrassigen, aber ‚guten' Menschen, der ‚aus dem Gefühle' lebt. Ich danke. (Tb, 4.9.1934)

„*Ich danke*". Der sarkastische Ton verdeckt nur die Fassungslosigkeit über so viel unpolitische Verharmlosung Hitlers – noch anderthalb Jahre nach der „Machtergreifung"!

---

[63] Nach der wohl auch in München geltenden üblichen Satzung für deutsche Rotary-Clubs hat ein Mitglied auszuscheiden, das, ohne vom Vorstand wegen triftiger Gründe entschuldigt zu sein, an vier aufeinanderfolgenden Zusammenkünften fehlt (so etwa § 12 der Satzung des Stuttgarter Rotary-Clubs).
[64] Vgl. dazu Manfred Wedemeyer (zit. Anm. 1), S. 63 f.
[65] Vgl. Paul U. Unschuld (zit. Anm. 1), S. 40.
[66] So Manfred Wedemeyer (zit. Anm. 1), S. 64.

V.7. Die Selbstauflösung

Doch alle Anpassung nützt der rotarischen Führung im nationalsozialistischen Deutschland nichts. Auf Dauer kann nicht verborgen bleiben, dass die menschenrechtswidrige Rassenpolitik und der menschenverachtende Umgang mit politisch Andersdenkenden rotarische Grundsätze mit Füßen tritt. Obwohl viele Clubs beflissen in Vorleistung gehen, indem sie sich für „judenrein" erklären und viele Rotarier Mitglieder der NSDAP werden, bleibt der Argwohn der Machthaber. Insbesondere verdächtig bleibt die internationale Verflechtung. Als im Juni 1937 Reichsinnenminister Frick einen Erlass herausgibt, nach dem alle Beamten und Parteigenossen aus dem Rotary-Club auszuscheiden hätten, unternimmt man von Seiten der rotarischen Führung noch einmal einen letzten Versuch, durch Ergebenheit sich das Wohlwollen der Nazis zu sichern. Der amtierende *Governor* des 73. Distrikts (Hugo Grille, Berlin) reicht am 13. August 1937 beim Reichsinnenminister eine Denkschrift ein, in der es u.a. heißt:

1. Die deutschen Rotary-Clubs stehen in unerschütterlicher Treue zum Führer auf dem Boden der weltanschaulichen Einstellung des Dritten Reiches.
2. Die deutschen Rotary-Clubs haben in ihren Reihen keine Juden mehr und nehmen auch keine mehr auf.
3. Die deutschen Rotary-Clubs erklären sich nach wie vor bereit, die ihnen von der obersten Parteiführung mitgeteilten Wünsche zu erfüllen.[67]

Und so geht es in nochmals zwei Punkten weiter. Die kalte Antwort der Nazi-Funktionäre auf diese Servilität steht im Völkischen Beobachter vom 23. August 1937: „Die Mitgliedschaft bei Rotary und der Partei ist unvereinbar". In einem entsprechenden Artikel wird als Begründung angeführt, Rotary sei das Sammelbecken für ehemalige Freimaurer und internationalen Weisungen des Weltjudentums ausgesetzt.[68] Dem drohenden Verbot kommt man am 15. Oktober 1937 durch Selbstauflösung zuvor. Bis 1949 sollte es keine Rotary-Clubs auf deutschem Boden mehr geben.

V.8. Und doch: Ehrenmitglied

Ein kleiner Epilog ist hier am Platz. Dass Thomas Mann nicht daran denkt, für seine spezifisch deutschen Erfahrungen die gesamte rotarische Bewegung

---

[67] Ebd., S. 69f.
[68] Belege ebd., S. 70f.

haftbar zu machen, zeigt die Annahme einer Einladung durch den Rotary-Club West-Los Angeles. Seine lange Odyssee als Exilierter hatte ihn bekanntlich nach Pacific Palisades an die amerikanische Westküste geführt. Im Frühjahr 1942 nimmt er an einem Mittags-*Meeting* des dortigen Rotary-Clubs teil, hält zunächst eine Tischrede, die er drei Tage zuvor seiner Sekretärin eigens diktiert hatte, deren Text aber nicht überliefert ist.[69] Dann folgt die gekürzte Fassung eines Vortrags, den er in diesen Wochen an verschiedenen Orten Amerikas hält: *How to win the Peace*:[70]

Vormittags die gekürzte lecture durchgearbeitet, dann am Dialog etwas weiter. Haarwäsche und rasiert. 3/4 12 mit K. [Katia] abgeholt zum Lunch im Rotary-Club West-Los Angeles. Viele Vorstellungen, die Mahlzeit, danach Introduktion und mein Vortrag. Das ist abgetan; aber ich wurde Ehren-Mitglied. (Tb, 12.2.1942)

„*How to win the Peace*": Die Fragestellung klingt kühn angesichts der Kriegslage 1941/42. Aber das Bemerkenswerte dieses Vortrags vor den Rotariern in Los Angeles ist genau diese Zukunfts-Orientiertheit. Nicht überraschend sind die vielen kunst-, deutschtums- und faschismuskritischen Reflexionen, die man auch in diesem Vortrag wiederfindet. Überraschend ist die Thematisierung der Zukunft Deutschlands. Wieder ist es ein rotarisches Forum, dem Thomas Mann seine Gedanken anvertraut. Die Perspektive ist: Deutschland *in* Europa, ja Deutschland innerhalb einer *Weltgesellschaft*. Die Welt ist eine Einheit geworden! Deutschland werde „Europa sein, wie das bessere Deutschland immer Europa" gewesen sei. Aber Europa werde nicht „Deutschland sein, wie Adolf, der Prophet" es sähe. Mehr noch: Sogar der „Begriff ‚Europa'" sei heute „ein Provinzialismus". Was bevorstehe – und hier macht Thomas Mann bemerkenswerte Anleihen an die christlich-biblische Tradition –, sei „das Konzept des Königreichs auf Erden, der Stadt des Menschen". Dieses Konzept sei bereits geboren und werde nicht ruhen, bis es „Wirklichkeit" angenommen habe.[71] Voraussetzung dafür freilich: das Scheitern des deutschen Nationalismus! Der müsse sich ausbrennen, dann könne sich Deutschland „in eine völlig verschiedene Richtung werfen". Traditionen würden zum Leuchten kommen, die heute in den Dreck getreten seien: „Deutschland wird diese besseren Traditionen wiederentdecken, insbesondere wenn der Rest der Welt beweist, dass er etwas gelernt hat seit 1918 oder wenigstens seit 1933."[72]

---

[69] Tb 1940–1943, S. 390.
[70] Die Langfassung von *How to win the Peace* ist abgedruckt in: Tb 1940–1943, S. 1058–1070. Als Essay wurde dieser Text im Februar-Heft 1942 von Atlantic Monthly (New York) abgedruckt.
[71] Tb 1940–1943, S. 1062. (Übersetzung durch den Verfasser.)
[72] Tb 1940–1943, S. 1070. (Übersetzung durch den Verfasser.)

„… aber ich wurde Ehren-Mitglied". Wenn man sich die dramatische Beziehungsgeschichte Thomas Manns zu Rotary bewusst gemacht hat, berührt einen die Fügung doch seltsam. Am 2. April 1942, fast auf den Tag genau neun Jahre nach dem ominösen „Ausstoßungs"-Brief des Münchner rotarischen Präsidenten, erscheint „Zum Thee" in Pacific Palisades, San Remo Drive 1550, noch einmal, ein letztes Mal, ein rotarischer Präsident in Thomas Manns Leben. Es ist Frederick Redman. Als Präsident des Rotary-Clubs West-Los Angeles überbringt er Thomas Mann die „Ehrenkarte". (Tb, 2.4.1942)

VI. Zum Problem von Labilität und Stabilität eines Ethos

Lassen sich aus der Rekonstruktion des Dramas von Glanz und Elend eines deutschen Rotariers wie Thomas Mann einige grundsätzliche Folgerungen ziehen? Wenn überhaupt, dann sind es Folgen für ein selbstkritisches Nachdenken über das Verhalten von Menschen in Spannungssituationen. Was zu diesem Nachdenken zwingt, ist ja nicht nur die Frage, wie es möglich ist, dass ein Schriftsteller vom Format eines Thomas Mann, soeben noch als deutsches Muster von Europäer- und Weltbürgertum gefeiert, unter veränderten politischen Voraussetzungen gewissermaßen „über Nacht" zur Unperson erklärt wird. Was vor allem betroffen macht, ist das Faktum, dass dies selbst im Kontext von Rotary geschehen kann. Einer Gemeinschaft, die, wie wir hörten, von Anfang an dem Ethos von Freundschaft, Gemeindienst und Völkerverständigung verpflichtet ist. Eine „Organisation der Moral auf der Erde"!

VI.1. Die labile Natur des Menschen

Wenn dies in diesem Kontext ebenso „über Nacht" geschehen kann, wirft dies erst recht verschärfte Fragen nach dem auf, wozu Menschen fähig sind, wenn die Zeiten wechseln. Kurz: Aus Thomas Manns „Erschütterung, Amüsement und Staunen" über den „Seelenzustand" von Menschen, die eine symbolische Existenzauslöschung anderer Menschen vollziehen können, als sei es „selbstverständlich", sind Folgerungen zu ziehen. Die fassungslose Frage des Ausgestoßenen: „Wie sieht es aus in diesen Menschen?", bedarf der Aufarbeitung.

Eine mögliche Schlussfolgerung muss darin bestehen, über Voraussetzungen nachzudenken, wie ein Ethos stabilisiert werden kann, gerade wenn man um dessen Labilität weiß. Thomas Mann – vom anthropologischen Pessimismus Schopenhauers ein Leben lang beeinflusst – wusste genau, wovon er sprach, wenn er in einem seiner pessimistischsten politischen Essays 1938 schreibt:

Wir sind mit der Natur des Menschen, oder besser gesagt: der Menschen so ziemlich vertraut und weit entfernt, uns Illusionen über sie zu machen. [...] Mein Gott, die Menschen ... Ihre Ungerechtigkeit, Bosheit, Grausamkeit, ihre durchschnittliche Dummheit und Blindheit sind hinlänglich erwiesen, ihr Egoismus ist kraß, ihre Verlogenheit, Feigheit, Unsozialität bilden unsere tägliche Erfahrung [...]. (Ess IV, 220)

Aber können wir die Schlussfolgerung in dieser düsteren Passage teilen? „... ein eiserner Druck disziplinären Zwangs ist nötig, sie nur leidlich in Zucht und Ordnung zu halten"? (Ess IV, 220f.)[73] Kaum.

VI.2. Was meint Ethos?

Die Alternative zu „Zucht und Ordnung" kann nur die Rückbesinnung auf Tiefendimensionen menschlicher Existenz sein. Ein Ethos muss in solchen Tiefenschichten verankert sein, um der inneren und äußeren Labilität standzuhalten. Dies ist eine Aufgabe von Erziehung, Bildung und verantworteter Lebensführung. Immer sind Menschen Versuchungen ausgesetzt, Interessen, Trieben, Egoismen. Wenn ein Ethos nicht im Tiefsten dessen, was der Mensch aufzuweisen hat, seinem *Gewissen*, verankert ist, ob religiös oder humanistisch begründet, wird es vom nächsten Windstoß des Zeitgeistes umgeworfen.

Hier liegt der tiefere Grund, warum in der „Vision" des Gründervaters von Anfang an nicht nur von Vorschriften und Regeln gesprochen wird, sondern von einem „Ethos", einem „Glauben", warum man keinen Gegensatz konstruieren wollte zwischen rotarischer Idee und „Religiosität". Denn Ethos zielt auf etwas Tieferes denn auf einzelne ethische Vorschriften („Ethiken") oder einzelne gesetzliche Gebote oder Verbote („Recht"). Ethos – Ethiken und Gesetze buchstäblich transzendierend – ist in der Mitte des Menschen verankert: in seinem Innersten, seinem Herzen, seinem Gewissen. Gemeint sind selbstgewonnene letzte Überzeugungen, Bindungen und Loyalitäten.

---

[73] Zur anthropologischen Problematik der Gewinnung und Bewahrung eines Ethos hat Thomas Mann in *literarischer* Form noch einmal Stellung genommen, und zwar in seiner 1943 entstandenen Moses-Novelle *Das Gesetz*. Diesen Text habe ich unter anthropologischen wie theologischen Aspekten einer gründlichen Analyse unterzogen: Thomas Mann und die Suche nach einem „Grundgesetz des Menschenanstandes", in: Karl-Josef Kuschel: „Vielleicht hält Gott sich einige Dichter...", Mainz: Grünewald 2005 (= Literarische Skizzen, Bd. 1), S. 289–315 u. 338–342.

Wenn vom „Ethos" einer Gemeinschaft die Rede ist, ist eben von mehr die Rede als von flüchtiger Wahrung privater Interessen oder kalkulierter Vorteilsverschaffung. Wer Rotary nur beruflich oder gesellschaftlich „funktionalisiert", hat zwar seine „Interessen" gewahrt, vom Ethos aber nichts verstanden.

Daraus folgt: Die Stabilität eines Ethos setzt eine Verankerung im Gewissen voraus. In den großen religiösen und ethischen Traditionen der Menschheit wird eine solche Verankerung angeboten. Deshalb ist es mehr als Spielerei mit historischen Daten, wenn wir die beiden Ereignisse in Chicago um die Jahrhundertwende, von denen wir ausgegangen sind (1893 Parlament der Weltreligionen, 1905 Gründung von Rotary), noch einmal in Beziehung setzen. Beide Ereignisse sind getragen, wie wir hörten, von einem besonderen Geist und einem spezifischen Ethos. Beide Ereignisse zeigen, dass ein solches Ethos nicht nur Menschen unterschiedlicher Berufe zusammenbringen kann, sondern auch Menschen getrennter Nationen, Kulturen und Religionen.

***

In jedem Jahresverzeichnis von Rotary findet sich auf den ersten Seiten die Dokumentation der „vier Fragen" über „Dinge, die wir denken, sagen oder tun". Sie lauten:

– Ist es wahr, bin ich aufrichtig?
– Ist es fair für alle Beteiligten?
– Wird es Freundschaft und guten Willen fördern?
– Wird es dem Wohl aller Beteiligten dienen?

In der Chicagoer Weltethos-Erklärung des „Parlamentes der Weltreligionen" 1993, das die Impulse des ersten Parlamentes von 1893 in unsere Zeit übertragen wollte,[74] finden sich zwei Grundregeln und vier unverrückbare Weisungen, die in allen großen religiösen und ethischen Traditionen der Menschheit verankert sind.

Regel 1: Die Humanitätsregel: „Jeder Mensch muss menschlich behandelt werden."

Regel 2: Die Reziprozitätsregel („Goldene Regel"): „Was du willst, dass dir geschieht, tue auch den anderen."

Die vier Weisungen lauten:

---

[74] Vgl. dazu: Erklärung zum Weltethos. Die Deklaration des Parlamentes der Weltreligionen, hrsg. von Hans Küng und Karl-Josef Kuschel, München: Piper 1993. Die weitere Entwicklung nach der Weltethos-Erklärung von Chicago 1993 dokumentiert der Band: Dokumentation zum Weltethos, hrsg. von Hans Küng, München: Piper 2002.

– Toleranz und ein Leben in Wahrhaftigkeit
– Solidarität und eine gerechte Wirtschaftsordnung
– Gleichberechtigung und Partnerschaft von Mann und Frau
– Gewaltlosigkeit und Ehrfurcht vor allem Leben

VI.3. Auf dem Weg zu einem Menschheitsethos

Legt man die „vier Fragen" sowie die beiden „Regeln" und die „vier unverrückbaren Weisungen" nebeneinander, werden Entsprechungen erkennbar.
In der ersten Frage – „Ist es wahr, bin ich aufrichtig?" – kommt die Forderung nach einem „Leben in Wahrhaftigkeit" zum Ausdruck. In der zweiten
Frage – „Ist es fair für alle Beteiligten?" – erkennt man die Aufforderung zu
„Solidarität" und „Gerechtigkeit" im Handeln. In der dritten Frage – „Wird
es Freundschaft und guten Willen fördern?" – ist die Weisung „Gewaltlosigkeit und Ehrfurcht" auf andere Weise ausgesagt. In der vierten Frage – „Wird
es dem Wohl aller Beteiligten dienen?" – klingt die Forderung nach „Gleichberechtigung und Partnerschaft" an. Überdies ist in allen „vier Fragen" die
„Humanitätsregel" präsent, in drei von vier – wir deuteten es eingangs an – die
Reziprozitätsregel („Goldene Regel").

Daraus folgt: Die „vier Fragen" von Rotary nehmen Grundelemente der
Humanität auf, die seit Jahrtausenden in den großen ethischen Traditionen
der Menschheit verankert sind und verankert sein mussten, kann doch ohne
sie weder der Einzelne noch die Gemeinschaft gedeihen. Ehrlichkeit (Wahrhaftigkeit), Solidarität (Gerechtigkeit), Partnerschaftlichkeit (Gleichberechtigung), Gewaltlosigkeit (Toleranz) sind anthropologische Voraussetzungen,
ohne die menschliches Leben individuell oder sozial scheitern müsste. Eine
Negativ-Probe ist hier von unabweisbarer Evidenz: Unehrlichkeit zersetzt das
lebensnotwendige Vertrauen unter Menschen. Mangelnde Solidarität untergräbt den Frieden in einer Gesellschaft. Nichtvollzogene Gleichberechtigung
zwischen den Geschlechtern führt zum Geschlechterkampf. Nichtbeachtete
Gewaltlosigkeit und Lebensehrfurcht untergräbt das Recht jedes einzelnen
Menschen auf menschenwürdige Existenz, Respekt vor seiner Identität und
Integrität. Die „vier unverrückbaren Weisungen", die sich in den „vier Fragen" widerspiegeln, sind also Ergebnis einer Evolutionsgeschichte ethischen
Bewusstseins, die für das Überleben, ja mehr noch, für das Glück der Mensch-
heit, den Charakter der Not-Wendigkeit haben.

Insofern nimmt die Chicagoer Deklaration von 1993 sowohl den Geist des
ersten Parlaments wie den Geist der Gründung von Rotary auf, wenn es dort
heißt:

Wir sind überzeugt von der fundamentalen Einheit der menschlichen Familie auf unserem Planeten. Wir rufen deshalb die Allgemeine Menschenrechtserklärung der Vereinten Nationen von 1948 in Erinnerung. Was sie auf der Ebene des *Rechts* feierlich proklamierte, das wollen wir hier vom *Ethos* her bestätigen und vertiefen: die volle Realisierung der Unverfügbarkeit der menschlichen Person, der unveräußerlichen Freiheit, der prinzipiellen Gleichheit aller Menschen und der notwendigen Solidarität und gegenseitigen Abhängigkeit aller Menschen voneinander.[75]

Thomas Mann ist in diesem Diskurs ein unverzichtbarer Gesprächspartner, weil er das, was er „Humanität" nannte, in seiner ganzen Abgründigkeit erfuhr und in seiner Komplexität literarisch auszuloten verstand. Sein „Fall" dokumentiert in besonders anschaulicher Weise: Es gibt den Menschen nicht ohne seine Anfälligkeit für Feigheit, für Unmenschliches, für Böses. Und deshalb brauchen Menschen, die sich für andere Menschen einsetzen, ein tieferes Verständnis vom Menschen als allgemeine „Menschenliebe". Es braucht ein Wissen um das Inhumane, um es bearbeiten zu können. Es braucht die Verankerung des Ethos im Gewissen. In seinem Tagebuch von 1945 findet sich bei Thomas Mann ein in dieser Hinsicht entscheidender Gedanke:

Mit Religion meine ich nicht Dogma und Konfessionen. Wenn Roosevelt von Religion sprach, so dachte er auch nicht an diesen oder jenen besonderen Kult, sondern sah über den Unterschied der Bekenntnisse hinweg und erfüllte den Begriff mit allem, was es auf Erden an Ehrfurcht gibt vor dem Geheimnis über uns, um uns und in uns, dem Geheimnis, das schweigend, aber unausweichlich Rechenschaft von uns fordert für unsere Taten und Gedanken. Religion ist Ehrfurcht, die Ehrfurcht vor dem Geheimnis, das der Mensch ist. Ein neuer Humanismus ist nötig, – nicht die dünn-rationale und optimistische allgemeine Menschenliebe des achtzehnten Jahrhunderts, sondern ein religiös fundierter und gestimmter Humanismus, der durch vieles hindurchgegangen ist und alles Wissen ums Untere und Dämonische hineinnimmt in seine Ehrung des menschlichen Geheimnisses; ein vertieftes und sympathievolles Gefühl für die Schwierigkeit und den Adel des Menschseins; eine alles durchziehende Grundgesinnung, der niemand sich entzieht, die jeder in seinem Innersten als Richter anerkennt.[76]

---

[75] Erklärung zum Weltethos (zit. Anm. 74), S. 23.
[76] [World for the people], in: Tb 1944–1946, S. 821 f.

Thomas Dürr

Mythische Identität und Gelassenheit in Thomas Manns *Joseph und seine Brüder*

> Ich selbst möchte beinahe sagen, frei ist,
> wer imstande ist, die Gesetze zu lieben,
> die das eigene Dasein bestimmen.
>
> Tania Blixen[1]

Nach wie vor gilt, daß Thomas Mann als „Theoretiker und Phänomenologe des Mythos" von den Religions- und Kulturwissenschaftlern und den Philosophen kaum zur Kenntnis genommen worden ist.[2] Es ist die Literaturwissenschaft, die sich mit seiner Mythostheorie und ihren vielfältigen Bezügen beschäftigt.[3] Daher soll zuerst seine Mythostheorie aus dem *Joseph* und das heißt seine Konzeption menschlicher Identität zu ihrem eigenen Recht kommen, um in einem zweiten Schritt Manns „sehr wichtigen Beitrag"[4] zur Lösung des Rätsels menschlicher Identität auch für das philosophische Denken herauszuarbeiten. Was ist der Mensch?

… dies Rätselwesen, das unser eigenes natürlich-lusthaftes und übernatürlich-elendes Dasein in sich schließt und dessen Geheimnis sehr begreiflicherweise das A und das O all unseres Redens und Fragens bildet, allem Reden Bedrängtheit und Feuer, allem Fragen seine Inständigkeit verleiht. (IV, 9)

---

[1] Tania Blixen: Briefe aus Afrika 1914–1931, hrsg. und eingeleitet von Frans Lasson, Reinbek bei Hamburg: Rowohlt 1993, S. 190.

[2] Jan Assmann: Zitathaftes Leben. Thomas Mann und die Phänomenologie kultureller Erinnerung, in: TM Jb 6, 1993, 133–158, 133. Gleiches gilt für die Theologie, die Ausnahmen: Christoph Jäger: Humanisierung des Mythos – Vergegenwärtigung der Tradition. Theologisch-hermeneutische Aspekte in den Josephsromanen von Thomas Mann, Stuttgart: M und P 1992; Dietmar Mieth: Epik und Ethik. Eine theologisch-ethische Interpretation der Josephromane Thomas Manns, Tübingen: Niemeyer 1976 (= Studien zur deutschen Literatur, Bd. 47).

[3] Siehe u.a. Willy Berger: Die mythologischen Motive in Thomas Manns Roman „Joseph und seine Brüder", Köln/Wien: Böhlau 1971 (= Literatur und Leben, N.F., Bd. 14); Manfred Dierks: Studien zu Mythos und Psychologie bei Thomas Mann, Bern/München: Francke 1972 (= TMS II); Edo Reents: Zur Schopenhauer-Rezeption Thomas Manns, Würzburg: Königshausen & Neumann 1998 (= Studien zur Literatur- und Kulturgeschichte, Bd. 12); Wolfgang Schneider: Lebensfreundlichkeit und Pessimismus. Thomas Manns Figurendarstellung, Frankfurt/Main: Klostermann 1999 (= TMS XIX); Kerstin Schulz: Identitätsfindung und Rollenspiel in Thomas Manns Romanen „Joseph und seine Brüder" und „Bekenntnisse des Hochstaplers Felix Krull", Frankfurt/Main u.a.: Lang 2000 (= Bochumer Schriften zur deutschen Literatur, Bd. 55). Umfassend: Bernd-Jürgen Fischer: Handbuch zu Thomas Manns „Josephsromanen", Tübingen: Francke 2002.

[4] Milan Kundera: Verratene Vermächtnisse. Essay, München/Wien: Hanser 1994, S. 17.

I. Mythische Identität

Thomas Mann hat in Anspielung auf den von Max Weber aufgemachten Zusammenhang von protestantischer Ethik und kapitalistischer Geisteshaltung behauptet, daß er dessen These schon Jahre zuvor in den *Buddenbrooks* ausgearbeitet habe (XII, 145). Entsprechend wird hier der Blick auf seine Mythostheorie zu richten sein. Zudem muß der *Joseph* als Versuch gelesen werden, die Antike als geistige Lebensform lebendig werden zu lassen, so wie es den *Buddenbrooks* um die Darstellung Lübecks als geistiger Lebensform ging (vgl. XI, 376–398). Mann findet für die antike Lebensform den Begriff des „zitathafte[n] Leben[s]" (IX, 497) oder des „Leben[s] im Mythus" (IX, 494). Die Vergegenwärtigung dieser Lebensform ist das zentrale Thema seiner Nacherzählung der Josephsgeschichte. Diese Abhandlung erläutert in fünf Schritten den Begriff der mythischen Identität im *Joseph*, um dann anhand zweier systematischer Konsequenzen und zweier grundlegender Schwierigkeiten dieses Begriffes den Eigenwert von Manns Überlegungen und deren Beitrag zur philosophischen Debatte zu bestimmen.

Die mythische Zeit

Hans Castorps „Verzauberung [...] ins Zeitlose" (XI, 612) und sein Erleben der Gegenwart als einer, „die vor einem Monat, einem Jahre obgewaltet hatte, und [...] zum Immer zu verschwimmen" (5.1, 823) drohte, weil es „immer derselbe Tag [ist], der sich wiederholt" (5.1, 279), hat Manfred Dierks mit Schopenhauers Gedanken der Aufhebung von Raum und Zeit in Verbindung gebracht.[5] Wenn Schopenhauer die Gegenwart allein als das immer Vorhandene, zugleich empirisch Flüchtigste und doch metaphysisch „allein Beharrende" bestimmt, wenn sie ein *Nunc stans* von der Art sein soll, daß zwischen der Vergangenheit und Gegenwart nicht mehr an und für sich, sondern nur in unserer Wahrnehmung unterschieden werden kann,[6] so scheint daraus die Aufhebung von

---

[5] Siehe Dierks, Studien, S. 81–96. Vgl. zum Folgenden Berger, Mythologische Motive, S. 50–58; Dietrich Borchmeyer: „Zurück zum Anfang aller Dinge." Mythos und Religion in Thomas Manns Josephsromanen, in: TM Jb 11, 1998, 9–29, 26–29; Schneider, Lebensfreundlichkeit, S. 130–148; Hans Wysling: Schopenhauer-Leser Thomas Mann, in: ders.: Ausgewählte Aufsätze, hrsg. von Thomas Sprecher und Cornelia Bernini, Frankfurt/Main: Klostermann 1996 (= TMS XIII), S. 65–88.

[6] Siehe Arthur Schopenhauer: Die Welt als Wille und Vorstellung, Bd. 1 und 2, hrsg. von Wolfgang Freiherr von Löhneysen, Frankfurt/Main: Suhrkamp 1986 (= Sämtliche Werke, Bd. 1 und 2), nachfolgend zitiert als [WWV I und II]; hier WWV I, 385–387, 387 Anm. 1; WWV II, 613 Anm. F.

Zeit und Raum als Formen der Anschauung zu folgen. Weil aber bei ihm alle Erkenntnis an eine empirische Grundlage gebunden bleibt, auch an beide Anschauungsformen, und sich andernfalls alle raumzeitliche und erkennbare Individuation in den Willen als Ding an sich jenseits aller Wahrnehmung auflöste, also das Leben selbst verschwände, ist jene Aufhebung im *Zauberberg* – wie im *Joseph* – besser Wolfgang Schneider zufolge mit der Theorie des somnambulen Hellsehens zu erklären. Solches Hellsehen ist eine begrenzte Aufhebung der Anschauungsformen, die dem Subjekt den zeitweiligen Austritt aus den Grenzen der Erkenntnis ermöglicht. Schopenhauer verfügt daher über einen transzendentalen Zeitbegriff Kantischer Herkunft mit den apriorischen Anschauungsformen und einen historisch-chronologischen, der die Zeitenfolge zwar nicht außer Kraft setzt, aber das Hellsehen im räumlich und zeitlich Entfernten ermöglicht. Zeitaufhebung bei Mann bezieht sich nur auf diesen zweiten Zeitbegriff.[7]

Und wie Hans Castorp zunehmend Schwierigkeiten hat, eine Zeitenfolge auszumachen, führt auch die *Höllenfahrt* diese besondere Verfaßtheit der Zeit ein. Nicht um „die bezifferbare Zeit" geht es, sondern um „ihre Aufhebung im Geheimnis der Vertauschung von Überlieferung und Prophezeiung, welche dem Worte ‚Einst' seinen Doppelsinn von Vergangenheit und Zukunft und damit seine Ladung potentieller Gegenwart verleiht" (IV, 32). In dieser Aufhebung wurzelt die Idee einer fortwährenden Wiederverkörperung, so daß die mythische Geschichte zu einem Mysterium wird. „Die Könige von Babel [...] *waren* Erscheinungen des Sonnengottes im Fleische – das heißt, der Mythus wurde in ihnen zum Mysterium [...]." (Ebd.) Der Mannsche Gegensatz von bezifferbarer Zeit und aufhebendem Geheimnis entspricht dem somnambulen Hellsehen und versteht sich nicht als Überbietung Schopenhauerscher oder Kantischer Erkenntnistheorie. Der Zeitbegriff im *Joseph* besteht aus diesem „Einst" und der Verbindung der Zeitaufhebung mit Mythos und Mysterium. Die zweite, letztgenannte Besonderheit dieses Zeitbegriffes fügt Gedanken Dimitri Mereschkowkis mit Schopenhauers Zeitauffassung zu einem Verständnis des Mythos als ewiger Wiederkehr zusammen:

[D]as Wesen des Lebens ist Gegenwart, und nur mythischer Weise stellt sein Geheimnis sich in den Zeitformen der Vergangenheit und der Zukunft dar. [...] Dem Wissenden ist bekannt, daß die Lehre nur das Kleid des Geheimnisses ist von der

---

[7] Arthur Schopenhauer: Parerga und Paralipomena, Bd. 1 und 2, hrsg. von Wolfgang Freiherr von Löhneysen, Frankfurt/Main: Suhrkamp 1986 (= Sämtliche Werke, Bd. 4 und 5), nachfolgend zitiert als [PP I und II]; hier PP I, 317–319. Siehe Schneider, Lebensfreundlichkeit, S. 130–148, dort eine Problematisierung des somnambulen Hellsehens und weiterführende Hinweise.

Allgegenwart der Seele [...]. [...] Denn es ist, ist immer, möge des Volkes Redeweise auch lauten: Es war. So spricht der Mythus, der nur das Kleid des Geheimnisses ist [...]. (IV, 53 f.)[8]

Verständlich wird der Gedanke von der Verhüllung des Geheimnisses der Wiederkehr im Mythos einerseits durch Schopenhauers Willensmetaphysik, deren grundlegendes Theorem die Modifizierung von Kants Unterscheidung von Ding an sich und Erscheinung zum Begriffspaar Wille und Erscheinung ist. Am Beispiel von Übeltäter und Opfer erklärt Schopenhauer, daß beide bloß Erscheinungen des Willens als Ding an sich seien. Nur der somnambule Hellseher durchschaue ihre Differenz als bloßes Phänomen. Nur ihm offenbare sich der Wille als Ding an sich, der „den Unterschied [...] von Gegenwart, Vergangenheit und Zukunft nicht kennt" (PP I, 318), als das Geheimnis auf dem Grunde allen Geschehens. Den Unverständigen hingegen habe man die Allgegenwart des Willens durch den Mythos von der Seelenwanderung erklärt, nach dem alle irdischen Missetaten im Jenseits gebüßt würden (siehe WWV I, 481–486). Verständlich wird jene Verhüllung andererseits durch Nietzsches Versetzung des Leidens in den Menschen selbst. Er setzt so einen wirklichen Gegensatz zwischen Wille und Welt im Unterschied zu Schopenhauer, der alles, auch das Leiden, im Willen selbst verankert. Das nietzschesche Leiden ist die Entfremdung des Menschen vom „wirklichen Sein" des Willens, und so der Anlaß, der leidvollen Individuation mit „wonnevoller Verzückung" entgegenzutreten, und der Grund, daß das Leiden als Leiden in der Welt auch erzählbar bleibt.[9] Der Mythos als erzählbare Geschichte, die auch dem zugänglich ist, der weder das Geheimnis durchschaut noch der besonderen Aufhebung der Zeit teilhaftig ist, verdankt sich bei Mann Schopenhauer und Nietzsche gleichermaßen.

Zuletzt gehört das „Einst" zur näheren Bestimmung der Aufhebung der Zeit im *Joseph*. Die immerwährende Gegenwart des *Nunc stans* bedeutet, daß die Überlieferung als Erzählung über die Vergangenheit nicht mehr unterscheidbar ist von der Prophezeiung als auf die Zukunft bezogener Aussage; sie ist beides zugleich. Das Ergebnis dieser „Mischung aus Mär und Verkündigung" ist „das zeitlos Gegenwärtige" (IV, 34), die „Vereinigung von Ur-Kunde und Prophetie des Letzten" (IV, 40). Das „Einst" ist Manns analoger Begriff zu dem sich dem somnambulen Hellseher Offenbarenden. Weder bietet der Mannsche Zeitbegriff also Transzendentalphilosophie noch ist er umstands-

---

[8] Vgl. Dierks, Studien, S. 87; dort, S. 67–78, eine Interpretation zu Manns Rezeption von Dimitri S. Mereschkowski: Die Geheimnisse des Ostens, Berlin: Welt 1924.

[9] Friedrich Nietzsche: Die Geburt der Tragödie aus dem Geist der Musik, hrsg. von Karl Schlechta, München: Hanser 1965 (= Werke in drei Bänden, Bd. 1), S. 24.

los auf Schopenhauer oder gar Kant zurückzuführen, sondern mit Nietzsche hebt er auf dasjenige Zeit*empfinden* oder Zeit*gefühl* ab, das mit den Begriffen „Geheimnis" und „Einst" benannt ist. Diese Zeiterfahrung ist unerläßlich für das Verständnis mythischer Identität im *Joseph* und keineswegs als erkenntnistheoretische Kategorie mißzuverstehen.[10] Diese Konzeption der mythischen Zeit setzt Mann in ein erzählerisches Konstruktionsprinzip um.

Die „rollende Sphäre"

Das Geheimnis ist in der Sphäre. Diese aber besteht in Ergänzung und Entsprechung, sie ist ein doppeltes Halbes [...]. Diese Wechselentsprechung nun zweier Hälften, die zusammen das Ganze bilden und sich zur Kugelrundheit schließen, kommt einem wirklichen Wechsel gleich, nämlich der Drehung. Die Sphäre rollt [...]. Oben ist bald Unten und Unten Oben [...]. Nicht allein daß Himmlisches und Irdisches sich ineinander wiedererkennen, sondern es wandelt sich auch, kraft der sphärischen Drehung, das Himmlische ins Irdische, das Irdische ins Himmlische, und daraus erhellt, [...] daß Götter Menschen, Menschen dagegen wieder Götter werden können. (IV, 189f.)[11]

Mit dem Prinzip der rollenden Sphäre verlängert Mann die Romanfiguren mittels sphärischer Drehung in den Brunnen der Vergangenheit. Im Mythos herrscht totale Austauschbarkeit. So können die Figuren des *Josephs* auf ihre Archetypen zurückgeführt werden. Die Durchführung dieser Idee folgt dem Gedanken der ewigen Wiederkehr und stellt uns alle Akteure als „Wiederholung und Rückkehr des Urgeprägten" (IV, 581), als „Ausfüllung mythischer Formen mit Gegenwart" (IV, 819) vor. *In der Höhle* erklärt Mann die Anwendung dieses Konstruktionsprinzips. Joseph ist die sphärische Drehung in „Fleisch und Blut" (IV, 581) übergegangen. Sein Leben ist voller Anspielungen auf die mythischen Urbilder und erscheint ihm als Gegenwart im Umschwung. Jaakob ist ein Mann mythischer Bildung, der Oben und Unten zusammendenkt. Er ist der

Überzeugung, daß ein Leben und Geschehen ohne den Echtheitsausweis höherer Wirklichkeit [...] überhaupt kein Leben und Geschehen ist; [...] daß das Untere gar

---

[10] Wolfgang Schneider zitiert Mann: „[M]ein grauen- und liebevolles Verhältnis zur Zeit, dem Element, das, sehr unabhängig von [...] erkenntnistheoretischen Gedanken, in meinen Büchern eine so hervorragende Rolle spielt." Siehe Schneider, Lebensfreundlichkeit, S. 138. Fundort soll Tb, 27.7.1934, sein. Aber auf Tb, 24.7.1934, folgt Tb, 28.7.1934; an beiden Orten findet sich obiges Zitat nicht.

[11] Vgl. zum Folgenden Berger, Mythologische Motive, S. 47–50; Dierks, Studien, S. 109–113; Herbert Lehnert: Thomas Manns Vorstudien zur Josephstetralogie, in: Jahrbuch der Deutschen Schillergesellschaft, Bd. 7 (1963), S. 458–520; William McDonald: Thomas Mann's „Joseph and his Brothers", Rochester/New York: Camden House 1999, S. 90–136.

nicht zu geschehen wüßte und sich selber nicht einfiele ohne sein gestirnhaftes Vorbild und Gegenstück [...]. (IV, 581)

Richtet also die rollende Sphäre den Blick auf zweierlei Geschehen: auf Götterfabel und deren irdische Wiederholung? Ist das Verhältnis von mythologischem Vorbild und irdischer Nachfolge als Seinshierarchie zu verstehen?

Im Kapitel *Der Rote* werden die Brüder Set und Usiris als mythologische Archetypen von Jaakob und Esau eingeführt. Usiris, einst König Ägyptens, wurde zum Gott, jedoch ein solcher „mit der beständigen Neigung freilich, wieder zum Menschen zu werden". „Wenn man aber fragt," erläutert Mann, „was Usir zuallererst und am Anfang gewesen sei, ein Gott oder ein Mensch, so bleibt die Antwort aus; denn einen Anfang gibt es nicht in der rollenden Sphäre." (IV, 190) Sie dreht sich. Wenn das Geheimnis des Ursprungs also nicht in der „Strecke" (IV, 189), dem linearen Zeitverlauf, sondern in der Sphäre liegt, erklärt sich das mit der Eigenschaft der Sphäre, ein „doppelt Halbes" (IV, 189 f.) zu sein, dessen Hälften sich zu einem Ganzen zusammenschließen. Denn die „Geschichten kommen herab [...] und werden irdisch, ohne daß sie darum aufhörten, auch droben zu spielen und in ihrer oberen Form erzählbar zu sein" (IV, 436). Aber „wer will sagen, [...] wo die Geschichten ursprünglich zu Hause sind, droben oder drunten? Sie sind die Gegenwart dessen, was umschwingt, [...] das Standbild mit Namen ‚Zugleich'" (IV, 439) – Mythos und Abbild, Mensch und Gott. Zugleich – das ist Manns Auskunft über das Verhältnis der sphärischen Hälften. Es gibt nur anfangsloses Geschehen, keine Hierarchie des Seins. Es bleibt allein die „zeitlose Gegenwart" (IV, 191). Neben der Leistung des Theorems der rollenden Sphäre, Archetypus und Abbild im bedeutungsschweren Zugleich zusammenzudenken, zeigt sich an der Figur des Set ein Zweites. Set, der seinen Bruder Usiris ermordete und dessen Thron bestieg, wird kraft sphärischer Drehung mit Typhon oder mit dem Gott des Feuers, Baal Chammon, identifiziert. Und „[w]er wollte sagen, daß Typhon-Set, der rote Jäger, ganz zuerst und zuletzt am Himmel zu Hause und niemand anders als Nergal, der siebennamige Feind, Mars, der Rote, der Feuerplanet, gewesen sei?" (IV, 191) Wenn aber „Set, der Schütze, in himmlisch-irdischem Wechsel steht mit Nergal-Mars", muß dieses Verhältnis sphärischer Identifizierung auch gelten „zwischen Usir, dem Gemordeten, und dem Königsplaneten Mardug, [...] dessen Gott auch Jupiter – Zeus genannt ist." (Ebd.) Dieser entmannte bekanntlich seinen Vater Kronos und bestieg dessen Thron. Zeus-Usir widerfährt so als König durch seinen Bruder, „was er als Typhon getan. Dies nämlich ist ein Teil des sphärischen Geheimnisses, daß vermöge der Drehung die Ein- und Einerleiheit der Person Hand in Hand zu gehen vermag mit dem Wechsel der Charakterrolle [...]." (IV, 191 f.)

Das mythische Schema

Bisher wurden Zeitform und Konstruktionsprinzip der Identität geklärt,
wobei letzteres die formale Übertragung des Geheimnisses von der ewigen
Wiederkehr in der mythischen Verhüllung auf die Romanfiguren gewähr-
leisten soll. Wie vollzieht sich aber dieses Ineinanderfallen von Urbild und
Abbild? Welcher Identitätsbegriff ist denkbar, wenn menschlicher Lebensvollzug die ewige Wiederkehr des Immergleichen sein soll?[12] Weil sich der
Wille als Ding an sich nur in der weltlichen Erscheinung mittels der Anschauungsformen von Raum und Zeit erfahren kann, vermittelt Schopenhauer
diesen Überschritt, indem er Platons Begriff der Ideen als Objektivationen
des Willens faßt, die als ewige Formen oder Musterbilder ein Zwischenreich
zwischen dem Willen als Ding an sich und den Erscheinungen bilden und
ihrerseits nicht raumzeitlich wahrnehmbar sind. In der Welt der Erscheinungen sind sie nur als Spezies oder Gattung wahrnehmbar. So korrespondiert
etwa der ewigen Idee des Menschen die Gattung des Menschen, die selbst
insofern ewig ist, da sie im Leben der einzelnen Individuen Bestand hat, auch
wenn diese dem Kreislauf von Leben und Tod unterworfen sind (vgl. WWV I,
193–196; WWV II, 619–651).

Mann hatte den Mythos als Erklärung des Geheimnisses der ewigen Wiederkehr für die Unwissenden aufgefaßt. Das einzelne Individuum integriert
er nun in dieses Theorem, insofern es als Verkörperung eines bestimmten
Menschentypus den Kreislauf von Leben und Tod überwindet und Teil jenes
Geheimnisses wird. Daraus folgt sein Begriff des Mythisch-Typischen. Der
mythische Mensch lebt nach einem mythischen Schema. Das im Mythos
verhüllte Mysterium der ewigen Wiederkehr manifestiert sich so in den
Menschen, die einen bestimmten Menschentypus leben. „Denn das Typische
ist ja das Mythische schon, insofern es Ur-Norm und Ur-Form des Lebens
ist, zeitloses Schema und von je gegebene Formel" (XI, 656). Das Leben ist
„ein Wandeln in tief ausgetretenen Spuren" (IX, 494). Der einzelne Mensch
ist ewig als Verkörperung eines Typus und mythisch durch die Ge- und
Begründetheit seines Typus in der mythischen Erzählung. Jede Gestalt im
Joseph geht in Spuren. Sie alle sind Vergegenwärtigungen mythischer Schemata. Weder Joseph noch Eliezer sind irritiert, wenn letzterer die Geschichten Abrahams und seines Knechtes Eliezer erzählt, als sei kein Unterschied
zwischen Jaakobs und Abrahams Eliezer. Denn Joseph steht immer deutlich
vor Augen,

---

[12] Vgl. zu diesem Abschnitt Assmann, Zitathaftes Leben, S. 138–144; Borchmeyer, Zurück,
S. 13–19; Dierks, Studien, S. 97–107.

daß des Alten Ich sich nicht als ganz fest umzirkt erwies, sondern gleichsam nach hinten offenstand, ins Frühere, außer seiner eigenen Individualität Gelegene überfloß und sich Erlebnisstoff einverleibte, dessen Erinnerungs- und Wiedererzeugungsform eigentlich und bei Sonnenlicht betrachtet die dritte Person statt der ersten hätte sein müssen [...]. (IV, 122 f.)

Durch den ich-sagenden Eliezer hindurch öffnet sich die Perspektive zum Ur-Eliezer Abrahams. Der Gedanke ewiger Wiederkehr spricht sich im „Ich" Eliezers deutlich aus, „weil für ihn das Leben des Einzelwesens sich oberflächlicher von dem des Geschlechtes sonderte, Geburt und Tod ein weniger tiefreichendes Schwanken des Seins bedeutete" (IV, 128). Er ist die Verkörperung des Typus Eliezer, den es immer schon gab und von dem er eine von unzähligen Vergegenwärtigungen ist. Im Bilde des Mythischen ist Eliezer der ewige Knecht. Der Name ist Programm, bezeichnet das mythische Schema. So ist im mythischen Denken, in den Geschichten Eliezers, die Vergangenheit stets präsent und geschieht immer wieder. Für den Gedanken der mythischen Identität besagt das, daß der Typus geladen ist mit dem Einst.

Der Erzähler stößt den Leser auf „die Schwierigkeit, von Leuten zu erzählen, die nicht recht wissen, wer sie sind" (ebd.). Denn wie die Welt so manchen Eliezer gesehen hat, seitdem dieser für Isaak Rebekka gefreit hatte, so wurde sie auch von verschiedenen Abrahams, Isaaks und Jaakobs bevölkert, ohne daß der einzelne „die Grenzen seiner ‚Individualität' gegen die der Individualität früherer Abrahams, Isaaks und Jaakobs sehr deutlich abgesetzt hätte" (IV, 129). *Wer Jaakob war* wird zunehmend undeutlicher, weil „Abrahams [...] Stammvaterschaft hauptsächlich geistig zu verstehen" ist. Ob Jaakob auch fleischlich mit ihm verwandt war, „steht stark dahin" (ebd.). Sein Ehrenname Israel – Gottesstreiter – geht auf einen kriegerischen Wüstenstamm zurück, der sich wegen seines furchterregenden Gottes so nannte, und ist kein Individualname, sondern das Kennzeichen „reineren und höheren Ebräertums" (IV, 132) im Sinne von Abrahams Erfindung Gottes zur Begründung einer „geistige[n] Sippschaft" (IV, 130). Der Sieger am Jabbok ist der Namenspate derjenigen, denen es um die geistige Ausformung des Gottesgedankens geht. „Israel" benennt das Schema des Weltfremden und Vergeistigten, wie Namen im mythischen Denken überhaupt den Typus und nicht individuelle Originalität oder Unverwechselbarkeit anzeigen. Auf die Spitze treibt Mann die Vergegenwärtigung mythischer Typen in der Figur Isaaks, der sich auf dem Sterbebett ganz und gar mit dem stellvertretenden Gottesopfer Abrahams identifiziert. „Ja, dicht vor seinem Ende versuchte er mit dem sonderbarsten Erfolge wie ein Widder zu blöken," – und das mythische Denken von ewiger Wiederkehr und Vergegenwärtigung auf den Punkt bringend heißt es weiter – „wobei gleichzeitig sein blutloses Gesicht eine erstaunliche Ähnlichkeit mit der Physiognomie dieses Tieres gewann – oder vielmehr es war so, daß man auf einmal dessen gewahr wurde, daß diese Ähnlichkeit immer bestanden hatte" (IV, 185 f.).[13]

Das mythische Bewußtsein

Die Figur Eliezer veranschaulicht, daß mythische Identität die Ausfüllung zeitloser Muster mit Gegenwart ist. Isaaks Selbststilisierung zum Widder fügt eine erste Ahnung des Bewußtseins um die mythische Gründung der Person hinzu, dessen Begriff nun mittels Josephs Verbringung in das ägyptische Gefängnis Zawi-Re präzisiert werden soll. Joseph antwortet auf die Frage des Gefängnisvorstehers Mai-Sachme, ob er Potiphars ehemaliger Hauswart sei, mit dem Satz „„Ich bin's‘" (V, 1308). Damit gibt er sich nicht nur als Potiphars Knecht zu erkennen, sondern er vergegenwärtigt sich zugleich in seinem mythischen Muster. „Seine Lage war die Wiederkehr einer schrecklich-altvertrauten" (V, 1293). „Er kannte seine Tränen. Gilgamesch hatte sie geweint, als er Ischtars Verlangen verschmäht und sie ihm ‚Weinen bereitet‘ hatte" (V, 1296), wie auch Mut-em-enet Joseph Weinen bereitet. Joseph hat also Kenntnis von der mythischen Gründung seines Lebens im Unterschied zu Mai-Sachme, denn was „unter dem ‚es‘ zu verstehen war in der [...] Formel ‚Ich bin's‘, das hätte er [Mai-Sachme] nicht zu sagen gewußt, *gelangte aber nicht einmal zur Wahrnehmung davon* [Hervorhebung T.D.], daß er es nicht zu sagen gewußt hätte" (V, 1328).

Eliezer, „der auf so kühne und freie Art ‚Ich‘ zu sagen wußte" (IV, 581), und Mai-Sachme sind daher Beispiele bruchloser Identität mit dem Typischen. Jaakob aber gleicht Joseph. *In der Höhle* tritt er auf als Mann „mythischer Bildung, der immer wußte, was ihm geschah, der in allem irdischen Wandel [...] sein Leben ans Göttliche knüpfte" und in dieser „Durchsichtigkeit des Seins" das „Grundbekenntnis" seines Lebens sah. (IV, 581) Das mythische Bewußtsein sorgt aber nicht nur für reflexive Entsprechungen in der Selbstdeutung der Charaktere, sondern besitzt handlungsleitende Qualität, wie an der Geschichte von Josephs Verkauf an die Midianiter einsichtig wird. Ruben erwägt den Mord am Bruder, doch er verwirft diese Möglichkeit: „Was hätte ich aber davon? Habel läge erschlagen, und ich wäre, der ich nicht sein will, Kaijn, den ich nicht verstehe.‘" (IV, 497) Weil er sich im mythischen Schema

---

[13] Auch in Manns Ägypten findet etwa in der Zeichnung von Josephs Ehefrau Asnath als Inbegriff der Jungfrau das mythische Schema Anwendung; vgl. V, 1512–1520.

von Kain und Abel vergegenwärtigt, tötet Ruben seinen Bruder nicht. Dasselbe Schema leitet auch Esau an. Die Geschichte vom Segensbetrug

beweist, daß es sich bei Segen und Fluch nur um Bestätigungen handelte, daß sein Charakter [...] von langer Hand her festgelegt und er sich ebendieser Charakterrolle von jeher vollkommen bewußt gewesen war. [...] Faßte man sein Verhältnis zu Jaakob gebildet auf – und das zu tun, war Esau [...] immer bereit gewesen –, so war es die Wiederkehr [...] des Verhältnisses von Kain zu Habel [...]. (IV, 135)

Recht besehen wird auch niemand betrogen, denn Esau wußte, daß alles „Geschehen ein Sicherfüllen" ist, das „zu geschehen gehabt hatte nach geprägtem Urbild" (IV, 201). Josephs Widersacher in Ägypten, der Zwerg Dudu, füllt zwar seine „Rolle des arglistigen Meldegängers" aus, aber „ohne seine Vorgänger und Nachfahren in ihr zu kennen" (V, 1108) – „dennoch aber mit jener Würde und Sicherheit, [...] die er [...] aus dem tieferen Bewußtsein schöpft, etwas Gegründet-Rechtmäßiges wieder vorzustellen und sich [...] musterhaft zu benehmen" (V, 1109). Weil er sich für den Erfinder seiner „Lebensrolle" (V, 1108) hält, ist Dudu der Hinweis darauf, daß sich die Täuschung der vermeintlichen Originalität auf „das Individuelle und Zeitliche" bezieht, hingegen, „wer der einzelne wesentlich, außer der Zeit, mythischer und typischerweise war, jeder ganz ausgezeichnet wußte" (IV, 201).

Das mythische Bewußtsein oder der jeweilige Grad des Wissens um das Geheimnis von der ewigen Wiederkehr ist daher dreigeteilt. Dudu hält sich für ein individuell-zeitliches Original und „weiß" doch außer der Zeit um seine mythische Prägung. Dies ist das mythische Bewußtsein auf seiner nicht-versprachlichten Ebene, dem sich auch Eliezer und Mai-Sachme zuordnen lassen. Das mythische Schema wird derart undeutlich gefühlt, daß es nicht selbstbezüglich im eigenen Lebensvollzug erkannt wird. Wie undeutliches Gefühl und außerzeitliches Wissen zusammengehen können, ist die offengelassene Frage. Esau hingegen befällt zwar „gelegentliche Unklarheit" (IV, 201) über seine Person, aber – anders als Dudu – kann er sich im Schema von Kain und Abel verorten und fügt sich in seine Rolle. Dies ist das mythische Bewußtsein in seiner schwankenden Form. Dagegen sind sich Isaak, Jaakob, Joseph und auch Ruben im Klaren um die mythischen Muster ihres Lebens und darauf bedacht, ihr Leben gemäß der „rollenden Sphäre" an himmlische Entsprechungen zu binden. Dies ist das stets präsente mythische Bewußtsein. Die Behauptung, im Gegensatz zu Joseph (und Jaakob) bewegten sich die anderen Figuren im bewußtlosen Wiederholungszwang ihrer mythischen Rollen, ist mit Rücksicht auf diese – nur einen Ausschnitt des Figurenspektrums betreffenden – Differenzierungen des mythischen Bewußtseins eine Unterschreitung der gedanklichen Präzision im *Joseph* selbst.[14]

Das „zitathafte Leben"

Wie die Weisen des mythischen Bewußtseins ist auch der Gedanke des zitathaften Lebens eine weitere Präzisierung mythischer Identität, der zugleich neues Licht auf die Unklarheiten des mythischen Bewußtseins wirft. In einem Brief an Jakob Horovitz schreibt Mann von seinem Vorhaben, die Romanfiguren jene Durchsichtigkeit des Seins selbst bewerkstelligen zu lassen: „Der babylonisch-ägyptisch gebildete Amurru-Knabe Josef weiß [...] von Gilgamesch, Tammuz, Usiri [...]. Eine [...] hochstaplerische Identifikation seines Ich mit dem dieser Helden ist unterstellbar." (Br I, 271)[15] Diese Hochstapelei wird im Kapitel *Wer Jaakob war* zur „Imitation oder Nachfolge", das heißt zu einer „Lebensauffassung" (IV, 127), die sich die Ausfüllung mythischer Schemata – und nur diese – zur Lebensaufgabe bestimmt. Man kann also nicht einfach sagen: *Ich* bin es, weil *man* es zwar *ist*, aber zugleich auch *nicht ist*, gerade weil man *es* ist, „weil das Allgemeine und die Form eine Abwandlung erfahren, wenn sie sich im Besonderen erfüllen" (V, 1421).

Dies ist eine entscheidende Akzentuierung mythischer Identität. Der im Mythos lebende Mensch ist nicht bloß die Erfüllung eines mythischen Schemas, er ist sich dessen auch nicht einfach nur bewußt, sondern das „Ich bin's" verbindet den Aspekt des Mythos als reflexiver Selbstdeutung mit demjenigen der persönlichen Handlungsanleitung. „Hochstaplerische Identifikation" ist die aktive Erfüllung mythischer Rollen: „Das zitathafte Leben, das Leben im

---

[14] Siehe Hans Wysling: „Mythus und Psychologie" bei Thomas Mann, in: ders.: Dokumente und Untersuchungen. Beiträge zur Thomas-Mann-Forschung, Bern/München: Francke 1974 (= TMS III), S. 167–180, 176, der wie Käte Hamburger: Der Humor bei Thomas Mann. Zum Joseph-Roman, München: Nymphenburger 1965, S. 69–88; Schulz, Identitätsfindung, S. 25, 73–96; Werner Wienand: Größe und Gnade. Grundlagen und Entfaltung des Gnadenbegriffes bei Thomas Mann, Würzburg: Königshausen & Neumann 2001 (= Studien zur Literatur- und Kulturgeschichte, Bd. 15), S. 251–268 und Hans Wißkirchen: Hauptsache Unterhaltung! Thomas Manns Joseph-Roman als „Fest der Erzählung", in: Lebenszauber und Todesmusik. Zum Spätwerk Thomas Manns. Die Davoser Literaturtage 2002, hrsg. von Thomas Sprecher, Frankfurt/Main: Klostermann 2004 (= TMS XXIX), S. 35–50, das mythische Bewußtsein auf das stets präsente mythische Bewußtsein und Joseph allein beschränkt; vgl. die Ausnahme Eckhard Heftrich: Über Thomas Mann, Frankfurt/Main: Klostermann 1993, Bd. 3: Geträumte Taten. „Joseph und seine Brüder" (= Das Abendland, N.F., Bd. 21), S. 365–369.
[15] Vgl. zum Folgenden Berger, Mythologische Motive, S. 58–64; Dierks, Studien, S. 197–107; Heftrich, Geträumte Taten, S. 121–125; McDonald, Joseph, S. 43–89, 218–260; Schulz, Identitätsfindung, S. 341–353.

Mythus, ist eine Art von Zelebration; insofern es Vergegenwärtigung ist, wird es zur feierlichen Handlung, zum Vollzuge eines Vorgeschriebenen durch einen Zelebranten" (IX, 497).[16] Diese Verbindung des Formelhaften mit der subjektiven Aneignung besteht im Eingang des mythischen Aspektes in das handelnde Ich, das sich seiner Gebundenheit an den Typus bewußt ist, seine irdische Rolle freudig und stolz inszeniert und seine Würde aus dem Wissen bezieht, einen Typus zur Aufführung zu bringen. Diese Subjektivierung des Mythos ist Grundlage des zitathaften Lebens. Sie verbindet das selbstbewußt zitierend-zelebrierende Ich mit den ewigen Musterbildern aus den Brunnentiefen der Vergangenheit. Sie begegnet im *Joseph* als Fest, Imitation oder Nachfolge. Eine gewisse Leichtigkeit dieser Subjektivierung des Mythos klingt schon in einem Vortrag Manns über *Kleists ,Amphitryon'* an, den er am 10. Oktober 1927 während der Arbeit an den *Geschichten Jaakobs* hielt:

Amphitryon wird erfahren, daß alles Ich [...] dem Weltgeist angehört, aus dem es kommt und in den es geht; daß wir gut tun, auf unsere Individuation [...] nicht allzu ,aristokratisch' zu pochen und uns nicht allzu schwer zu nehmen [...]. (IX, 220)

Entsprechend nimmt Joseph eine amphitrysche Entwicklung vom anmaßenden Wichtigtuer zur Seinssicherheit des mythischen Menschen, der den Lauf der Dinge – das Geheimnis von der ewigen Wiederkehr – durchschaut und sich zu eigen gemacht hat.

Hatte Mann in *Freud und die Zukunft* von der „mythischen Kunstoptik auf das Leben" gesprochen, „worin mythische Charaktermarionetten eine [...] feststehende [...] ,Handlung' [...] vollziehen" (IX, 497 f.), so macht die Ausfüllung der mythischen Rolle im „Gehorsam gegen das Schema" (IV, 135) zwar den Anschluß an Schopenhauers Gedanken der Vorbestimmung allen Lebens offensichtlich, aber dies geschieht dank „mythischer Bildung" (ebd.). Der im Mythos lebende Mensch ist nämlich ein Anti-Schopenhauerianer, insofern er nicht bloßer Erfüllungsgehilfe ist, sondern im „Tempeltheater" (V, 1252) seines Lebens Regie führt. Er kann das mythische Los nicht wenden, aber doch die „Einzelheiten des Festes" (V, 1621) bestimmen. Der mythische Mensch ist daher ein Rollen*spieler*. „Würde und Spielsicherheit" (IX, 494) kommen ihm aus seiner Vergegenwärtigung eines Typischen zu und stehen quer zu

---

[16] Der Freud-Schüler Ernst Kris hatte im Zuge seiner Beschäftigung mit Künstlerbiographien für das Problem der Vermittlung von Wissenslücken durch feststehende Formeln der Biographik mit dem nur fragmentarisch bekannten Leben des Künstlers vom Phänomen der gelebten Vita gesprochen und dieses im *Joseph* wiedergefunden, was Mann wiederum aufnahm (IX, 492); vgl. Ernst Kris: Zur Psychologie älterer Biographik, in: Imago, Bd. 21, H. 3 (1935), S. 320–344, 341. Es liegt keine Freud/Kris-Übernahme Manns vor, wie Berger, Mythologische Motive, S. 58–61, behauptet; siehe dazu DüD II, 182, 348.

aller Lebensverneinung. Die mythischen Charaktermarionetten inbegriffen in einer unabänderlichen Geschichte als Aufnahme Schopenhauerschen Pessimismus konterkariert Mann also mit dem lebensbejahenden Zug des Rollenspielers, der nur mit Nietzsches Forderung der „wonnevollen Verzückung" zu verstehen ist, die der mythische Mensch als individuellen Stempel seinem Schema aufdrückt.[17] Die lebensfrohe Ausfüllung der Charakterrolle macht aus dem Schrecken des Determinismus einen „Lebensanreiz" (XII, 570). Daß Joseph ein Rollenspieler *par excellence* ist, ist leicht einzusehen. Er sieht sich als Tammuz, Adonis oder Osiris, die alle sterben und auferstehen, so wie er nach zweimaliger Fahrt in die Grube wieder erhöht wird. Im Nachweis dieser Mythologeme Josephs bleibt vorerst zu beachten, daß der zitathafte Mensch seine Rolle nur variieren, also seiner mythischen Bestimmung nicht entgehen kann, auch wenn er mit dem Mythos spielt. Darin liegt beschlossen, daß der mythische Lebensvollzug nicht notwendig in der typischen Vorbestimmung aufgeht, sondern in Joseph und anderen von jener spielerischen Virtuosität geprägt sein kann, die Inbegriff der „humoristischen Realisierung des Mythischen" (BrAu, 86) bei Mann ist.[18]

Im Adonishain führt Mann ein erstes Identifkationsmuster Josephs vor. In der Vermischung von Tammuz- und Adoniserzählungen wird erzählt von Tammuz' Abstieg in den Abgrund, seiner Auferstehung nach drei Tagen und späterer Verherrlichung. Joseph kennt sein Schicksal so genau, daß er in der Nacherzählung von Tammuz' Geschichte seinem Bruder Benjamin exakt die Worte anzugeben weiß, die Jahre später Serach, Aschers Tochter, Jaakob zusingen wird, um ihm Josephs Auferstehung aus der Grube anzuzeigen. Es sind feststehende Worte zur Kennzeichnung seiner Bestimmung. Schon der *Adonishain* entwirft dem Leser eine mythologische Kurzfassung von Josephs Geschichte von der Grube (Unterwelt), dem Verkauf an die Midianiter und Potiphars Haus in Ägypten (Land der Unterwelt – Scheol), von Potiphars Weib, der zweiten Grube (Gefängnis), der Traumdeutung vor Pharao und seinem Aufstieg zum Verwalter Ägyptens (Auferstehung – Erhöhung) (vgl. IV, 449–454; V, 1713–1717).[19]

Ein zweiter Aspekt der mythischen Stilisierung Josephs ist seine eigene Namensgebung bei der Ankunft in Scheol, denn er war es gewohnt, „Ägypten als Unterweltsland und seine Bewohner als Scheolsleute zu betrachten" (IV, 685). Daß er sich nach Osiris – in der ägyptischen Vorstellung der

---

[17] Siehe Schneider, Lebensfreundlichkeit, S. 146ff.; Dierks, Studien, S. 105ff.

[18] Zur Zusammengehörigkeit von spielerischer Variation und mythischer Gründung siehe Br I, 261 (an Erika Mann), 262 (an Ernst Bertram); TMS XX, 32.

[19] Siehe zu Josephs Mythologemen Berger, Mythologische Motive, S. 106–145, 214–221, bes. 113–117.

Herrscher des Westens, des Reiches der Toten – den „Totennamen" (IV, 693) Osarsiph gibt, zeigt sein neues unterweltliches Selbstverständnis an. Die „drei schwarzen Tage" (IV, 668) im Brunnen haben den Entschluß reifen lassen, sich seiner Bestimmung würdig zu erweisen. Mit einer bezeichnenden Begründung verwirft er alle Fluchtgedanken. Er weiß, „daß es ein täppischer Mißgriff gewesen wäre, Gottes Pläne durch Ausreißen stören zu wollen", und „daß er nicht umsonst hinweggerafft worden war, daß vielmehr der Planende [...] es zukünftig vorhabe mit ihm auf eine oder die andere Weise; und wider diesen Stachel zu löcken, [...] wäre Sünde und großer Fehler gewesen" (IV, 697). Sich wie Osarsiph zu verhalten, umgehe nicht nur dümmliche Sünde, sondern bewahre auch vor den Unwägbarkeiten einer Flucht. So schickt sich alles zum Besten für Joseph, nämlich Gottes Plan zufolge Osarsiph zu sein und auf das Folgende fromm zu warten. Diese ausgezeichnet-mythische und pragmatisch-humorvolle Begründung für sein Verhalten ist im Kern der spielerische Umgang mit dem Mythos. Wenn Joseph auf die Frage des Midianiters, wie er heiße, „Usarsiph" (IV, 693) antwortet, ist das daher eine weitere Art, spielerisch und zitierend „Ich bin's" zu sagen. Der Midianiter ist nicht mehr als „Heket, die Große Hebamme", der Geburtshelfer in Gottes Plan zur Erhöhung Josephs, den dieser sich zu eigen gemacht hat: „Geht man denn schon gen Westen, muß man zumindest der *Erste* werden der Dortigen." (IV, 690) Wichtig ist dieser tätige Beitrag zur Erfüllung der mythischen Bestimmung. Daß Joseph nach Westen gehen muß, liegt außerhalb seiner Macht. Jedoch der Erste im Westen zu werden, ist sein Entschluß. Er hilft der Erfüllung des Schemas nach. Nur so erschließt sich sein Verhalten vor dem Pharao. Er stößt Echnaton mit der Nase auf die Notwendigkeit, einen obersten Verwalter einzustellen, und seine Bemerkungen zielen darauf ab, daß er selbst Erster im Westen wird. Pharaomutter Teje durchschaut ihn: „Du hast's darauf angelegt und dich ihm untergeschoben vom ersten Worte an!" (V, 1471) und faßt damit sein Vorhaben für die Audienz zusammen: „Was es aber galt, das war, dem Herrn behilflich zu sein bei seinen Plänen und sie nicht linkisch zu durchkreuzen, was [...] eine Schimpfierung des Weltganges aus Mangel an Glauben" (V, 1405) gewesen wäre.

Das zitathafte Leben kommt im *Joseph* nicht nur der Hauptfigur zu. Wie beim mythischen Bewußtsein gibt es verschiedene Weisen des Mythenspiels. Joseph ist im zitathaften Lebensvollzug unbefangen und bisweilen respektlos gegen religiöse oder althergebrachte Vorstellungen, die sein traditionsbewußter und frommer Vater niemals anzutasten gewagt hätte. Auch Esau ist ein Mythenspieler, „einer, der nicht nur der Held seiner Geschichten, sondern ihr Regisseur" ist. (XI, 666)[20] „[S]ogar Esau, der Tölpel, wußte [...], welche Bewandtnis es mit ihm hatte" (IV, 194) in der Geschichte vom Segensbetrug. Auch die Eltern ersinnen Begründungen, weshalb Jaakob der Segensträger sein muß. Für Rebekka hat sich Esau im Mutterleib unstatthaft vorgedrängelt. Die elterliche Übereinkunft, daß er den Esau und sie den Jaakob liebe, kaschiert nur dürftig, „daß Esau's [...] ertrotzter Lebensvorsprung von den Eltern niemals als ausschlaggebend verstanden worden" (IV, 197) war. Dieses Einvernehmen ist zwar nur „ein kleiner Mythus innerhalb eines viel größeren und mächtigeren, widersprechend aber in dem Grade diesem größeren und mächtigeren, daß – Jizchak darüber erblindete" (IV, 198). Isaaks „Neigung zum Bindehautkatarrh" (IV, 199) ist seine Weise des Mythenspiels. So hilft er der Vergegenwärtigung des Segensbetruges, den er selbst mit seinem Bruder Ismael erlebte, auf die Sprünge. Seine Blindheit ist seine mythische Rechtfertigung vor Esau. Er erblindet, „weil er sich wohler in einem Dunkel fühlt, worin gewisse Dinge geschehen können, *die zu geschehen haben*" (IV, 199).[21]

Und wie sich Isaak mit Blindheit schlägt, ist auch Esau von feierlich-festlichem Leid erfüllt, als ihn sein Vater ruft. „[S]o stand Esau wie angewurzelt [...]. In seiner Seele aber dachte er: ‚Jetzt geht es an!'" (IV, 201 f.) Er inszeniert seine Demütigung derart gewissenhaft und gehorsam gegen das Schema, daß seine Worte zwischen tragischer Größe und bemitleidenswerter Tölpelei schwanken: „‚Esau's Stunde ist da. Segnen will der Herr seinen Sohn noch heute! [...] Fallet nieder!'" (IV, 203 f.) Er handelt auf diese Weise, „weil es eben so in seiner Charakterrolle lag, und [er] wußte fromm und genau, daß alles Geschehen ein Sicherfüllen ist" (IV, 201). Das „Jetzt geht es an" ist seine Art, „Ich bin's" zu sagen. Er zitiert seinen Onkel Ismael. Dann aber heißt es zu seiner prahlerischen Rückkehr von der Jagd: „[V]on dem, was unterdessen sich

---

[20] Aus dem Unverständnis für die Vielschichtigkeit des mythischen Bewußtseins folgt bei einigen Autoren die Beschränkung des zitathaften Lebens auf Joseph. Allein der Blick auf Isaak, Jaakob und Esau widerlegt das; vgl. die in Anm. 15 genannten Autoren; Christian Hülshörster: Thomas Mann und Oskar Goldbergs „Wirklichkeit der Hebräer", Frankfurt/Main: Klostermann 1999 (= TMS XXI), S. 178 f.; Wienand, Größe, S. 251–255; dagegen Dirk Wolters: Zwischen Metaphysik und Politik. Thomas Manns Roman „Joseph und seine Brüder" in seiner Zeit, Tübingen: Niemeyer 1998 (= Studien zur deutschen Literatur, Bd. 147), S. 152–158; Manfred Dierks: Thomas Mann und die Mythologie, in: TM Hb, S. 301–306.

[21] Weil ihm die Bindung der Identität an den Mythos, hier an die Dinge, die zu geschehen haben, entgeht, bezichtigt Wienand Isaak und Joseph der Entmoralisierung des Handelns. So wird Isaak ein Betrüger, Joseph ein verantwortungsloser Narzißt. Damit ist die identitätstheoretische Dimension des zitathaften Lebens mißverstanden und in den Thesen der Entmoralisierung und des Glaubensverlustes wegen des Mythos die Quellengrundlage verlassen. Erstens ist das zitathafte Leben eine untrennbare Verbindung von feststehender Rolle und zitierendem Ich. Entsprechend ist Joseph überzeugt, daß es ein göttliches Bewenden mit ihm hat, aus dem sich zweitens ethische Handlungsmotive für sein Wirken als Verwalter des Pharaos ergeben (V, 1405, 1471); vgl. Wienand, Größe, S. 251–274, bes. 269.

zugetragen, wußte er schlechterdings nichts, denn so weit war die Geschichte für ihn nicht vorgerückt." (IV, 211) Dieses Nichtwissen scheint Bedingung für die getreuliche Erfüllung des Segensbetruges zu sein und wird wie folgt erklärt: „[D]ie Geschichten sind nicht auf einmal da, sie geschehen Punkt für Punkt, sie haben ihre Entwicklungsabschnitte" (IV, 203). Das schwankende mythische Bewußtsein umfaßt daher ein frommes mythisches Wissen außer der Zeit und einen weltlichen Irrtum in der Zeit über den Gehalt dieses mythischen Wissens in ein und derselben Person. Gelegentliche Unklarheit (siehe IV, 201) ist der Begriff des *Joseph* für dieses Phänomen.[22]

Zum zitathaften Leben im *Joseph* gehört schließlich der Erzähler. In der *Höllenfahrt* begegnet er uns als Mythensachkundiger, im *Urgeblök* als Geschichtstheoretiker, in den *Süßen Billets* als Sprachwissenschaftler und in *Der Berührten* als Psychologe. Um keine – auch parteiische – Stellungnahme verlegen, ist er Teil des Geschehens. Der *Joseph* selbst ist „festliche Wiederholung und Nacherzählung, sozusagen Tempeltheater" (V, 1252). „Die Erörterung gehört hier zum Spiel, sie ist eigentlich nicht die Rede des Autors, sondern die des Werkes selbst" (XI, 656). Dazu steuert die *Höllenfahrt* das erzählerische Motto bei: „Fest der Erzählung, du bist des Lebensgeheimnisses Feierkleid, denn du stellst Zeitlosigkeit her für des Volkes Sinne und beschwörst den Mythus, daß er sich abspiele in genauer Gegenwart!" (IV, 54) Die rollende Sphäre ist daher das Konstruktionsprinzip nicht nur der Figuren, sondern von Manns gesamter Nacherzählung der Josephsgeschichte, woraus in besonderer Weise ihr zeitdiagnostischer Anspruch erhellt.

II. Mythische Würde

Die Gründung in der mythischen Vorgabe und das Sich-Erkennen in einer Rolle verleihen dem Lebensvollzug eine grundlegende Sicherheit. Mann bindet das Mythische an das Typische, weil dem Menschen „am Wiedererkennen" von Wohlbekanntem gelegen ist. Auf solchen Gefühlen des Zuhause-Seins beruhe alle „Traulichkeit des Lebens" (IX, 492). Gäbe es diese Geborgenheit nicht, wäre der Mensch einem unablässig als bedrohliche Neuheit und verwirrende Fremdheit auftretenden Leben ausgeliefert. Die mythischen Identifikationen bieten Orientierung über das Selbst, die Mitmenschen und die Lebenswelt als Ganze und sind Anleitung jeweiligen Weltverständnisses und

---

[22] Weil im schwankenden mythischen Bewußtsein das Geheimnis von der ewigen Wiederkehr zeitweise durchschaut ist, spielt Esau gerade nicht „in einem Akt unbewußter Nachfolge" den Urbock der Ziegenleute, das Schema des Betrogenen, wie Hülshörster, Mann, S. 179, behauptet.

Handlungsmotivation. Diese Lebenssicherheit hat nicht in „vermeintliche[r] Erstmaligkeit" ihre Ursache, sondern in „dem tieferen Bewußtsein [...], etwas Gegründet-Rechtmäßiges wieder vorzustellen" (V, 1109). Der mythische Mensch ist der Last restloser Selbstgründung enthoben, weil der Mythos an die Stelle eines gänzlich selbstverantworteten Lebensentwurfes tritt. Er befreit die in ihm Lebenden von der Anstrengung, auf alle Geschehnisse eine Antwort haben zu müssen. Denn durch sein Sein in der unendlichen Identitätsperspektive eines Typus wird dem mythischen Menschen „sein Selbstbewußtsein, seine Rechtfertigung und seine Weihe" (IX, 496) verliehen, so daß er den Unwägbarkeiten des Lebens nicht auf eigene Hand gegenübertreten muß, sondern in seinen Vorgängern und Nachfolgern Rückhalt findet. Diese Würde des mythischen Lebens ist unteilbar und unabhängig vom Grad des mythischen Bewußtseins. Die Geschichte vom Segensbetrug mag aus Esau einen „Tölpel" (IV, 194) machen. Die Zeichnung des „Würdebold[es]" (V, 942) Dudu mag ihn als „überheblichen Ehezwerg" (V, 943) erscheinen lassen, der sich aus lauter „Ehrpußlichkeit" (IV, 805) mit einer „Vollwüchsigen" (IV, 788) beweibt und dessen „Beschlagenheit auf zeugerischem Gebiet" (V, 1069) verhöhnt wird. Wir verfolgen die Verwandlung Mut-em-enets, bis sie schließlich „benommen und hochverdummt im Kopfe" (ebd.) „das Wort der Verkennung" (V, 1164) an Joseph richtet. Doch sind Tragik und Lächerlichkeit nicht das letzte Wort, denn

Geschichten kläglichen Ausgangs haben auch ihre Ehrenstunden und -stadien, und es ist recht, daß diese nicht vom Ende gesehen werden, sondern in ihrem eigenen Licht; denn ihre Gegenwart steht an Kraft nicht im mindestens nach der Gegenwart des Endes. (IV, 203)

Und so versäumt der *Joseph* nicht, allen seinen Figuren Gerechtigkeit widerfahren zu lassen, indem er die jeweilige Vergegenwärtigung eines Urbildes in Annäherung an die unerreichte Genauigkeit des Lebens selbst zu schildern versucht. „Kommt nicht der Erörterung des ‚Wie' soviel Lebenswürde und -wichtigkeit zu wie der Überlieferung des ‚Daß'? Ja, erfüllt sich das Leben nicht recht erst im ‚Wie'?" (V, 1005) Das Leben selbst bleibt uneinholbar, aber der Erzähler kann dem Wie des Lebens, das heißt der aller Vergegenwärtigung innewohnenden Würde „treulicher dien[en], als der Lapidargeist des Daß zu tun sich herbeiließ[e]" (ebd.).[23]
    Manns Plädoyer für das seine eigene Achtung und Würde einfordernde

---

[23] Die eindrücklichste Umsetzung dieser Überzeugung ist der rund 180 Seiten lange Protest (V, 1004–1180) gegen das „Unrecht" der „abkürzenden Kargheit" und der „Abstutzung [...] der Wahrheit" (V, 1004), das der biblische Bericht Potiphars Weib zufügt, vgl. Gen. 39, 7.

Leben im mythischen Muster, auch angesichts kläglicher Geschichten, leitet über zur Absage der mythischen Welterfahrung an ihren teilweisen Stichwortgeber Schopenhauer. Denn aus der Vergänglichkeit und zeitweiligen Kläglichkeit des Lebens folgt keineswegs der Pessimismus. Mut-em-enet hält dem sich ihr mit dem Hinweis auf seine Vergänglichkeit verweigernden Joseph entgegen, daß gerade die Flüchtigkeit des Körpers für das „Herz und Gemüt" der Menschen ein Grund seiner Bewunderung sein muß, weil sich in die Achtung „der schönen Lebensgestalt" eine „Rührung" mischt, die gänzlich von derjenigen für die „Dauerschönheit der Bilder" unterschieden ist (V, 1130f.). Potiphars Weib wendet sich an das allen Menschen Gemeinsame, das in der Vergänglichkeit aufscheint, und will sie als Grund eines jeden anrührenden und zukommenden Gefühls der Mit-Menschlichkeit verstanden wissen. „[S]ie ist die Seele des Seins, ist das, was allem Leben Wert, Würde und Interesse verleiht" (X, 383). In der Figur Josephs zeigt Mann, daß solche Sympathie mit dem Menschlichen neben der Rührung auch eine ethische Qualität besitzt. Denn sein Entschluß, der Erste im Westen zu werden, hilft zwar dem Mythos auf die Sprünge, verdankt sich aber auch seiner in den „drei schwarzen Tage[n]" gereiften „Einsicht in die tödliche Fehlerhaftigkeit seines bisherigen Lebens" und seinem „Verzicht auf die Rückkehr in dieses Leben" (IV, 668f.; vgl. V, 1589). Diese Doppelung der Beweggründe von der Nachhilfe für die mythische Geschichte und der ethischen Motivation bestimmt im Gespräch mit Pharaomutter Teje Josephs Wunsch zu helfen und zu dienen (vgl. V, 1471).

Schließlich ist der mythische Mensch auch derjenigen beständigen Sorge enthoben, die neben Entwurf und Rechtfertigung auch die Zukunft betrifft. Denn das Schema läßt das Wie und das Wann offen, nicht aber das Was. Es ist nicht Gegenstand des Bangens. Als die Brüder nach Ägypten kommen, sieht Joseph seinen Lebenstraum, das Nachkommenlassen seiner Familie, vor der Erfüllung. Aber ohne Benjamin kann er die „Gotteshandlung" nicht befördern. Also nimmt er sich Zeit „für solche Gottesgeschichte und [...] ihre sorgfältige Ausschmückung! Und wenn's ein ganzes Jahr dauert, bis sie mit Benjamin kommen [...]. Was ist denn ein Jahr vor dieser Geschichte!" (V, 1622) Weil er den Gang der Geschichte kennt, kann er geduldig warten, denn „seine Erwartung war Zuversicht, [...] denn jenes Glaubens, [...] daß nämlich Gott es heiter, liebevoll und bedeutend meinte mit ihm, war er gewiß" (V, 1405). In dieser Freiheit von der Sorge um das Was gehen auch Jaakob und Rahel ihre siebenjährige Wartezeit an. „Du und ich," versichert Jaakob Rahel, „wir warten nicht ins Leere und Ungewisse, sondern wir kennen unsere Stunde, und unsere Stunde kennt uns, und sie kommt auf uns zu." (IV, 278) Solche besonnene Zukunftsgewißheit bringt Joseph auf den Punkt:

Diese Gottesgeschichte stand still eine Weile, und wir hatten zu warten. Aber Geschehen ist immerfort, auch wenn keine Geschichte zu sein scheint [...]. Man muß sich nur gleichmütig der Zeit anvertrauen [...], denn sie zeitigt es schon und bringt alles heran. (V, 1645)

Auf die antifaschistische Note seiner Vermittlung von Mythos und Humanität im *Joseph* hat Mann selbst hingewiesen: „Der Mythos wurde in diesem Buch dem Faschismus aus den Händen genommen und bis in den letzten Winkel der Sprache hinein *humanisiert*" (XI, 658). Mythos ließe sich so begreifen nicht als blinde Verstrickung in irrationale Bindungen, sondern als Selbstaufklärung der Vernunft durch ihre mythische Tradition. Eine zuweilen verfochtene Engführung auf diesen Aspekt nimmt dem *Joseph* ohne Not viel von seiner Kraft. Denn auf dem Grunde seines Einspruches gegen den vernunft- und zivilisationsfeindlichen Zeitgeist findet sich die Vorstellung eines menschlichen Selbstverständnisses, das über diese zeitgebundene Frontstellung hinausweist. Die Gesamtheit aus mythischer Sicherheit in den Bahnen des Schemas, aus der Befreiung vom dauernden Zwang zur Rechtfertigung, aus Mitmenschlichkeit und geduldiger Zukunftsgewißheit macht den Begriff mythischer Würde im *Joseph* aus, den Mann in das aufschließende Wort von der „Durchsichtigkeit des Seins" (IV, 581) faßt.

III. Mythische Freiheit

Viele Figuren aus Manns Spätwerk gehen in Spuren. Adrian Leverkühn etwa lebt im Bewußtsein, daß er Fausts Höllenfahrt wiederholt. Joseph deutet sich unter anderem als Tammuz. Beide vergegenwärtigen sich als Wiederkehr eines Musters, aber sie nehmen sich dabei „die Freiheit zur Variation."[24] Joseph macht es zu seiner Lebensaufgabe, „ein mythisches Schema, das von den Vätern gegründet wurde, mit Gegenwart auszufüllen und wieder Fleisch werden zu lassen" (IV, 127). Sein Leben spielt auf diese Richtschnur an. Sein „Ich bin's" läßt sich als Freiheit verstehen, weil er sich damit das bindende Muster aneignet. Er sagt „ich" und schafft damit eine Instanz, die das Ausagieren des Mythos bestimmt. Sogar am Tiefpunkt seines Lebens, der Ankunft in der Unterwelt der Unterwelt, im Gefängnis Zawi-Rê des Totenlandes Scheol, ist diese Freiheit greifbar. Denn die Welt ist nicht einfach die Welt, „sondern eben *seine* Welt und dadurch einer Modelung zum Guten und Freundlichen" unterlegen. „[W]oran aber Joseph glaubte, war ihre Bildsam-

---

[24] Wysling, Schopenauer-Leser, S. 82.

keit durch das Persönliche, das Übergewicht der Einzelbestimmung über die allgemein bestimmende Macht der Umstände" (V, 1307). Das Daß steht fest. Das Wie jedoch ist beeinflußbar. Bildsamkeit benennt den Raum der Freiheit und den Ort der vom Schema nicht verfügten Einzigartigkeit des Menschen. Das Zitat bleibt an das gebunden, was es zitiert, aber der Zitierende gewinnt dem Zitierten mit der Setzung in einen neuen Zusammenhang einen zuvor unbekannten Sinn ab. In dieser Eigenschaft des Zitats liegt das Moment freiheitlichen Handelns des mythischen Menschen. Der Mythos gibt den Lebensentwurf vor, aber nicht die Art und Weise des Lebensvollzuges. In der Formel „Ich bin's" hat wie das „es" auch das „Ich" seine unveräußerliche Bedeutung, „weil das Allgemeine und die Form eine Abwandlung erfahren, wenn sie sich im Besonderen erfüllen" (V, 1421). Sprechend und humorvoll findet sich die Modelung der Umstände im Gespräch zwischen Joseph und Potiphars Schreiber Cha'ma't auf der Fahrt nach Zawi-Rê. „Wie hast du dich in die Asche gebracht'" (V, 1298), meint der Ägypter. „„Du [...] kannst [...] froh sein, daß man dich nicht [...] in Leichenfarbe versetzt hat [...]'" (V, 1299). Doch Joseph erklärt:

,Peteprê's Sklave war ich [...]. Nun bin ich Pharao's Sklave [...]. Da bin ich doch mehr worden als ich war [...]. Aber ist denn das Hinabgehen ohne Ehre und Feierlichkeit, und kommt dir dies Ochsenboot nicht vor wie Usirs Barke, wenn er niederfährt, den Unteren Schafstall zu erleuchten [...]?' (V, 1300f.)

Verärgert tadelt der Schreiber: „„Du entblödest dich nicht [...] und vergleichst diesen Kahn, der doch der Kahn deiner Schande ist, mit Usirs Abendbarke [...].'" (V, 1301) Aber Joseph beharrt auf der Würde seines Hinabgehens: „„Bedienen mußt du mich wie nie zuvor [...]. Wir haben da die alte Frage, wer größer und wichtiger ist: der zu Bewachende oder der Wächter. Ohne Zweifel ist es doch jener.'" (V, 1303)

Das bevorzugte Instrument solchen freiheitlich-bildsamen Wandelns in Spuren „aber war ihm die Anspielung, und wenn es anspielungsreich zuging in seinem aufmerksam überwachten Leben und die Umstände sich durchsichtig erwiesen für höhere Stimmigkeit, so war er schon glücklich" (V, 1293). In der anspielenden Herstellung mythischer Entsprechungen weint Joseph zwar die Tränen Gilgameschs, die Mut-em-enet-Jschtar ihm bereitet hat (vgl. V, 1296). Aber die vertrauten Tränen sind ihm Gewährsmänner seiner Freiheit, eines tröstlichen Glückes und einer Fähigkeit, mit dem, was das mythische Schema für ihn bereithält, seinen Frieden zu machen. Es bleibt ihm nicht erspart, das Tal der Tränen zu durchwandern – fern aller Selbstmächtigkeit ist der mythische Grund des Lebens unveränderlich –, doch in der bildsamen Anspielung, in der Verbindung von tröstlichem Glück und Einvernehmen mit dem Muster taucht der Gehalt mythischer Freiheit auf, die eine Einheit mit mythischer Identität und Würde bildet.

In Manns Begriffen der Freiheit, des Glückes und des persönlichen Friedens klingen philosophische Themen an, die ihren Zusammenhang in der ehrwürdigen Frage nach dem gelingenden Leben haben. Die Freiheit des Zitates und die Einfügung in das Muster können als Überlegungen zu nicht-individuellen, aber zugleich glücksverdächtigen Lebensmustern gelten, die gleichwohl „die unhintergehbare Individualität von Menschen" nicht aufgeben.[25] Robert Musil hat von der Bildsamkeit des Menschen durch Militär und Technik gesprochen, wollte aber ähnlich der mythischen Freiheit auf den „ungeheure[n] Optimismus" im Gedanken der Bildsamkeit hinweisen: „Denn hängen wir mit unsrem Sein nicht an der Spule irgendwelcher Schicksalspopanze, sondern sind bloß mit einer Unzahl kleiner, wirr untereinander verknüpfter Gewichte behangen, so können wir selbst den Ausschlag geben. Und dieses Gefühl ist uns verloren gegangen."[26] Die Gewichte ließen sich als die Bahnen des mythischen Musters verstehen, denen wir uns nicht fatalistisch zu ergeben haben, sondern die wir in spielerischer Zitation, in Wahrnehmung unserer Freiheit und im Sinne eines gelingenden Lebens in ein je eigenes Gleichgewicht bringen können. Die Herstellung solcher Balance hat Ludwig Wittgenstein als die Aufgabe beschrieben, mit der Welt in Übereinstimmung zu leben – eine Aufgabe, die sowohl die negative Dimension der Hinnahme des Gegebenen kennt als auch die positive Dimension des Mit-sich-im-Reinen-Seins zu würdigen weiß. Die Scheidelinie zwischen Wittgenstein und Mann liegt jedoch dort, wo Wittgenstein diese Balance mit dem Glücksversprechen verbindet, alles Problematische ließe sich dadurch auslöschen. Solche Haltung tendiert zu einer Einordnung in die Umstände, die sich einer ästhetischen Selbstaufgabe oder „unangefochtener Selbstgenügsamkeit" annähert.[27] Das hat wenig mit dem Mannschen Ort der Freiheit, der bildsamen Anspielung gemein, weil in der Betonung des spielerischen Zitates nicht nur das Moment individueller Freiheit liegt, sondern zugleich ein dem Leben in entlastender Zukunftsgewißheit zugewandter Frohsinn inbegriffen ist. Joseph spielt mit dem Mythos nicht um des Spielerischen selbst willen, sondern weil in die-

---

[25] Dieter Thomä: Vom Glück in der Moderne, Frankfurt/Main: Suhrkamp 2003, S. 54; vgl. zum Folgenden ebd., S. 71–87.
[26] Robert Musil: Das hilflose Europa oder Reise vom Hundertsten ins Tausendste (1922), in: ders.: Essays und Reden, hrsg. von Adolf Frisé, Reinbek bei Hamburg: Rowohlt 1978 (= Gesammelte Werke, Bd. 2), S. 1075–1094, 1082.
[27] So Thomä, Glück, S. 85, gegen Ludwig Wittgenstein: Tagebücher 1914–1916, Frankfurt/Main: Suhrkamp 1989 (= Werkausgabe, Bd. 1), S. 169.

sem fröhlichen Umgang mit dem Unverfügbaren auch eine Befreiung zum gegenwärtigen Leben in der Welt und am Mitmenschen orientierten Handeln liegt. Davon legt *Joseph in Ägypten* mit seinen Erzählungen über das Wirken Josephs als Verwalter des Pharaos beredtes Zeugnis ab.

IV. Thamar oder „eine tolle Person"

Am Originalitätsdünkel Dudus, am Persönlichkeitsdurchblick Eliezers und an Esaus gelegentlichen Irrtümern über sich selbst hat sich die Frage gestellt, wie frommes Wissen außer der Zeit mit einem zeitlich-weltlichen Irrtum über den Gegenstand desselben Wissens, nämlich über die eigene Rolle, zusammengehen kann. An der Konzeption mythischer Identität im *Joseph* ist jedoch vorerst weniger diese epistemologische Schwierigkeit von Bedeutung, sondern zunächst verleiht erneut seine Auffassung mythischer Freiheit weiteren Aufschluß. Ein Stolperstein gerät ihr gerade dort in den Weg, wo aus dem Schema ein Determinismus zu folgen scheint. Wenn alles Leben Wiederkehr des Ewigen und daher für alle Zeiten Festgelegten ist, wie ist dann Freiheit noch denkbar? Mit der Antwort auf diese Frage steht und fällt der Gedanke des zitathaften Lebens, der Manns Konterpart zu Schopenhauers Überhöhung des Determinismus abgeben sollte und ohne die spielerische Abwandlung des Musters viel von seiner Überzeugungskraft verlöre. Es hilft nicht weiter, die Freiheit zur Variation als Überschritt von Schopenhauerschem Determinismus zu Nietzsches Wiederkehr identischer Fälle zu deuten. Schopenhauer und Nietzsche, „das Bindend-Musterhafte des Grundes" und die „Gottesfreiheit des Ich" (V, 1422), gehören bei Mann unauflöslich zusammen. Er vollzieht wie gesehen keinen Wechsel zwischen beiden.[28] Weshalb also kann man sich Vorbilder suchen und abwandeln? – Bilden, wie Joseph sagt.

Manns Identitätskonzeption leidet im Zuge ihrer Konsequenzen auf den Freiheitsgedanken an einer Aporie zwischen Determinismus und Handlungsfreiheit, an einem Widerspruch zwischen Schema und bildender Anspielung. Das Credo des Mythenspielers Joseph scheint nicht mehr zu sein als kunstvolle Kaschierung dieses Gegensatzes: „Dies aber ist gesittetes Leben, daß sich das Bindend-Musterhafte des Grundes mit der Gottesfreiheit des Ich erfülle, und ist keine Menschengesittung ohne das eine und ohne das andere." (V, 1422) Es sind zwei Begriffsketten: das Bindend-Musterhafte – Mythos – Muster – Schema – Determinismus, und: die Gottesfreiheit des Ich – Auto-

---

[28] Anders Dierks, Studien, S. 103; Mieth, Epik, S. 46.

nomie – Spiel – Zitat – Freiheit. Josephs Gespräch mit Pharao und Pharaomutter Teje kennzeichnet einen weiteren Aspekt der Freiheitsaporie: Wie weit
darf die Bildung der Umstände gehen, ohne daß es zu einer Auflösung des
Schemas kommt? Teje stellt im Grunde die Frage, ob Josephs weitgehende
Nachhilfe nicht den Rahmen des Schemas sprengt, in dem doch die mythische Würde wurzelt. An der Figur Thamars, Judas zweiter Frau, stellt sich
ein noch schwerer wiegendes Problem für den Gedanken mythischer Freiheit,
nämlich das Konstrukt der Neugründung mythischer Urbilder. „Das Gelun-
genste in diesem Band ist zweifellos die [...] Thamar-Episode, [...] eine tolle
Person, die sich [...] mit Erfolg in die Heilsgeschichte [...] einschaltet." (DüD
II, 254) „Die größte Frauenfigur meiner Josephsgeschichten" (DüD II, 324)
ist jedoch Ursache einiger Schwierigkeiten.

Man sucht vergeblich nach dem mythischen Muster, in dessen Spuren „die
Tochter schlichter Baals-Ackerbürger" (V, 1539) geht. Weder Eliezers Persönlichkeitsdurchblick noch Josephs zitathaftes Leben passen auf sie. *Thamar erlernt die Welt* von Jaakob. Sie ist eine gelehrige „Sucherin" und in ihrer
„Gottessorge" aufrichtig bemüht „um Wahrheit und Heil." (V, 1551) Aufmerksam vernimmt ihre „lauschende Seele" (V, 1555) Jaakobs Lehrsatz vom
doppelten Einst, daß, wer das Einst der Zukunft nicht ehre, nicht des Einst der
Vergangenheit wert sei und sich verkehrt zur Gegenwart stelle, und beschließt
deshalb, sich „in die Geschichte der Welt einzuschalten" (V, 1558). *Die Ent-
schlossene* enthüllt, in welcher Unvorgängigkeit Thamar ihren Plan verfolgt.
Sie weiß, wen Jaakob zum Segensträger machen wird, nachdem die drei ältesten Söhne verflucht sind und Joseph tot zu sein scheint – Juda. Und so ist von
ihrer Geringschätzung für Judas erste Frau die Rede, „[d]ieser Trulle," die
„an erlauchtem Platze, so ohne Verdienst und Wissen und Willen" (V, 1559)
vor sich hin lebt und deretwegen sie den Umweg über Judas Söhne geht. Zielstrebig erfindet sie nach dem Tode von Judas erstem Sohn „die Schwagerehe"
(V, 1566), weil sie um ihren Platz in der Heilsgeschichte kämpfen muß, wie sie
Jaakob erklärt. Denn weil er ihren Geist mythischer „Veredelung" unterzogen
hat, kann sie nicht mehr „wie die Menge der Unwissenden" leben und „den
Ersten-Besten freien [...], wie ich sonst wohl schlichten Herzens getan hätte"
(V, 1562). Sie stellt daher zielstrebig ihren „Trieb zum Geschichtlichen" (V,
1566) unter Beweis und hat schließlich in der Geburt ihrer Zwillinge von Juda
Erfolg.

Thamar handelt aus mythischer Bildung, nicht aus dem Mythos selbst
heraus. Ihre Schwagerehe ist das mythische Urbild, die „geschichtliche Neugründung" (IV, 136) schlechthin. Sie zitiert nicht, sie erfindet. Es gibt für sie
keine Entsprechung in der rollenden Sphäre, die doch die mythische Welt
als eine wesentlich anfangslose vorstellte. Auch die Erinnerung daran, daß

in der rollenden Sphäre nie ausgemacht werden kann, „wo eine Geschichte ursprünglich zu Hause ist" (IV, 422), sondern sich die Geschichten zugleich unter Göttern und Menschen abspielen, hilft nur bedingt weiter. Man könnte die rollende Sphäre mit Thamars Erfindungskraft auf die Weise vereinigen, daß die rollende Sphäre nur Leitfaden des mythisch Gebildeten ist. Das aber relativierte die Geltung des mythischen Schemas. Und worin hätte dann im Falle gebildeter Erfindung von mythischen Urbildern seinen Grund, was hier als mythische Würde aus dem Schema heraus beschrieben wurde? Nicht gangbar ist der Weg, die Möglichkeit der Neugründungen mit der wachsenden entmythologisierenden Tendenz des Romans zu erklären. Das zöge nicht nur eine Zweiteilung in mythische und supra-mythische, in naiv-metaphysisch und aufgeklärt-weltimmanente Personen nach sich, die den Mythosbegriff des *Joseph* selbst in seiner vor allem anderen identitätsbegründenden Funktion verfehlte, sondern bedeutete zugleich ein weitreichendes Dementi der Geltungskraft von Manns Beitrag zur Identitätsproblematik im Ganzen.[29] Thamar erweist sich weniger als tolle Person, denn als „merkwürdiges Frauenzimmer" (DüD II, 246), das weitere Überlegungen erfordert.

V. Gelassenheit

Die Antwort des *Joseph* auf die Grundfrage allen Menschseins – Wer bin ich? – fußt auf Manns Überzeugung, daß „[d]as Leben […] tatsächlich eine Mischung von formelhaften und individuellen Elementen, ein Ineinander" ist, „bei dem das Individuelle gleichsam nur über das Formelhaft-Unpersönliche hinausragt" (IX, 492).[30] Diese Aufgabe eines jeweiligen Ineinanders zieht ihre philosophische Kraft aus der Kritik an demjenigen modernen Lebensvollzug, der die persönliche Gegenwart unter die Zwänge eines einmal gesetzten und dann abzuarbeitenden Lebensentwurfes stellt und der über sich selbst nur noch in den Kategorien des Fort- oder Rückschrittes urteilen kann. So ist Manns Identitätstheorie auch ein gewichtiger Einspruch gegen die Illusion eines selbstmächtigen Subjektes – etwa in Wilhelm Schmids Begriff der Lebenskunst, die gedacht ist als Vermögen, „das Leben auf reflektierte Weise zu führen und es nicht unbewußt einfach nur dahingehen zu lassen". Der Philosophie kommt dabei nicht nur die Aufgabe zu, diese Kunst auf den Begriff zu bringen, sondern deren „Methoden zu erschließen, die es dem Einzelnen

---

[29] Meine Kritik richtet sich an Dierks, Studien, S. 102.
[30] Vgl. zum Folgenden Thomä, Glück, S. 204–233.

in den verschiedensten Situationen ermöglichen, sein Leben zu verstehen und seine eigene Wahl zu treffen".[31] Neben die Reflexion tritt die praktische Anweisung zur Lebensführung. Die lebenskünstlerische Asketik weist Übungen und Techniken an, wie etwa Gewohnheiten von der Qual der Wahl entlasten, wie Lust zu genießen ist, wodurch Schmerz und Krankheit ihren eigentlichen Sinn entfalten oder wie Zeit sinnvoll genutzt werden kann. Ziel ist eine Haltung, die Schmid im Anschluß an das stoische Ideal der Gleichmütigkeit als Gelassenheit verstanden wissen will. Diese soll wie bei Heidegger die „Antwort auf die Herausforderungen der technischen Moderne" sein. Gegen die „Hysterie des technischen Tuns" verspricht er einen freien Gebrauch der Technik, weil man – seiner selbst gewiß – je nach Lage der Dinge Möglichkeiten der Technik nutzen oder beiseite lassen und auf diese Weise der modernen Technikhörigkeit entgehen könne.[32]

Hinter dem Glauben an die Beherrschbarkeit der Technik steht jedoch mehr. Das gelassene soll nämlich das freie und unabhängige Subjekt sein, das über sich selbst verfügen kann und gerade nicht dem Willen anderer Menschen oder der Macht anonymer Strukturen ausgeliefert ist. Weil es sich selbst zu eigen ist, also ein selbstmächtiges Subjekt ist, kann es sich unter Anwendung der lebenskünstlerischen Techniken ganz sich selbst in Selbstgenügsamkeit widmen. Zudem lebt der Entwurf der Lebenskunst von einer verworrenen Abgrenzung gegen die Gegenwart, soll sie doch Gütesiegel einer sogenannten anderen Moderne sein. Der lebenskünstlerischen Gelassenheit werden der „Aktivismus und Voluntarismus der modernen Welt" oder die „Hysterie des technischen Tuns" entgegengesetzt.[33] Der Vorwurf eines billigen Eskapismus träfe Schmid zu Unrecht, aber seine Lebenskunst ist weit entfernt vom josephischen Ja zum Leben, vom spielerisch zitathaften Leben. Seine kritisch gegen die moderne Selbstentfremdung gewendete Idee der Lebenskunst bewegt sich vielmehr mit ihrer entgrenzten Vorstellung von den Fähigkeiten seines modern-antimodernen Subjektes gerade in den bekannten Bahnen eines sich selbst bestimmenden und verwirklichenden Subjektes der Moderne, dessen Zuständigkeitsbereich er kaum Grenzen zu setzen gewillt ist.

---

[31] Wilhelm Schmid: Philosophie der Lebenskunst. Eine Grundlegung, 5. Aufl., Frankfurt/Main: Suhrkamp 1999, Zitate S. 10.

[32] Schmid, Philosophie, S. 393–398, 397; vgl. den Teil „Asketik: Übungen und Techniken der Lebenskunst", ebd., S. 325–398. Die Bereitstellung von Techniken der Lebenskunst, mittels derer das den Verwerfungen einer unhinterfragt als Bedrohung geschilderten Moderne ausgesetzte Individuum bestehen könne, hat Schmid in seinen Beiträgen zu der von ihm herausgegebenen „Bibliothek der Lebenskunst" fortgesetzt; ders.: Schönes Leben? Einführung in die Lebenskunst, Frankfurt/Main: Suhrkamp 2000; ders.: Mit sich selbst befreundet sein. Von der Lebenskunst im Umgang mit sich selbst, Frankfurt/Main: Suhrkamp 2004.

[33] Siehe Schmid, Philosophie, S. 397.

Die lebenskünstlerische Asketik fällt so hinter die Komplexität des philosophischen Nachdenkens über das menschliche Subjekt zurück, nachdem die psychologische und die sprachphilosophische Kritik die klassisch-moderne Auffassung desselben nach Maßgabe einer bewußtseinstheoretisch untermauerten Autonomie des Individuums verabschiedet haben. Freud machte die unbewußten Triebkräfte des Handelns geltend, die Sprachphilosophie das allem individuellen Handeln vorausgehende sprachliche Bedeutungssystem. Das Unbewußte und die Sprache sind allem Handeln unhintergehbare und der Verfügungsmacht des Subjektes entzogene Bestimmungsgründe. Damit wird die Frage unabweisbar, welche Konsequenzen daraus folgen, „daß das menschliche Subjekt eben nicht mehr als ein sich vollkommen transparentes noch als seiner selbst mächtiges Wesen zu begreifen ist". Die Antwort des *Joseph* geht dabei den Weg derjenigen philosophischen Antworten auf die geschilderte Subjektkritik, die „jene subjektübergreifenden Mächte von vornherein als Konstitutionsbedingungen der Individualisierung von Subjekten" verstehen. Freiheit und Selbstbestimmung sind auf diese Weise „Organisationsformen der kontingenten, jeder individuellen Kontrolle entzogenen Kräfte"[34] – das ist in philosophischen Begriffen der Sachverhalt, den Mann mit dem Spielraum des zitathaften Lebens erfaßt und den Musil die Beweglichkeit der Umstände genannt hat. In diesem Sinne schärft der *Joseph* das Bewußtsein einerseits für die auch auf Schmid zutreffende Neigung der Moderne, Selbstbestimmung zum obersten Prinzip des Lebens zu erheben und alle Lebensbereiche mit denselben starken Annahmen über die erforderlichen Qualitäten der Person zu belasten, die bestenfalls für deren Teilhabe in der politischen Sphäre gelten und auch dort nur schwerlich einzulösen sind, und andererseits für die darin beschlossene Gefahr, eben diese anderen Lebensbereiche in ihrer Eigenart zu verkennen.[35]

Unverändert trifft auf diese Neigung Adornos und Horkheimers Anmerkung zu:

Furchtbares hat die Menschheit sich antun müssen, bis das Selbst [...] geschaffen war [...]. Die Anstrengung das Ich zusammenzuhalten, haftet dem Ich auf allen Stufen an, und stets war die Lockung, es zu verlieren, mit der blinden Entschlossenheit zu seiner Erhaltung gepaart.

[34] Axel Honneth: Dezentrierte Autonomie. Moralphilosophische Konsequenzen aus der Subjektkritik, in: ders.: Das Andere der Gerechtigkeit. Aufsätze zur praktischen Philosophie, Frankfurt/Main: Suhrkamp 2000, S. 237–251, 238 f.
[35] Siehe dazu Thomä, Glück, bes. S. 220–269, der eine Theorie des Glückes entwirft, die das persönliche Glück nicht unter Machbarkeitsphantasien verdeckt oder an bestimmte Techniken der Lebensführung bindet, sondern seine unhintergehbare Eigenschaft der Unverfügbarkeit zur Geltung bringt.

Ergänzend heißt es: „Die Herrschaft des Menschen über sich selbst, die sein Selbst begründet, ist [...] allemal die Vernichtung des Subjektes".[36] Gegen die verhängnisvolle Ausdehnung ihres Zuständigkeitsbereiches muß die entgrenzte Selbstbestimmung eingeschränkt werden, indem ihr „Gegenbilder"[37] entgegengehalten werden, die nicht unter Selbstbestimmung fallen, bloße Selbsterhaltung überschreiten und sich gegen den wahrhaft unmenschlichen Anspruch auf ein jederzeit und allerorten selbstverantwortetes Leben wenden. Manns Kritik ist daher als Teil einer Theorie modernen Selbstverständnisses jenseits eines auf Beherrschung der Welt, anderer Menschen und nicht zuletzt seiner selbst ausgerichteten Umganges mit der Wirklichkeit zu verstehen. Sie wendet sich nicht nur gegen die Entgrenzung von Selbstbestimmung und Selbstverwirklichung, sondern weist zugleich die Reduktion des modernen Selbstverständnisses auf eben diese Prinzipien auch von Seiten der Lebenskunst zurück, deren Glücksversprechen an die verheißungsschwangeren Techniken der Lebens-Führung gebunden sind und die sich gerade in ihrem Methodenarsenal als Teil des von ihr abgelehnten, verdinglichenden Umganges mit sich selbst erweist. Der *Joseph* zeigt dagegen Möglichkeiten auf, ein Selbst zu sein, das dem Lebendigen, das es selbst ist, eine Offenheit für das Leben bewahrt, das heißt für das, was das Subjekt erst zu einem lebendigen macht.[38]

Manns Theorie mythischer Identität läßt sich dort ins Spiel bringen, wo Menschen in der Überzeugung grenzenloser Selbstmächtigkeit sich scheinbar auf eigene Hand eine Verfassung geben, wo sie den Einfluß ihrer Lebenswelt auf sich selbst geringschätzen und wo sie über die aus ihren geistigen und körperlichen Begabungen folgenden Grenzen hinwegsehen. In solcher Perspektive dürfen Manns Überlegungen nicht als die Gedanken eines Vertreters des stets präsenten mythischen Bewußtseins mißverstanden werden, der der vermeintlichen Unverständigkeit seiner Mitmenschen nur mit Überheblichkeit begegnen kann. Die Kritik des *Joseph* am selbstmächtigen Subjekt zielt vielmehr auf die in aller Selbstüberhebung lauernde Gefahr für sich selbst und seine Mitmenschen. Josephs Hochmut gegen seine Brüder, die drei lehrreichen Tage im Brunnen, die schmerzhafte Trennung von Jaakob und nicht zuletzt die späte Familienzusammenführung sind ein deutlicher Fingerzeig für diese Lesart, die einen unauflöslichen Zusammenhang der Selbstbescheidung im

---

[36] Max Horkheimer: „Dialektik der Aufklärung" und andere Schriften 1940–1950, Frankfurt/Main: Suhrkamp 1987 (= Gesammelte Schriften, Bd. 5), S. 56, 78.
[37] Thomä, Glück, S. 204.
[38] Ich beschränke mich auf die Selbstbestimmung und lasse ihr Verhältnis zur Selbsterhaltung außen vor, weil Manns Identitätstheorie die Selbsterhaltung, das bloße Am-Leben-Sein, nicht thematisiert.

Sinne des *Joseph* mit der Idee des gelingenden Lebens wie den Möglichkeiten seiner Verwirklichung sieht. Manns Gedanken sind daher dort von Bedeutung, wo begründet werden soll, daß sich Menschen über außer ihrer selbst liegende Charakteristika verstehen oder verstanden werden, daß sie bewußt oder unbewußt Vorbilder nachahmen und ihr Leben gerade nicht ausschließlich entlang von Selbstentwürfen, sondern mehrheitlich entlang von Fremdentwürfen vollziehen.

Am Beispiel der Mode läßt sich sowohl das Ineinandergreifen von Selbstbestimmung und Fremdbestimmung als auch das Verhältnis von mythischem Muster und freiheitlichem Zitat erläutern. Bekannt und zumeist verschmäht ist die Mode als äußerliche Uniformierung und Überformung der Menschen selbst, die das Immergleiche und darum Ununterscheidbare der Mode zur Schau stellen. Der modische Gockel auf dem Jahrmarkt der Eitelkeiten ist das zeitgenössische Gegenstück zu Dudus Selbstüberhebung und lebt im Scheinglück, eine unverwechselbare Person zu sein.[39] Doch die Mode ist nicht zwingend auf trügerisches Selbstbewußtsein festgelegt und geht nicht notwendig in Gleichmacherei auf. Sie ist auch als Bestandteil des zitathaften Lebens denkbar. Wenn sich Menschen auf Mode nach Art des spielerischen Zitats beziehen, ist sie eine Form des Wandelns in Spuren. Denn so erfährt das Modisch-Allgemeine eine Abwandlung, weil es sich im Besonderen erfüllt – analog zur Freiheit des Mythenspielers. Der die gegenwärtigen Muster der Mode zitierende Mensch ist mit dem durchsichtigen Leben etwa bei Joseph oder Jaakob verwandt. Er ist jenes persönlichen Glückes teilhaftig, das Musil in der Beweglichkeit und dem Gleichgewicht der Umstände sieht. Anders als bei Musil spiegeln jedoch die Überlegungen Georg Simmels zum modischen „Reiz der Nachahmung und [...] Auszeichnung" den Gehalt der mythischen Würde und Freiheit Manns genauer wider.[40] Die modische „Nachahmung eines gegebenen Musters" befreit den Einzelnen „von der Schwierigkeit, sich selbst zu tragen", erlöst „von der Qual der Wahl" und verleiht die „Beruhigung, bei seinem Handeln nicht allein zu stehen", sondern in Spuren gehen zu können.[41] Die Mode trägt der „Unbedeutendheit der Person" Rechnung, also der „Unfähigkeit, rein aus sich selbst heraus die Existenz zu individualisieren". Im je individuellen Bezug auf modische Muster fällt der Einzelne nie aus dem Allgemeinen heraus und hebt sich doch hervor. Die Befreiung von

---

[39]   Diese Engführung der Mode bei Thomä, Glück, S. 44–47, 52–55.

[40]   Georg Simmel: Die Frau und die Mode, in: ders.: Aufsätze und Abhandlungen 1901–1908, Band 2, Frankfurt/Main: Suhrkamp 1993 (= Gesamtausgabe, Bd. 8), S. 344–347, 344.

[41]   Georg Simmel: Philosophie der Mode, in: ders.: Philosophie der Mode. Die Religion. Kant und Goethe. Schopenhauer und Nietzsche, Frankfurt/Main: Suhrkamp 1995 (= Gesamtausgabe, Bd. 10), S. 7–37, hier in der Reihenfolge der Zitate S. 11, 10.

der allgegenwärtigen Verantwortlichkeit bringt dem modischen Menschen zugleich „eine Auszeichnung, [...] eine individuelle Geschmücktheit der Persönlichkeit" mit sich – jene Ausschmückung, die im *Joseph* den Spielraum mythischer Freiheit in der Gewißheit um die eigene Würde im jeweiligen Schema bezeichnet.[42]

Das modische Glück ist keine Befriedigung aus Selbstbestimmung, sondern das gelingende Leben im bewußten Bezug auf die vielfältigen Begrenzungen des menschlichen Lebensvollzuges. Die Engführung der Mode auf das Scheinglück und ihr Ausschluß aus dem Kreis glücksverdächtiger Lebensmuster begibt sich vorschnell einer Möglichkeit, an die Stelle vermeintlicher Selbstbestimmung nicht-individuelle, aber lebendig-auszufüllende Muster zu setzen. Erst diese Ergänzung mit Manns Idee des zitathaften Lebens gewinnt der Mode auch positive Bestimmungen für ein anderes menschliches Selbstverständnis ab. Milan Kunderas „wichtige Anmerkung" zu Manns Identitätstheorie stützt diesen Zugriff auf die Mode. In Jaakobs Klage über Josephs Tod mischen sich von Noah her bekannte „Wortgefüge der Klage". Im Sinne des Erzählers, daß dadurch Jaakobs „Unmittelbarkeit" (IV, 636) nicht vermindert werde, stellt Kundera fest: „Imitation bedeutet nicht fehlende Authentizität."[43] Das erhellt aus der Bestimmung des Zitates, daß das Allgemeine im Besonderen eine Abwandlung erfährt, daß das Zitierte durch seine Setzung in einen neuen Kontext zuvor unbekannte Bedeutungsschichten gewinnt. So ist die Authentizität des zitathaften Menschen begründet und übereilte Kritik am mangelhaften Identitätsbewußtsein des mythischen gegenüber dem scheinbar aufgeklärten Menschen der Moderne in ihre Schranken gewiesen.[44]

Doch der *Joseph* ist keineswegs eine umstandslose Absage an Selbstbestimmung, sondern eine – weitgehende – Einschränkung ihres Geltungsbereiches, der mit dem Zitat, dem jeweiligen Wandeln in Spuren umgrenzt ist. Das Verhältnis von Mode zum zitierenden Spiel mit eben derselben ist das Verhältnis von individueller Originalität und Freiheit auf der einen zu den Unverfügbarkeiten und bindenden Mustern auf der anderen Seite. So aber steht die Idee der Selbstverwirklichung auf dem Prüfstand, denn Manns Idee einer mythischen Identität läßt wenig Raum für die Vorstellung, daß der Mensch das, wozu

---

[42] Simmel, Philosophie der Mode, in der Reihenfolge der Zitate S. 24, 15, 22; vgl. denselben Gedanken bei Mann: V, 1307, 1421, 1621; IX, 492. Mann kannte die Arbeiten Simmels aus den Jahren 1905 (Philosophie der Mode) und 1908 (Die Frau und die Mode) aber nicht; siehe Fischer, Handbuch.

[43] Kundera, Vermächtnisse, S. 18.

[44] Solche Kritik ist nicht bereit, das moderne Selbstverständnis auf seine Schwächen hin zu befragen; siehe Sigrid Mannesmann: Thomas Manns Roman-Tetralogie „Joseph und seine Brüder" als Geschichtsdeutung, Göppingen: Kümmerle 1971 (= Göppinger Arbeiten zur Germanistik, Bd. 32), S. 98–127, bes. 98–105.

er sich bestimmt hat, umsetzen kann. Auf welcher Grundlage ist im *Joseph* ein tragfähiger Begriff von Selbstverwirklichung möglich? Die mythischen Vorgaben sind nicht selbst, sondern nur in ihrer Ausfüllung verfügbar. Denn die Geschichten, auch die Lebensgeschichten, erzählen sich selbst und werden gerade nicht von den Menschen gemacht oder erfunden (siehe IV, 201, 437 ff., 821; V, 1005). Die Menschen sind die Regisseure der Ausgestaltung der Geschichten. Wer wir sind, ist weder als triumphale Errungenschaft eines individuell verantworteten Fortschritts noch als persönliches Verdienst mißzuverstehen. Nur wenn der Zusammenhang der sich selbst erzählenden Geschichten mit der Mannschen Kritik am Identitätsbegriff unterschlagen wird, kann in einer erzähltheoretischen Engführung der Kerngedanke des zitathaften Lebens übergangen, seine Umschreibungen als Unterscheidungsmerkmale zwischen Joseph und anderen Figuren mißverstanden und Joseph nicht nur als Arrangeur, sondern gar als Autor der Geschichte dargestellt werden. Aber Manns Wendungen von der Ausschmückung der Geschichte (siehe V, 1590, 1621) erhalten ihren Sinn allein als Beschreibungen des in der Formel des zitathaften Lebens festgeschriebenen Verhältnisses von Freiheit und Bestimmtheit. Der Regisseur (Manns eigener Begriff) und der Arrangeur gehen mit dem „Leben im Mythos" als festlichem „Vollzuge eines Vorgeschriebenen durch einen Zelebranten" (IX, 497) noch konform. Doch die Rede vom Autor macht die Bemühungen um ein anderes als allmächtiges Selbstverständnis zunichte, weil sie die Selbstmächtigkeit wieder in das Theoriegerüst einfügt und gegen das Vorhaben des *Joseph* arbeitet. Mann wollte den „Gedanke[n] der Individualität" aus seiner Umklammerung durch die Ideen der „Einheit und Ganzheit" befreien und „die Unterscheidung zwischen Geist überhaupt und individuellem Geist" auf den Prüfstand des antiken Lebensvollzuges im Mythos stellen, in dem jene Ideen „bei weitem nicht immer solche Gewalt über die Gemüter" ausübten, „wie in dem Heute, das wir verlassen haben, um von einem anderen zu erzählen" (IV, 123).[45]

Mit dem Theorem der rollenden Sphäre greift der *Joseph* nicht zuletzt auch die gedankliche Voraussetzung der Selbstverwirklichung an, nämlich die Notwendigkeit eines feststehenden Entwurfes eines Ichs, zu dem sich der Mensch selbst bestimmt hat und zu dem er künftig werden will. So lebt der Mensch immer in einem als unvollkommen verleumdeten Zustand, in dem

---

[45] Dies gegen Wißkirchen, Hauptsache Unterhaltung!, S. 39–48. Seine Stellenangaben verfangen nicht. Ausgestaltung ist die Aufgabe, „einer solchen Geschichte gerecht zu werden" und daher „Gott all unseren Witz zur Verfügung" zu stellen (V, 1590). Ausschmückung ist die Frage nach der Begabung zum zitathaften Leben: „Hab' ich die Gottesgeschichte anständig geschmückt? Hab' ich für festliche Einzelheiten gesorgt?" (V, 1621) Den Umschlag solchen (auch Unterhaltungs-) Wertes in den Schöpferstolz eines Autors gibt die Quelle nicht her.

er noch nicht das wahre Selbst ist, das jedoch *per se* unerreichbar ist und für alle Zeiten in seiner Aktualisierung ausstehen muß. Das erforderliche Wissen darum, wie das Selbst einmal aussehen soll, macht die Abschottung gegen alle künftigen Erfahrungen und möglichen Einwände unvermeidbar, die die Unwägbarkeiten des Lebens gegen jenes imaginierte Selbst bereithalten. Das götzenhaft in die Zukunft entworfene Ich erfordert geradezu eine „Isolationshaft" des Menschen und in Verfolg zwanghafter Selbstverwirklichung Schutz vor dem eigenen „Lebens-Wandel".[46] Die rollende Sphäre erlaubt hingegen mit ihren Definitionsmerkmalen der „Kugelrundheit" (IV, 190), der Austauschbarkeit von Oben und Unten, der Drehung und des Wechsels der Charakterrolle eine Theorie der Persönlichkeit, die sich in die Einsichten der psychologischen und sprachphilosophischen Subjektkritik einfügen läßt. Sie setzt weder ein vollständiges Wissen über die schon vorhandene Ganzheit der Person voraus noch verfügt sie über ein erschöpfendes Bild ihres zukünftigen Seins, das es umzusetzen gelte (vgl. IV, 128). Sie ist keine „Strecke" (IV, 189) und darin auch eine Absage an lineare Persönlichkeitskonzeptionen. Indem sie umsetzt, daß der *Joseph* nach einer Vorstellung menschlicher Identität sucht, die den Einzelnen nicht der gewalttätigen Forderung nach unverwechselbarer „Einheit und Ganzheit" (IV, 123) aussetzt, trägt sie der subjektkritischen Überzeugung Rechnung, daß der Mensch sich selbst nicht als transparentes oder seiner selbst mächtiges Lebewesen begreifen kann. So setzt sie als erzählerisches Mittel zur Konstruktion der Figuren Manns Einsicht um, daß unser Leben, unsere Selbstbilder und die Bilder anderer von uns Veränderungen unterworfen sind. Die Möglichkeit zum Wechsel der Charakterrolle kraft sphärischer Drehung ist ein Ausgleich der Gefahr, daß Menschen sich zu Sklaven ihrer Selbstbilder oder Fremdbilder machen und in die Falle unverrückbarer Lebensentwürfe oder rücksichtsloser Selbstverwirklichung laufen. Das Leben selber verändert die Lebenden und sprengt ihre Wahrnehmungen immer wieder aufs Neue. So fällt die Selbstverwirklichung bei Mann mit der zusammengestrichenen Selbstbestimmung in eins. In der Formel des zitathaften Lebens, dem „Ich bin's", haben beide ihren Ort in jenem Ich, das auf mannsche Art in mythischen Spuren wandelt.

Das Bild der Persönlichkeit im *Joseph* kennt beides: das handelnde Ich und die unverfügbaren Umstände, die Selbstmächtigkeit und die Ohnmacht, das identitätsverbürgende Zitat und das überindividuelle Muster. Dieser Sachverhalt verbirgt sich in dem Doppelsegen aus der Tiefe herauf und von Oben herab, ohne den kein „gesittetes Leben" (V, 1422) möglich ist. Und das an der Figur Esaus dargestellte mythische Bewußtsein in seiner schwankenden

---

[46] Thomä, Glück, S. 276.

Form, das heißt die epistemologische Schwierigkeit in dem unvermittelten Nebeneinander eines frommen Wissens außer Zeit über die eigene Charakterrolle und einem zeitlich-weltlichen Irrtum über eben diese Rolle bedarf ebenso wenig einer systematisch-widerspruchsfreien Auflösung wie der an Thamar aufgetretene Gegensatz zwischen Handlungsfreiheit und Determinismus im Begriff mythischer Freiheit. Beide Probleme sind vielmehr als aporetische Denkfiguren ein Zeichen dafür, daß nicht immer auszumachen ist, wohin sich die Waagschale im zitathaften Leben neigt: zum handelnden Ich oder zu den unverfügbaren Umständen. Die mythische Identität ist Manns Plädoyer für die Rückführung des menschlichen Selbstverständnisses auf das Menschenmögliche, für die Befreiung vom entgrenzten Anspruch auf Selbstbestimmung und Selbstverwirklichung. Und so ist die Antwort auf die zentrale Frage der *Mondgrammatik* wie des *Joseph* überhaupt nach dem Rätselwesen Mensch (siehe IV, 9) klar:

Was aber auch heißt denn hier ‚eigentlich‘, und ist etwa des Menschen Ich überhaupt ein handfest in sich geschlossen und streng in seine zeitlich-fleischlichen Grenzen abgedichtetes Ding? Gehören nicht viele der Elemente, aus denen es sich aufbaut, der Welt vor und außer ihm an, und ist die Aufstellung, daß jemand kein anderer sei und sonst niemand, nicht nur eine Ordnungs- und Bequemlichkeitsannahme, welche geflissentlich alle Übergänge außer acht läßt, die das Einzelbewußtsein mit dem allgemeinen verbinden? (IV, 123)

Die „Durchsichtigkeit des Seins“ (IV, 581) ist Manns Wendung gegen das Postulat von der aus sich selbst heraus zu leistenden Verortung des Menschen in seiner Welt. Das zitathafte Leben bietet eine Vorstellung von Sinnstrukturen und Deutungsmustern, die sowohl das menschliche Bedürfnis nach Anleitung und Entlastung als auch das Moment freiheitlichen Handelns kennt. Belastende Vergangenheit, sich entziehende Gegenwart und drohende Zukunft sind so keine unüberwindbaren Hindernisse. Aus solcher Durchsichtigkeit heraus wird der zitathafte zu einem heiteren Menschen. Joseph erwartet ein Wiedersehen mit den Brüdern „unter Lachen und Tränen“ (V, 1596) – Tränen wegen der Schuld zwischen den Brüdern; Lachen aber, weil er sich jener Würde und Trostes sicher ist und die gottgegebene Gabe der „Heiterkeit“ als Mittel versteht, um das „verwickelte[], fragwürdige[] Leben“ zum Lachen zu bringen. (V, 1597) Lächeln bedeutet für Joseph, die Grube als Teil seines Lebens aufzufassen, sich nicht in Schuld- und Sinnfragen zu verlieren, sondern sich über das Wiedersehen mit den Brüdern zu freuen.

Das sind so Fragen, wie sie das Leben stellt. Man kann sie im Ernst nicht beantworten. Nur in Heiterkeit kann sich der Menschengeist aufheben über sie, daß er vielleicht mit innigem Spaß über das Antwortlose Gott selbst, den gewaltig Antwortlosen, zum Lächeln bringe. (V, 1597)

Aus der Heiterkeit entspringt die Lebensfreundlichkeit des zitathaften Menschen, die auf der amphitryschen Wandlung Josephs vom hochmütigen Wichtigtuer zur Seinssicherheit des mythischen Menschen fußt. Schon in der ersten Grube erkennt er seinen Teil an der Tat der Brüder – „er begriff, daß er sie so weit gebracht hatte" (IV, 574). Trotz aller Angst und Verzweiflung weiß er, „daß Gott weiterschaute als bis zur Grube," und ist sich dessen „heilweise[r] Zukunftszwecke" gewiß. (IV, 575) Der geläuterte Joseph hilft zwar schelmisch der Erfüllung seiner Rolle nach, aber er dient sich dem Pharao auch deswegen als Verwalter an, weil er nicht mehr „[e]in unsäglicher Grünschnabel", sondern „zur Reife" (V, 1589) gelangt ist und seine Bestimmung, der Erste im Westen zu werden, mit dem eigenen Wunsch zu „dienen und [...] helfen" (V, 1471) verbinden will. Die moralisierende Kritik an Josephs eitler Selbstbespiegelung unterschlägt dieses Eingeständnis seiner Fehlerhaftigkeit und wird deshalb der Gedanken der Heiterkeit und Lebensfreundlichkeit gar nicht gewahr. Auch führt die Rede von der selbstverliebten, ästhetischen Wirklichkeitsbewältigung Josephs im Stile eines sozial verantwortungslosen Narzisten in die Irre, weil der *Joseph* mehr zu bieten hat als schale Weltverachtung. So bliebe die *Humanisierung des Mythos* ein hohles Ansinnen. Joseph aber ist das Gegenbeispiel einer Verhärtung gegen die Wirklichkeit und ihre Überraschungen und Zufälle, ihre Unverfügbarkeiten und Bedingungen – einer Verhärtung, tritt sie nun in Form eines zu verwirklichenden Lebensentwurfes oder in Techniken einer wie auch immer gearteten Lebenskunst auf. Und so ermöglichen Lebensfreundlichkeit und Heiterkeit den Brüdern auch den Umgang mit der unausweichlichen, zum Leben selbst gehörigen Schuld zwischen ihnen. Joseph antwortet auf die Bitte seiner Brüder um Vergebung mit seinem Ersuchen um Verzeihung, daß sie in dieser „schöne[n] Geschichte und Gotteserfindung" die Bösen spielen mußten: „Und nun soll ich [...] mich [...] rächen an euch für drei Tage Brunnenzucht, und wieder böse machen, was Gott gut gemacht?" (V, 1822) Sich wegen des Unvermeidbaren zu grämen und zu zürnen, hätte in der Geschichte von Joseph und seinen Brüdern zu einer endlosen Abfolge von Rache und Vergeltung geführt. Lebensfreundlichkeit und Heiterkeit münden so zuletzt in eine Gelassenheit zum Leben, die mit dem Unverfügbaren nicht hadert, sondern im Gegenteil sich an seiner Ausschmückung zu freuen weiß und sich in heiterer Erwartung und Offenheit dem Leben anvertrauen kann.

Rüdiger Görner

Thomas Manns lyrische Narratologie*

Ästhetische Fragestellungen im *Gesang vom Kindchen*

I.

Nach den *Betrachtungen eines Unpolitischen* und vor der Wiederaufnahme der Arbeit am *Zauberberg*, nach den Kriegswirren und mitten im revolutionären Treiben Münchens wandte sich Thomas Mann, offenbar für ihn selbst überraschend, dem vorgeblich Idyllischen zu. Während das novellistische Ergebnis dieser Wendung ins scheinbar Naive, die im Oktober 1918 abgeschlossene Erzählung *Herr und Hund*, sich auch interdisziplinär, nämlich unter tierverhaltenspsychologischen Gesichtspunkten lesen ließe,[1] umgeht man deren lyrisches Gegenstück, den *Gesang vom Kindchen*, zumeist geflissentlich. Schon die zeitgenössische Kritik hatte Mühe, diese Dichtung des Prosaschriftstellers Thomas Mann zu würdigen. Auch die Forschung hat sie bis auf wenige Ausnahmen ausgeklammert.[2]

Was nun die damalige Aufnahme des *Gesangs* angeht, so trifft jedoch nicht zu, was Thomas Mann gegenüber Carl Helbling behauptet hatte, dass man nämlich den *Gesang nur* mit „schamhafter Ausschließung" gestraft und es

* Dieser Aufsatz geht auf einen im Oktober 2005 im Graduiertenseminar des Germanistischen Instituts der University of Tokyo gehaltenen Vortrag zurück. Ich danke meinem Gastgeber, Professor Yoshihiko Hirano, der Seminarleiterin, Dr. Christine Ivanovic, sowie den Teilnehmern an diesem Kolleg für anregende Diskussionen.

[1] Wie anschlußfähig gerade diese Thematik bei Thomas Mann ist, zeigt Terence James Reed: Das Tier in der Gesellschaft. Animalisches beim Humanisten Thomas Mann, in: TM Jb 16, 2003, 9–22.

[2] Vgl. Joachim Müller: Thomas Manns Sinfonia domestica, in: Zeitschrift für deutsche Philologie, Bd. 83, Nr. 2 (1964), S. 142–170, bes. S. 155–162. Müller erörtert den *Gesang* im Kontext von *Unordnung und frühes Leid* sowie *Herr und Hund*, wobei er die durch seinen Titel implizierte Verbindung zu Richard Strauss und seinem *op. 53*, der *Sinfonia domestica* (1902/03) nicht weiter thematisiert. Vgl. auch: Paul L. Sauer: Der allerletzte Homeride? Thomas Manns Gesang vom Kindchen. Idylle und Wirklichkeit, Frankfurt/Main: R.G. Fischer 1987. Vgl. auch die kurze Besprechung von Louis Leibrich: Thomas Mann. Gesang vom Kindchen, in: Etudes Germaniques, Bd. 16 (1961), S. 72, anläßlich einer Einzelausgabe des *Gesangs* von 1959. Eine literarische Nachfolge fand Thomas Manns *Gesang* in Rudolf Hagelstanges Roman *Der General und das Kind* (Köln: Kiepenheuer & Witsch 1974). Vgl. dazu die Rezension von Anneliese Odry: Hagelstanges General. Als Pate: Thomas Manns „Gesang vom Kindchen", in: Rheinischer Merkur, Jg. 29, Nr. 41, 11. Oktober 1974, S. 33.

nichts als „Maulverziehen über soviel holprige Philisterei" gegeben habe.[3] Helbling selbst hatte eher beiläufig einen wichtigen Interpretationsansatz dieser „Idylle" geliefert, indem er die These aufstellte, dass Thomas Mann in dieser Dichtung einmal die Maske des Ironikers zugunsten des Ausdrucks reiner Liebe zu seinem poetisch-familiären ‚Gegenstand', seiner am 24. April 1918 geborenen Tochter Elisabeth, abgelegt habe. Damit erklärte Helbling auch die metrisch-rhythmischen Unebenheiten der Dichtung, die Thomas Mann selbst nur zu bewusst gewesen waren: „dass die Worte der Liebe […] oft mehr nur ein Stammeln sind, denn taktfest gleitende Silben. Und in dem holperigen Rhythmus des Gesanges lag doch ein Teil seines lieblichen Geheimnisses!"[4]

Zwei Wochen nach Elisabeths Taufe (am 23. Oktober 1918) begann Thomas Mann zunächst mit der Arbeit an einer Prosafassung dieses Motivkomplexes, den er schon bald „ganz wunderliches Zeug" nannte.[5] Unklar bleibt, was genau Thomas Mann dazu bewogen hat, von der Prosa zum Hexameter überzugehen. Was freilich diese Form seiner Arbeit anging, so versicherte sich Thomas Mann bei Johann Heinrich Voß, las zur Einstimmung Goethes *Reineke Fuchs* und *Hermann und Dorothea* sowie auch Mörikes *Märchen vom sichern Mann*, worauf noch einzugehen sein wird, gestand dann aber Ernst Bertram: „Seit unserem letzten Zusammensein habe ich erst begreifen gelernt, daß meine Hexameter, als solche, *horribel* sind. Ich bin mit einer metrischen Ahnungslosigkeit sondergleichen in dies kleine Unternehmen hineingegangen."[6] Das Entscheidende aber ist, dass er trotz dieser Vorbehalte auf seine Weise ‚hexameternd' weiterschrieb, getrieben – wovon? Vom Willen zum „Intim-Idyllischen",[7] also betont Unzeitgemäßen im Wortsinne Nietzsches? Vielleicht hatte er schlicht an dem Experiment Gefallen gefunden, etwas auf poetisch-klassische Art erzählen zu können; denn der erzählend ausschmückende Duktus, die arabeske und doch zielsichere Linienführung im Erzählen sowie der Exkurs ins leicht Essayistische bleibt auch für den *Gesang* bestimmend.

Als Thomas Mann bei seinem Aufenthalt in Wien im Dezember 1919 Hugo von Hofmannsthal nach dessen Eindruck von den *Gesang*-Hexametern

[3] Brief an Carl Helbling vom 31. Juli 1922 (22, 444). Im TMA finden sich über zehn zum Teil ausführliche Kritiken des *Gesangs* aus dem Jahre 1919. Für die Bereitstellung dieser Texte danke ich Rolf Bolt (TMA). Hinzu kommen Berichte von Lesungen aus dem *Gesang*, die Thomas Mann in Nürnberg und Wien 1919 gegeben hatte. Helbling hatte seinerseits in einer Besprechung der 1922 erschienenen Werkausgabe Thomas Manns gefragt, ob sich der Verfasser des *Gesangs* durch „jene Kritik" habe beirren lassen und deswegen seine Aufnahme in die Ausgabe abgelehnt habe.

[4] In: Neue Zürcher Zeitung, 21.7. 1922 (zit. nach 22, 992).

[5] So in einem Brief an Philipp Witkop vom 3. Januar 1919 (22, 274).

[6] Brief an Ernst Bertram vom 21. März 1919 (22, 281).

[7] Brief an Josef Ponten vom 29. März 1919 (22, 283).

gefragt hatte, soll dieser geantwortet haben: „Es ist gut, dass sie nicht besser sind."[8] Hofmannsthals hintergründige Bemerkung nimmt im Grunde Helblings Urteil vorweg, wonach zum Charakter *dieser* Idylle gerade das Unvollkommene ihrer metrisch-rhythmischen Form gehöre. Aber noch aus einem anderen Grund hatte Thomas Mann in Hofmannsthal einen Kollegen gefunden, der für die Aufnahme seiner Dichtung besonders eingestimmt war, und zwar durch die Thematik seiner gleichfalls 1919 erschienenen Prosadichtung *Die Frau ohne Schatten*. Darauf verwies auch der Kritiker der Neuen freien Presse in seiner Besprechung von Thomas Manns Wiener Rezitation seines Epos.[9] Handelt Hofmannsthals Prosa vom verwünschten ungeborenen Kind, so feiert Thomas Manns *Gesang* dessen sehnlichst erwartete Geburt; beide Dichtungen sind durchdrungen und umflort von orientalisierenden Phantasien, wollen subtile Impressionen zeichnen im Zeitalter des, so sahen es beide Autoren, alles vergröbernden Expressionismus. Auf die eigenartige Wahlverwandtschaft dieser beiden Dichtungen wird zurückzukommen sein. Zunächst jedoch ist die Frage zu stellen, was Thomas Mann veranlasst haben könnte, sich dieser lyrischen Darstellungsform seiner Gedanken gerade zu jenem Zeitpunkt zu bedienen und wie diese Art der Vermittlung intimer Erfahrungen und poetologisch weitreichender Einsichten im Werkkontext zu bewerten ist.

Vieles spricht dafür, dass Thomas Mann dem „Zeitdienst", den er nach eigener Aussage mit den *Betrachtungen eines Unpolitischen* geleistet hatte (XII, 19), „deutschen Gesang" im Wortsinne Hölderlins folgen lassen wollte. Die intellektuelle Überfrachtung seines Künstlertums, die er als Gefahr betrachtete, sollte in „Gesang", also einer Rückeinübung in ‚reines' Künstlertum aufgehen. Im Schlusskapitel der *Betrachtungen* („Ironie und Radikalismus") hatte Thomas Mann den Verlust jeglicher Naivität in der Kunst und die Dominanz des Sentimentalisch-Intellektuellen konstatiert und mittelbar beklagt. (XII, 570) Gleichzeitig hatte er auf die quasi erotische Beziehung zwischen Geist und Leben verwiesen als permanentem unauflösbarem Spannungsmoment, wobei sich allein die Kunst als vermittelnde Kraft, als „Stimulans" und eine vom Geist inspirierte „Verlockung zum Leben" empfehle. (XII, 569f.) Der (dichtende) Künstler nun verstehe sich gewissermaßen als Agent der nie zu ihrem Ziel kommenden Vermittlungsarbeit zwischen Geist und Leben, wobei er ein „innerlich kindischer, zur Ausschweifung geneigter und in jedem Betrachte anrüchiger Scharlatan" sei. (XII, 574) Dabei handelte es sich um ein Selbstzitat; denn diesen Gedanken hatte Thomas Mann bereits 1907 in einem

---

[8] Das ist überliefert von Christiane von Hofmannsthal. Vgl. Albert von Schirnding: Thomas Mann. Gesang vom Kindchen. Einführung zur Lesung von Rolf Boysen, in: Jahrbuch 12 der Bayerischen Akademie der Schönen Künste, Bd. 1, Schaftlach: Oreos 1998, S. 443–448, 443.

[9] In: Neue freie Presse, 19. Dezember 1919.

Feuilleton für die Zeitschrift Literarisches Echo unter dem Titel *Im Spiegel* vorgetragen. (14.1, 184) Auch diese Selbstbezichtigung hat etwas Forciertes, Stilisiertes; aber wenn er das Wort „kindisch" zu „kindlich" verändert hätte, dann wäre die Brücke zum *Gesang vom Kindchen* noch augenfälliger. Denn was vermittelt zwischen „Ironie und Radikalismus"? Das Konservative als „erotische Ironie des Geistes", wie Thomas Mann schrieb? (XII, 569) Oder eben die Hinwendung zum Kindheitlichen, zu den eigenen Ursprüngen und jenen der Nachkommen. Am Ende der *Betrachtungen* zitiert Thomas Mann – für ihn eher überraschend – Wieland, und zwar jene Stelle in seinen Reflexionen über die Französische Revolution, in denen er die Zumutung für die Deutschen zurückweist, zwischen ihren – idyllischen! – „häuslichen und bürgerlichen Verhältnissen" und einem von außen kommenden „politischen *Wahnglauben*" wählen zu müssen. (XII, 589)

Diese Konzentration auf das häuslich-bürgerliche Umfeld in scheinbar weltbürgerlicher Absicht, die das Wieland-Zitat belegen sollte, nimmt auch das Goethes *Campagne in Frankreich* entnommene Motto der Idylle *Gesang vom Kindchen* auf. Nach so viel Fremderfahrung im revolutionären Frankreich konnte Goethe dichten: „Wir wenden uns, wie auch die Welt entzücke,/ Der Enge zu, die uns allein beglücke."[10] Es ist dieser bewusst verengende Blick auf die Eigenwelt, den sich Thomas Mann nach der ‚Fremderfahrung' im weiten Feld des allzu Politischen zueigen machte.

Doch nicht mit dem ‚Kind' hebt der Gesang an, sondern mit der Frage nach dem Selbstverständnis des ‚Sängers' Thomas Mann. Was er in den *Betrachtungen* noch emphatisch bejahend an früheren Selbstkommentaren zitieren konnte, sein Bekenntnis zum Dichtertum, trägt er nun in Frageform vor. Der (gespielt) zweifelnde „Vorsatz" des *Gesangs* gilt der Art seiner Autorschaft: „Bin ich ein Dichter? War ich's zuweilen? Ich weiß nicht." (VIII, 1068) Der Maßstab für die Beantwortung dieser Frage ist – für Thomas Mann zu diesem Zeitpunkt etwas überraschend – die französische Praxis. Sie unterscheide „bequem und verständig" den „Reimschmied vom Manne der gradausgehenden Rede", den Dichter vom Schriftsteller also, wobei man im Land der soeben in den *Betrachtungen* noch verschrienen „Zivilisationsliteratur" dessen „Talent nicht geringer" schätze.

Was das überdeutlich autobiographische Ich dieses *Gesangs* nun entwickelt, ist eine komplexe Rechtfertigungsstrategie dafür, dass es als ein unabweisbarer Prosaautor sich doch des Hexameters bedienen darf als eines Ausdrucksmittels der Mitte „zwischen Gesang und verständigem Wort". Im

---

[10] In: Johann Wolfgang von Goethe: Werke, München: Deutscher Taschenbuch Verlag 1988 (= Hamburger Ausgabe, Bd. 10), S. 363. Mottozitat im *Gesang vom Kindchen* siehe VIII, 1068.

epischen Gesang verbinde sich das „Gewissen" der Prosa, „des Herzens und das des verfeinerten Ohres" mit schierer „Liebe zur Sprache", mit „höherem Rausch" und hymnischem Empfinden. Das eine ohne das andere könne nur zu „Beschämung" führen, derer sich dieses Ich erinnert, als es sich im Überschwang der Jugend mit rein lyrischen Texten versuchte. Was dann einsetzte, sei „versachlichend Mühen" gewesen, ein „kältend Bemeistern" des Stoffes und der Emotionen, bis dann das „trunkene Lied zur sittlichen Fabel" werden konnte, im *Tonio Kröger* etwa oder im *Tod in Venedig* mit dessen in die Prosa integrierten Hexametern. (VIII, 1068 f.)

Und dennoch verspürte dieses Ich ein Ungenügen, selbst dann, als ihm die „sittliche Fabel" gelungen war; denn Prosaerzähler zu sein bedeute, sich nie wirklich als „Poet" fühlen zu können. Scheinbar allen „sentimentalischen" Intellektualismus des modernen Schreibens ablegend, ruft dieses Ich wie einst Homer und Hölderlin im Jahre 1918 die Musen an, um ihm zwar keinen Sommer, sondern „heiter gemessenen Gang" (VIII, 1070) zu gönnen; „denn ich will sagen und singen vom Kindchen" in der Hoffnung, dass das „Vatergefühl" ihn eine zeitlang zum „metrischen Dichter" werden lasse. Die Autorschaft stellt sich somit als potenzierte Vaterschaft dar: Eine hexametrische Idylle soll gezeugt und geboren werden nach Zeugung und Geburt des „Kindchens", eine Idylle, die ihrerseits zur Zeugin einer ‚unerhörten Begebenheit' werden soll, nämlich der Festschreibung eines antikisierend-bürgerlichen Epos in Zeiten revolutionären Umbruchs und eines Manifests poetischen Selbstbewusstseins, vorgelegt von einem ironischen Schriftsteller, der sich an der ‚Hälfte des Lebens' angekommen weiß. Auch in diesem Sinne ist der *Gesang vom Kindchen* ein Werk der von Thomas Mann so oft beschworenen Mitte geworden.

II.

Die zeitgenössische Kritik entdeckte etwas „resigniert Fontanesches" in diesem Epos später Bürgerlichkeit; „Sonnenuntergangsstimmung" walte über diesen unvollkommenen Versen, „und man weiß nicht", schrieb Franz Herwig, „kommt sie aus den Individuen oder aus der Zeit, die zur Rüste geht".[11] Andere verstanden die Verwendung der idyllischen Schreib- und Tonart als Thomas Manns Mittel zur „Lebensbewältigung" in einer Zeit der „Irrnisse und Wirrnisse".[12]

[11] Franz Herwig: Der Idylliker Thomas Mann, in: Hochland, Nr. 17 (1920), S. 378 f.
[12] Carl Müller-Rastatt: Bauschan und das Kindchen. Thomas Manns neues Buch, in: Hamburgischer Correspondent, Bd. 190, Nr. 252 (1920), 22. Mai 1920.

Das Jüngste als Symbol des Späten und einer letzten Möglichkeit, die „bürgerliche Befestigung" (VIII, 1071) zu sichern, das ist ein Motiv, das sich durch das ganze Epos zieht. Das „Letztgeborene" will ihm ein „Erstgeborenes" scheinen (VIII, 1070), das jedoch unter den Vorzeichen des Späten, des Letzten, des „Stigma des Krieges" (VIII, 1079) getauft werden wird. Da ist vom „späten Unvermögen" die Rede (VIII, 1079f.), das womöglich eine wirkliche Wertschätzung dieses späten Glücks verhindert. Was diese Rede soll, ist vor dem Zeithorizont des Jahres 1918/19 evident. Nicht um Sieg, nicht um Niederlage geht es, sondern, so will es dieses Ich, allein um die Frage, ob dieser „Ausgang" der Dinge „der letzte" oder letztmögliche sei. (VIII, 1097) „Denn ein Zeitalter endigt", sagt dieses Epos und fragt nach der „anständigen Hoffnung" auf ein „menschlich Neues". (VIII, 1098) Es geht diesem *Gesang* um das Wechselspiel von Ursprüngen („Herkunft") und Zukunft, wobei es selbst „zwischen Gestern und Morgen" steht, ein Attribut, das im Epos dem „letzten Ikariden", also Nietzsche, zugeschrieben wird. (VIII, 1095)

Im Tagebuch äußert sich Thomas Mann noch expliziter über den Zusammenhang von Anfang und Ende, wie er sich im Kind symbolisiere: „Der Ausdruck der kleinen Kinder, der so merkwürdig an den des Greisenalters erinnert, mühsam und mit unfestem Genick." (Tb, 11.11.1918) Zwischen den Zeiten, zwischen den Welten und Kulturen, von denen der Abschnitt „Vom Morgenlande" handelt – überhaupt versteht sich der *Gesang vom Kindchen* als ein Epos des (und im) Dazwischen: Das „Vaterland" befindet sich in einem Zustand zwischen Schuld und Schuldlosigkeit (VIII, 1078); die „schnöde Marter des Schmerzes" wird bedacht (VIII, 1085), das Zahnen sogar, der Zustand zwischen Reiz und Weh, Leiden und Liebe. „Unruhige Ruhe" nennt Thomas Mann dergleichen im Tagebuch. (Tb, 30.9.1918) Noch unmittelbar bevor er das Abenteuer einer Hexameter-Dichtung angeht, denkt er an ein Abenteuer ganz anderer Art: „Ich möchte, abenteurerhafter Weise, den jungen Menschen von gestern wieder treffen." (Tb, 21.12.1918) Glück und Entsagung spielen mithin auch in dieses Werk Thomas Manns hinein, desgleichen der Versuch, Schmerz zu verarbeiten. Dem Abschnitt „Krankheit" des Epos, der Mittelohrentzündung des „Kindchens" gewidmet, geht eine Tagebucheintragung voraus, die diesen Zusammenhang – so ganz unidyllisch – reflektiert:

Dem Kindchen wurde das Ohr verbunden, als ich zurückkam. Es warf sich und schrie, daß es mir das Herz zerriß. K. meint nicht, daß es wirklich große Schmerzen haben könne, da es zuweilen wenige Minuten nachher wieder lache, und Schmerzen es erschöpfen müßten. Aber die lallenden, bittenden und jammernden Laute, die es ausstößt, haben den Akzent großen Leidens, und ich kann sie kaum ertragen. Setzt man Kinder in die Welt, so schafft man auch noch Leiden außer sich, objektive Leiden, die man nicht selber fühlt, sondern nur fühlen sieht, und an denen man sich schuldig fühlt. (Tb, 13.11.1918)

Dieses Epos will, ob es von Schmerzen handelt, vom Spielen oder von der halb „orientalischen Herkunft", das Kindchen und alles, was sich mit ihm verbindet, als Weltphänomen behandeln. Die poetischen Befunde pendeln zwischen spezifisch und allgemeinverbindlich. Es handelt sich um Thomas Manns ‚Weltkind' – im Sinne Goethes – dessen ‚Mitte' noch zu bestimmen ist, oder anders gesagt, für dessen Mitte der Dichter zu sorgen hat, und zwar durch das Erarbeiten des Epos. Der *Gesang* wird zum epischen Ort der Mitte für dieses Kind, das er neben sich im Arbeitszimmer in einem „heitren Moses-Körbchen" sieht. (VIII, 1086) Nur des Vaters Arbeiten, sein episches Schaffen, kann, so steht zu vermuten, verhindern, dass dieses Spätgeborene zu einem Ausgestoßenen werde. So findet sich dieses Körbchen ausgesetzt (und gerettet!) im Schilf der väterlichen Arbeit am Ufer des Lebens- und Todesflusses, der gewissermaßen quer durch das Zimmer des mythisierenden Vaters verläuft.

Mit dieser Dichtung, die entstand, als die unmittelbaren Zeitumstände Thomas Mann durchaus noch wie ein „Verhängnis" vorkamen, versuchte er eine Art Schwebezustand zu schaffen „zwischen Sein und Werden" (VIII, 1072), Dasein und Reflexion. Denn das Reflektieren, so deutlich es in dieses lyrische Epos eingebaut ist, soll nicht spalten, sondern will versuchen, ein „lebendiges Schweben" darzustellen – übrigens ganz im Sinne der Reflexionskonzeption von Novalis und Friedrich Schlegel.[13] Ideal war Thomas Mann auch und besonders die „Goethe'sche Sphäre", seine Achill-Dichtung etwa, die davon handelt, wie Achill sein „Fatum ‚rein vergißt'", als er sich in eine Trojanerin verliebt. (Tb, 26.2.1919) Eine Balance zu finden zwischen Reflexion und Selbstvergessenheit, eben zwischen Sentimentalischem und Naivem, das schien Thomas Mann zu diesem Zeitpunkt als seinen Beitrag zur ‚Moderne' zu sehen, wobei zumindest für den *Gesang vom Kindchen* die Dimension der Ironie, wie auch von der Kritik bemerkt, deutlich zurückgestuft wirkt.

Die poetischste Sequenz des *Gesangs* bietet die „Morgenland"-Episode, welche das „Kindchen" als im „Märchen" und „Traum" gezeugt und mit „doppelter Heimat" versehen vorstellt. (VIII, 1087) „Vom Morgenlande" gehörte zu Thomas Manns ‚orientalischem Projekt', das über die *Joseph*-Tetralogie, die Erzählung *Die vertauschten Köpfe* bis zum *Doktor Faustus* reicht[14] und

---

[13] Dazu neuerdings: Winfried Menninghaus: Hälfte des Lebens. Versuch über Hölderlins Poetik, Frankfurt/Main: Suhrkamp 2005. Darin vor allem das Kapitel „Hängen – Stehen – Schweben", S. 107 ff.

[14] Vgl. Yahya Elsaghe: Der Mythos von Orient und Occident in Thomas Manns Doktor Faustus, in: „Wenn die Rosenhimmel tanzen". Oriental Motifs in 19th and 20th-Century German Literature

die Entgrenzung des Angestammten verfolgte. Was Thomas Mann in diesem Teil seiner Dichtung vorführt, ist ein assoziatives Schreibverfahren, das vorgibt, von einer genauen physiognomischen Betrachtung auszugehen. Er *liest* das Gesicht des Kindchens und befindet: „Heimat und phantastische Ferne treffen sich in dir,/ Kindchen; Nord im West und östlich tieferer Süden,/ Nieder- und Morgenland." (VIII, 1087) Das Gesicht erzählt dem Erzähler seine und dessen Geschichte, in der sich die Kultursphären wechselseitig im Sinne des *West-östlichen Divan* verbinden. Lübeck und Venedig werden aufgerufen und diese Verbindung durch das „Mazapan", Marzipan oder Mazzoth im Sinne einer haptischen Etymologie schmackhaft gemacht. Worauf läuft dieses durch das „Kindchen" verkörperte Kulturexperiment hinaus? Auf eine Neubestimmung der Vorstellung von ‚Heimat':

Also sinn' ich von Heimat zu Heimat in deiner Betrachtung,
Liebling mit der Väterbraue, dem maurischen Näschen.
Tiefste Heimat ist ja der Osten, Heimat der Seele,
Heimat des Menschen, Heimat ältester, mildester Weisheit.
Zeugte denn nicht auch ein Geist, ein hansischer, einstmals im Osten
Jenes gewaltige Buch, das, welterklärend, vom Willen
Und von der Vorstellung handelt, einend germanische Denkkraft
Mit dem Geheimnis der Upanishaden? (VIII, 1089)

Das „Gesichtchen" und „seine besondere Bildung" betrachtend, durch sinnliche Wahrnehmung also und nicht durch abstraktes Reflektieren, entwirft das Ich des *Gesangs* einen ganzen Kulturhorizont, welcher das herkömmliche Bild von Heimat gründlich relativiert. Es widerspricht dem Motto der Dichtung, indem es die Heimat gerade nicht auf die „engen Grenzen" festlegt, sondern in der entgrenzenden Erfahrung neuer Kulturzeugung bestimmt. Der gebürtige Danziger, Arthur Schopenhauer, sieht sich noch vor der Taufe des Kindchens als Zeuge dieser Kulturzeugung von Imagination und Verneinung des Willens aufgerufen. Im „Geheimnis der Upanishaden" meldet sich ein Geist, der bewegt und stille steht, dessen Nähe Ferne und dessen Ferne Nähe ist, der sich in allem und außer allem finden läßt und eine Art immanenter Transzendenz gestiftet hat.[15] Das Kindchen im Nilkorb nun als „Traum vom Morgenland" versinnbildlicht für den am Schreibtisch sinnierenden Vater eine unschuldige Weisheit und Hoffnung auf eine Erneuerung der eigenen Kultur durch das verwandt (weil indogermanisch!) Fremde.

and Thought, hrsg. von Rüdiger Görner und Nima Mina, München: iudicium 2006 (= London German Studies, Bd. 87), S. 186–199.

[15] Siehe: The Upanishads. Translation from the Sanskrit with an introduction by Juan Mascaró, Harmondsworth: Penguin 1981, S. 49.

In den Text eingewoben sind wiederholt Beschreibungen von Dingen, Ding-Gedichte im Gedicht, wenn man so will, wobei das Uranfängliche der Benennung der Dinge mit in diese Passagen eingeht. Der väterliche Dichter hält Zwiesprache mit seinem „Kindchen" und beschreibt in dieser Episode („Die Unterhaltung") die Namensgebung *vor* der Taufe:

[…]. Und ich weise
Dir die Dinge der Welt und nenne dir schon ihre Namen, –
Schauend und lauschend nimmst du sie auf, die Sinne erprobend,
Und es verschmilzt dir das Bild mit dem Laute, den schon du zuweilen
Lallend nachzubilden versuchst mit der tastenden Zunge:
Ein rotes Buch ist's, die blendende Schale, worinnen das Licht sich
Spiegelt […]. (VIII, 1083)

Indem er die kindliche Art der Wahrnehmung beobachtet, lernt der Dichter die sinnlich greifbare Seite des Erkennens und Benennens neu. Das bezieht sich auch auf die Kontaktaufnahme mit dem Zeit-Ding Uhr: Gehäuse, Zifferblatt, das Pendel mit „schwerer Rosette", das Uhrwerk und sein Schlagen – diese Bestandteile der Uhr, nicht die exakte Zeit sind bedeutungsvoll. Die in das Ding hingenommene oder in ihm enthaltene Zeit charakterisiert auch die aus dem Familienbesitz stammenden Gegenstände, die bei der Schilderung der Tauffeier ins Auge fallen, insbesondere die Taufschale und „der silberne Teller, worauf wir sie stellen" mit der eingravierten Jahreszahl 1650. (VIII, 1091)

Schön ist die Schale,
Einfach, von edler Gestalt, aus glattem, gediegenem Silber,
Ruhend auf rundlichem Fuß und innen vergoldet; doch blich schon
Hin das Gold von der Zeit bis zum gelblichen Schimmer. Ein Fries läuft
Um den oberen Rand aus Rosen und zackigen Blättern. (VIII, 1090 f.)

Man vermeint, Anklänge an das Gedicht *Rosenschale* von Rilke zu vernehmen, das seine *Neuen Gedichte* abschließt, freilich mit dem entscheidenden Unterschied, dass dieses Ding im *Gesang* Thomas Manns seinen entschieden sakralen Wert behält. Die Rosen sind hier Teil des Kunstgegenstands und erinnern nur an die Natur. In Rilkes Gedicht sollte „die Welt da draußen" in „eine Hand voll Innres" verwandelt werden, das am Ende „sorglos in den offnen Rosen" liegt.[16] Im *Gesang* dagegen ist die Schale, die zuvor das Licht gespiegelt hatte, offen für die sakrale Verwandlung, und die Rosen sehen sich kunstvoll an ihren Rand gedrängt.

Werkgeschichtlich wichtig ist diese Stelle, weil sie Thomas Mann in prosai-

---

[16] Rainer Maria Rilke: Werke. Kommentierte Ausgabe in vier Bänden, hrsg.von Manfred Engel u.a., Bd. 1: Gedichte 1895 bis 1910, Frankfurt/Leipzig: Insel 1996, S. 510.

sierter Form in das zweite Kapitel des *Zauberberg* integrierte. Im Hause Castorp befindet sich nämlich genau dieselbe Taufschale, welche der Großvater dem kleinen Hans zeigt (5.1, 38). Anhand der auf der Rückseite der Schale „einpunktierten" Namen der Ahnen lernt Hans die Vorsilbe „Ur", „diesen dunklen Laut der Gruft und der Zeitverschüttung, welcher dennoch zugleich einen fromm gewahrten Zusammenhang zwischen der Gegenwart, seinem eigenen Leben und dem tief Versunkenen ausdrückte" (5.2, 38 f.). Dagegen ist die Taufe im *Gesang* reine Gegenwart im Bewusstsein der Präsenz des Vergangenen. Entscheidend ist in beiden Kontexten, daß das Ding ‚Taufschale' etwas enthält. Es verfügt über einen materiellen und geistlichen Gehalt; zudem ist ihm Zeit in Gestalt der Jahreszahl und der Namen der Vorfahren buchstäblich eingeschrieben; und es verfügt damit auch über den sprachlichraunenden Verweis auf die mythologische Substanz des Daseins, das „Ur".

Die eigentliche Taufe nun wirkt im *Gesang* wie die Weihe des Kindes und des Werkes. Das Epos tauft sich gleichsam selbst. Die Szene am Tauftisch beschreibt nämlich in erster Linie einen Schicksalszusammenhang, der noch einmal die Zeitumstände in Erinnerung ruft, in dem der *Gesang* steht und entstanden ist. Das „Kind dieser zerrütteten Zeit" tauft ein schwer kriegsversehrter Pastor; auch der Pate ist von Krankheit gezeichnet, mit „dem Leiden vertraut". (VIII, 1095)

In der Dramaturgie der *Gesang*-Dichtung ist die Schlussepisode, „Die Taufe", auch deswegen der Höhepunkt, weil hier zwei weitere Vertreter des Wortes ihren Auftritt haben, der kriegsversehrte Pastor und der intellektuelle Pate. Der Pastor, ein „Diener am Wort", zittert und zögert bei der Vorbereitung (VIII, 1094), wechselt zwischen bürgerlichem und kirchlichem Habit, dem Gehrock und Amtsgewand. In ersterem kann er sich später auf der Feier „gesellig" und etwas gelöster zeigen, wogegen ihn das Amtsgewand befangen macht, bleich und ernst. Ihm gegenüber der junge sehr deutsch auftretende Gelehrte, aus kirchlicher Sicht als Nietzscheaner jedoch eher ein Wolf im Schafspelz, sprich: „wohlgeschnittnem Gehrock", einer (gemeint ist der tatsächliche Pate Ernst Bertram), der ein bedeutendes Werk über Nietzsche geschrieben hat, jenen „letzten Ikariden", der „des Todes Gebot in gefährlich doppelter Seele" in sich getragen hatte, eine Seele, „[d]ie in furchtbarem Gleichgewicht schwebt zwischen allem, was ungleich,/ Zwischen Gestern und Morgen, Musik und zielweisendem Willen,/ Zwischen Geheimnis und Wort, Deutschtum und französischer Logik". (VIII, 1095)

Dabei ergibt sich eine bezeichnende Rollenverwandtschaft: Der Pastor erlebte im Krieg offenbar einen solchen Zustand, über den der Pate, freilich Nietzsche meinend, geschrieben hatte: einen Beinahe-Todessturz, ein gefährliches Schweben „zwischen allem". Die Versehrtheit des Pastors spiegelt sich anscheinend nicht in der Art seiner Sprache. Wenn er seine Nervosität überwunden und sich mit über der Krücke gekreuzten „blutleeren Händen", in einem Sessel sitzend, gesammelt hat (ebd.), scheint er sprechen zu können, als sei (ihm) nichts geschehen, wobei der ironische Kommentar des väterlichen Dichters des *Gesangs* unüberhörbar ist:

Fließend redete der verordnete Jüngling, es ging ihm
Eben vom kindlichen Mund der evangelische Wortstrom;
Wußt' er nicht weiter, so sagte er gar nichts und redete dennoch,
Wort erzeugend aus Wort, wie es Predigerübung und -kunst ist. (VIII, 1098)

Was diese Worte hier in Gang setzen, ist ein Ritual, bestehend aus „Sprüchen und Formeln" (VIII, 1100). Jeder von diesen Worten beförderte Handgriff richtet sich nach einem „uralt heiligen Brauch". Da ist es nur konsequent, dass der Mann des intellektuellen und künstlerischen, also subjektiven Wortes, der Pate (Bertram), sich linkischer verhält: „… er nahm dich verkehrt, der Dichter und Denker,/ Links in den Arm nahm er dich, kaum weniger hilflos er selber/ Als seine Bürde". (Ebd.) Das subjektive Wort läßt sich, so die Moral, weniger unmittelbar in Handlung übersetzen als das ritualisierte. Souverän über allem, dem Geschick wie dem Beinahe-Mißgeschick, ist einzig der *Gesang*, der freilich mit einem Hinweis auf die harte Lebenswirklichkeit schließt: Die kulinarische Seite der Tauffeier verlief so, „wie die Blockade es zuließ der kalt gebietenden Angeln" (VIII, 1101), karg also, frugal, so dass man im wesentlichen vom Wort zu zehren hatte. Hier wie bereits in der Episode „Vom Morgenlande" wirkt die in den *Betrachtungen* zur Schau gestellte Verachtung des ‚Westens' überdeutlich nach, wobei die ironische Pointe des *Gesangs* gleichfalls unübersehbar ist: Die verachteten „Angeln", also Angelsachsen, die anglo-amerikanische Allianz, sind mit ‚Engeln' verwandt, schützenden und (in diesem Falle) strafenden, profan gewordene Boten einer fragwürdigen Transzendenz, Paten ganz anderer Art also bei der Taufe des „Sinnbilds", des Kindchens, das für wissende Unschuld steht.

III.

Setzt man nun den *Gesang vom Kindchen* sinnvollerweise in Beziehung zu der ihm vorangegangenen Prosaidylle *Herr und Hund* sowie zu der 1925 geschriebenen essayistischen Novelle *Unordnung und frühes Leid,*[17] dann wird man von einer (im Falle von *Unordnung und frühes Leid* nur bedingt

[17] So schon bei Joachim Müller (zit. Anm. 2).

idyllischen) ‚Trilogie der autobiographischen Leidenschaft' sprechen können. Was Thomas Mann im Tagebuch unter dem Datum des 10. Januar 1919 vermerkte, gilt auch für diese anderen Texte und wiederholt ein Schaffensprinzip, das er in seinem programmatischen Essay *Bilse und ich* (1906) – am, wie er eigens vermerkte, „50. Todestag Heinrich Heine's" – begründet hatte:

Nach dem Thee K. die fertigen Teile des Gedichtes (*GvK*, R.G.) vorgelesen. Sie war sehr gerührt u. zeigte nur Widerstreben gegen die Darstellung des Intimsten. Dieses Intimste ist jedoch zugleich das Allgemeinste und Menschlichste, und übrigens kenne ich solche Bedenken garnicht. (Tb, 10.1.1919)

Bedenken hatte Thomas Mann nur angesichts der Frage, ob ein Wort wie „Interessenkonflikt" hexametertauglich sei (Tb, 14.2.1919). Die Frage nach der probaten Form für seine Beobachtungen und Reflexionen beschäftigte ihn gerade in jener Zeit des Umbruchs und der, wie er es sah, Notwendigkeit, autobiografische Erfahrung in ihrem symbolischen Wert für das Erfassen des Zeitgeschehens darzustellen. Daß diese Form in der auf das im bürgerlichen Bewußtsein Maßvolle bedachten Hexameterdichtung zu finden sein könnte, war um 1919 ein Ausdruck von Exzentrizität. Und während *Herr und Hund* stellenweise auch in hexametrischer Prosa geschrieben war,[18] sollte sich dieses Form-Charakteristikum in der „Inflationsgeschichte" *Unordnung und frühes Leid* ganz verlieren. Darin herrscht die Disparatheit der Wahrnehmung (die Dominanz der Jugendkultur) vor, die kein Versmaß mehr zu bändigen verstand:

... diese Double Fox, Afrikanischen Shimmys, Java dances und Polka Creolas – wildes, parfümiertes Zeug, teils schmachtend, teils exerzierend, von fremdem Rhythmus, ein monotones, mit orchestralem Zierat, Schlagzeug, Geklimper und Schnalzen aufgeputztes Neger-Amüsement. (VIII, 647)

Und das dröhnt im Hause eines Historikers, eines von Berufs wegen eigentlich Zeit-Verständigen, des Professors Cornelius, *alias* Thomas Mann, dessen Grammophon kurz zuvor noch Schuberts *Lindenbaum* gespielt hatte.

Das Autobiografische ist Thomas Mann zu jener Zeit längst Ort und Quelle des Unerhörten, wozu auch gehört, daß ein Platen-Zitat, nämlich sein allfällig bekanntes homoerotisch grundiertes Bekenntnis zu Schönheit und Verfall („Wer die Schönheit angeschaut [...]"), das Thomas Mann zum Leitmotiv geworden war, mitten in einem Essay *Über die Ehe* (1926) stehen kann (X, 197), einem Essay, der ebenfalls in den weiteren Kontext des

---

[18] Vgl. ebd., S. 155.

Gesang vom Kindchen-Epos gehört. Die Fiktionalisierung autobiografischer Authentizität, die mit Ausnahme der *Joseph*-Tetralogie das Romanwerk Thomas Manns auszeichnet, erreichte bekanntlich in der Einleitung zum *Felix Krull* ihren Höhepunkt („Allein, da alles, was ich mitzuteilen habe, sich aus meinen eigensten und unmittelbarsten Erfahrungen, Irrtümern und Leidenschaften zusammensetzt und ich also meinen Stoff vollkommen beherrsche [...]" [VII, 265]). In den beiden „Idyllen" bedarf es dieser Fiktionalisierung kaum, scheint doch die gewählte Gattung angesichts der Zeitumstände schon genügend ‚fiktiv' zu sein.

Bedenkenswert ist, wie eingangs erwähnt, dass Thomas Manns Begleitlektüre zur Arbeit am *Gesang* nicht nur aus Voß und Goethe bestand; er las auch Mörikes *Märchen vom sichern Mann* (1837), eine Scheinidylle, die das Schaurig-Unheimliche kultiviert. Es handelt sich um die Geschichte eines ungeschlachten Naivlings, dessen Tun „aus lauter Nichts" besteht und der vom Harlekin der Götter, Lolegrin mit Namen, einer pikaresken Gestalt, dazu verleitet wird, sein schütteres unsicheres Wissen aufzuzeichnen. Ausgerechnet er, diese personifizierte Naturgewalt, soll also ein Buch schreiben. Als besonderes Lesezeichen wird er in das fertige Buch den Schwanz des Teufels einlegen, den er diesem eigenhändig ausgerissen hat. Und das alles hat nur einen Zweck: Es soll zur Erheiterung der Götter beitragen.[19] Dieses Märchen ist geradezu eine Anti-Zeit-Dichtung; denn der ‚sichere Mann' erinnert sich in Jahrtausende umfassenden Dimensionen – „bis tief wo er selber/ Noch ein Ungeborener träumte die Wehen der Schöpfung [...]".[20] Er stellt das unheimliche Riesen-‚Kindchen' dar, einen überdimensionalen Siegfried, der jedoch nichts Strahlendes hat. „Mythologie und gute Märchen sind es, was das Kind braucht", schreibt Søren Kierkegaard in jenem Jahr, als Mörike sein *Märchen vom sichern Mann* dichtet.[21] Was Mörike erzählt, ist die Überwindung des Teuflischen durch das Naive und dessen Überlistetwerden durch das Göttliche. Kein Text scheint weiter entfernt zu sein von Thomas Manns *Gesang* als diese Mörikesche Schaueridylle, dieses „wunderliche Hexameter-Märchen", wie es im Tagebuch heißt (Tb, 25.12.1918); und doch ist erkennbar, was Thomas Mann gerade an dieser Dichtung Mörikes interessiert haben dürfte, dass er sie die Anfänge seiner um Weihnachten 1918 begonnenen Arbeit

---

[19] Eduard Mörike: Sämtliche Werke, hrsg. von Helmut Koopmann, Bd. 1, 6. Aufl., Darmstadt: Wissenschaftliche Buchgesellschaft 1997, S. 715–724. Zur Interpretation vor allem: Martin Stern: Das Märchen vom sichern Mann, in: Euphorion, Bd. 60 (1966), S. 193–208.

[20] Ebd., S. 719.

[21] Søren Kierkegaard: Wie man Kindern Geschichten erzählt. Das Überwältigende und zugleich Beunruhigende der Poesie. Ein Fragment aus dem Journal des Philosophen von 1837, in: Frankfurter Allgemeine Zeitung, Nr. 258, 5. November 2005, S. 46.

am *Gesang vom Kindchen* begleiten ließ: Ergeht doch auch an den „sichern Mann" die Aufforderung des als abstruser Muse fungierenden göttlichen Hofnarren Lolegrin, etwas aus sich heraus, aus seinem Erfahrungsbereich zu schaffen, ein Weltlied, das es mit allen anderen Epen aufnehmen könne. Auch der „sichere Mann" Mörikes (ganz wie Thomas Mann im Falle seiner Hexameter-Idylle) sieht sich dazu verleitet, etwas tun zu sollen, was er bislang noch nie unternommen hat. Das Vorhaben des sichern Mannes (wie auch Mörikes *Märchen* selbst) löst Befremden aus, was auch dem *Gesang* Thomas Manns in reichlichem Maße zuteil werden wird.

Mörikes *Märchen* bot jedoch keinerlei Anschauungsmaterial für dezidiert autobiografisches Schaffen. Wenn Thomas Mann hierfür überhaupt von außen zusätzliche Anregung oder Bestätigung gebraucht hätte, dann wäre sie sozusagen in der Nachbarschaft in musikalischer Gestalt verfügbar gewesen; denn neben ihm hatte kaum ein Künstler sich unbedingter dem Autobiografischen verschrieben als Richard Strauss vor allem in seinen Tondichtungen. So zwiespältig Thomas Manns Verhältnis zu Strauss zu diesem Zeitpunkt bereits gewesen war[22] („Welch furchtbare Ausdruckskunst"[23] im Vergleich zu Wagners *Parsifal*, wie er etwa in einem Brief im Sommer 1909 befand), sein *Gesang* scheint der *Symphonia Domestica* (op. 53) wahlverwandt, wobei jedoch die Ausführlichkeit der Taufszene eher ein fernes und trotz der klangvollen Hexameter prosaisch mehrfach gebrochenes, weil reflektiertes Echo der von ihm so geschätzten „Taufe" aus Wagners *Parsifal* sein dürfte. Aber die Analogie zum kompositorischen Ansatz der *Domestica* ist auffällig, obzwar freilich nicht genau nachweisbar ist, ob und wann Thomas Mann diese 1903 vollendete Tondichtung gehört hat oder ob ihm nur lektüre- oder gesprächshalber davon berichtet wurde. Auch die *Domestica* beginnt mit Selbstverweisen ihres Komponisten, der sich in verschiedenen Stimmungslagen präsentiert, wobei das Pauline-Motiv, die Darstellung seiner Frau, mit drei Noten beginnt, die bezeichnenderweise eine Inversion seines, des Komponisten, Hauptmotivs darstellt. Musikalisch scheint jedoch alles auf das dritte Thema zuzulaufen, die Kindszenen, die Volksliedhaftes und Schlaflied kombinierten, wobei Strauss auf Mendelssohns *Lieder ohne Worte* rekurrieren konnte, wogegen Thomas Mann in seinem *Gesang* naturgemäß auf seine Worte angewiesen blieb.

Was Thomas Mann in seinem Gesang allerdings aussparte, waren Themenfolgen, wie sie Strauss im Adagio-Teil seiner *Domestica* vorführte: der Komponist, der sich selbst bei der Arbeit, dem Komponieren zuhört, die ero-

---

[22] Vgl. meine Studie: Thomas Mann. Der Zauber des Letzten, Düsseldorf/Zürich: Artemis & Winkler 2005, S. 160–180.
[23] Brief an Walter Opitz, 26. August 1909 (21, 427).

tische Traumwelt des Paares, aber auch ihren Streit. Häusliche Harmonie, die Thomas Mann in seinem Gesang feiert, steht bei Strauss unüberhörbar auf dem Spiel. Am Ende triumphiert jedoch in Straussens *Domestica* das Kind-Motiv, dessen sich sogar die Hörner in einer Art heroischer Glorifizierung annehmen. Am Ende doch nichts als „furchtbare Ausdruckskunst" – zumindest wäre das eine Darstellungsebene, von der sich Thomas Mann abzusetzen versuchte. Nur bleibt dabei die Frage offen, ob das entschieden Autobiografische – in welchem Ausdrucksmedium auch immer – nicht stets Gefahr läuft, sich selbst nichts als Blößen zu geben und mit Intimem zu wuchern. Wohl um dem vorzubeugen, versuchte sich Thomas Mann in der Form des Maßes, dem Hexameter, um nicht in eigenster Sache seine Künstlerseele (wie weiland Richard Strauss) ganz dem (Infernalisch-)Expressiven zu verschreiben. Denkbar zumindest, dass Thomas Mann dieser hexametrischen Stilkatharsis bedurfte, um sich neu auf den Weg zum Höhenkamm des *Zauberberg* einstimmen zu können, einen Weg, den er bereits einen knappen Monat nach Abschluß des *Gesangs* mit der Überarbeitung der bis dahin geschriebenen Passagen des noch als Novelle geplanten Romans wieder aufnehmen sollte. Und so konnte die beglückende Enge der „Kindchen"-Welt dem Weltkind Hans Castorp zum ‚Paten' werden, die (Schein-) Idylle dem Totentanz präludieren.

In den Jahren 1918/19 finden sich vergleichsweise wenige produktions- oder literarästhetische Aussagen Thomas Manns. Gerade auch deswegen ist der *Gesang* als sein auffälligstes literarisches Experiment jener Zeit von besonderem Interesse. Nach allem, was sich über diese Dichtung sagen läßt, kann man sie mit Fug allein schon durch die gewählte Form als ein markantes Werk in einer für Thomas Mann literarisch und politisch-ideologisch wichtigen Übergangsphase nennen. Im ersten Kapitel des *Zauberberg*, dessen Überarbeitung und Fertigstellung auf den Abschluß des *Gesangs* folgte, sieht sich das Motiv ‚Übergang' denn auch eigens thematisiert. Castorps Ankunft in Davos erfolgt im abendlichen Zwielicht:

Es dämmerte rasch. Ein leichtes Abendrot, das eine Weile den gleichmäßig bedeckten Himmel belebt hatte, war schon verblichen, und jener farblose, entseelte und traurige Übergangszustand herrschte in der Natur, der dem vollen Einbruch der Nacht unmittelbar vorangeht. (5.1, 18)

Die beiden Idyllen bezeichneten für Thomas Mann ein Schreiben in diesem übergangshaften Zwielicht, ein Erzählen im zeitlichen Dazwischen, das sich auch in Gattungsfragen neu zu orientieren versuchte. Zu wenig hat man bislang eine in diesem Hinblick wichtige Selbstaussage Thomas Manns berücksichtigt; es handelt sich um seine Antwort auf eine Rundfrage „Über die Zukunft der Literatur nach dem Kriege", auf die er im April 1919 antwortete, also unmittelbar im Anschluß an den *Gesang*, und zwar mit einem geradezu programmatisch zu nennenden Bekenntnis zum Idyllischen. Seine Argumentation läuft auf eine Apologie seiner beiden Idyllen hinaus. Er geht von der These aus, daß man nach 1918 dem Zwang unterliege, die „überall hinreichende Erschütterung geistig aufzuarbeiten". (XIII, 249) Er verweist auf Goethes gegenüber Eckermann geäußertes Wort vom 13.12.1826, laut dessen im Gefolge der Auseinandersetzung mit den Erschütterungen durch die Befreiungskriege „mehr politischer als künstlerischer Geist" herrsche, und „alle Naivität und Sinnlichkeit gänzlich verlorengegangen" seien. Analog dazu fordert Thomas Mann die Belebung der „naiven und schöpferischen Traumkraft".[24] Die Kunst und namentlich die Literatur werde auf den Krieg womöglich „mit einem tiefen Verlangen nach Stille, Sanftmut und Innerlichkeit" reagieren.

Mit dem lebhaftesten Geschmack an allem Zarten, Gütigen, Leisen, Intimen; schmucklos geistig, von höchster humaner Noblesse möchte ich sie mir denken, formvoll, maßvoll und kraftvoll durch die Intensität ihrer Menschlichkeit. (XIII, 250)

Wonach Thomas Mann also verlangte, er sagte es in dieser Rundfrage ohne erkennbare Anzeichen von Ironie, war eine „Rehabilitierung der Idylle", womit seine Antwort angesichts von *Herr und Hund* und dem *Gesang vom Kindchen* den Charakter einer sich selbst bereits erfüllten Prophezeiung annahm. In diesem Sinne also ließe sich der *Gesang* auch als poetologisches Manifest lesen, als eine Theorie in Form einer als zeitgemäß erklärten lyrisch-narrativen Praxis.

Schwerlich kann verwundern, daß Thomas Mann, als er im *Zauberberg* zu seiner rein narrativen Praxis zurückgekehrt war, das Idyllische schon nicht mehr aufrecht zu erhalten vermochte. Denn dort ging es unwillkürlich um „Seelenzergliederung", um die Analyse der Psyche modernen (zum Ideologischen tendierenden) Bewußtseins. Und der Intellekt, der sich einseitig zum Willen erklärt hatte, war an sich selbst erkrankt und konnte nicht anders, als sich einen unabsehbar langen Sanatoriumsaufenthalt zu verordnen.

---

[24] Vgl. zur Signifikanz der „Traumkraft" die umfassende Darstellung von Alexander Koslowski: In Morpheus' Armen. Der Traum im Werk Thomas Manns, unveröffentl. Dr.phil.-Thesis, Oxford University 2005.

Thomas Sprecher

Das grobe Muster

Georges Manolescu und Felix Krull

1905 erschienen im Berliner Verlag Paul Langenscheidt die Memoiren von Georges Manolescu, *Ein Fürst der Diebe* und *Gescheitert*. Er berichtete darin über seine Abenteuer als Hochstapler, Hoteldieb und Frauenheld. Seit langem ist bekannt, daß Manolescu eine Hauptquelle für Thomas Manns *Felix Krull* darstellt, vor allem für seinen frühen Teil. Wer war dieser Georges Manolescu? Was hat Thomas Mann von ihm gekannt? Und inwiefern haben die *Bekenntnisse* aus seinen Aufzeichnungen Nutzen gezogen? Die erste, die auf Manolescu aufmerksam gemacht hat, war – nach Thomas Mann selbst – Eva Schiffer;[1] später haben ihn Werner Frizen[2] und vor allem Hans Wysling[3] näher untersucht. In den Thomas-Mann-Biographien, die in den letzten Jahren erschienen sind, kommt er hingegen gar nicht oder nur am Rande vor.

Der kriminologische Rahmen

Um den geistesgeschichtlichen Hintergrund zu sehen, vor dem das Phänomen Manolescu möglich und erklärbar wird, haben wir einen Blick auf die historische Kriminalitätsforschung zu werfen. Das Kriminelle steht in wissenschaftsgeschichtlichen, juristischen, medizinischen, politischen und literarischen Diskursen.

---

[1] Eva Schiffer: Manolescu's Memoirs. The Beginnings of „Felix Krull"?, in: Monatshefte für deutschen Unterricht, deutsche Sprache und Literatur, Madison/Wisc., vol. 52, no. 6 (november 1960), S. 283–292.

[2] Werner Frizen: Thomas Mann. Bekenntnisse des Hochstaplers Felix Krull. Interpretation, 3., überarb. Aufl., München: Oldenbourg 1999 (= Oldenbourg-Interpretationen, Bd. 25).

[3] Hans Wysling: Thomas Manns Pläne zur Fortsetzung des „Krull", in: ders.: Dokumente und Untersuchungen. Beiträge zur Thomas-Mann-Forschung, Bern/München: Francke 1974 (= Thomas-Mann-Studien, Bd. III), S. 149–166; Hans Wysling: Narzissmus und illusionäre Existenzform. Zu den Bekenntnissen des Hochstaplers Felix Krull, 2. Aufl., Frankfurt/Main: Klostermann 1995 (= Thomas-Mann-Studien, Bd. V), S. 153 ff.

Im 19. Jahrhundert folgte die Kriminologie einer binären Logik.[4] Sie stellte eine Dichotomie dar zwischen dem Bürger und dem Verbrecher. Der Verbrecher war die Negation der bürgerlichen Identität. Er stellte die Halbwelt dar, vor der die Welt geschützt werden musste. In der Ausgrenzung des Kriminellen lag über das Jahrhundert hinweg die Kontinuität.

Veränderungen erfuhr hingegen die Art und Weise, wie Abweichungen von der bürgerlichen Norm definiert wurden. Man bezog das Anderssein des Verbrechers entweder auf seine Verderbnis, d.h. auf eine Abweichung von der bürgerlichen sittlich-moralischen Handlungsleitlinie, oder auf seine Entartung, d.h. auf die Bestimmung zum Anderssein durch Vererbung und Umwelteinflüsse.[5]

Die frühen Kriminalisten bedienten sich oft des Erzählmusters des „gefallenen Menschen". Es prägte sowohl ihre Wahrnehmung wie auch die vorgeschlagenen Präventionsstrategien. Kriminelles Verhalten galt als willentliche Abkehr von einem moralisch-sittlichen Lebensentwurf. Offen wurde die Analogie zum christlichen Sündenfall gezogen. Für seine „verkehrte Gesinnung" konnte das Individuum zur Verantwortung gezogen werden.

Da man der Ansicht war, der Einstieg in die Kriminalität erfolge insbesondere über erhöhten Alkoholkonsum und über die Prostitution, sperrte man die Prostituierten zur Verhinderung der moralischen Korruption aus der bürgerlichen Gesellschaft aus. Sittenpolizeiliche Massnahmen wurden zum „Grenzschutz",[6] zu einem reichsinternen, gesellschaftlichen *cordon sanitaire*.

Am Kriminalitätsdiskurs nahmen zuerst „Praktiker" teil, Strafrechtsexperten, Moralreformer, forensische Mediziner. Sie verfügten sowohl über lebensweltliche Bezüge wie auch über theoretisches Wissen. Der berühmteste Vertreter der Kriminologie war in der zweiten Hälfte des 19. Jahrhunderts Cesare Lombroso (1835–1909), Professor der Gerichtsmedizin und Psychiatrie in Turin. Zahlreiche seiner Bücher erschienen kurz vor der Jahrhundertwende auch in deutscher Übersetzung.[7] Dann wurde die Diskussion von Kriminologen dominiert. Sie stellten den Kriminellen aufs Feld der Human- und Sozialwissenschaften und

---

[4] Vgl. Peter Becker: Verderbnis und Entartung. Eine Geschichte der Kriminologie des 19. Jahrhunderts als Diskurs und Praxis, Göttingen: Vandenhoeck & Ruprecht 2002; Urs Germann: Review of Peter Becker. Verderbnis und Entartung. Eine Geschichte der Kriminologie des 19. Jahrhunderts als Diskurs und Praxis, in: H-Soz-u-Kult, January 2003, URL: http://www.h-net.org/reviews/showrev.cgi?path=306491043796714.

[5] Becker, Verderbnis, S. 30 f.

[6] Ebd., S. 157.

[7] Genie und Irrsinn in ihren Beziehungen zum Gesetz, zur Kritik und zur Geschichte, 1887 (Genio e follia, 1864); Der Verbrecher (Homo Delinquens) in anthropologischer, ärztlicher und juristischer Beziehung, 1890 (L'uomo delinquente, 1876); Entartung und Genie, 1894; Neue Fortschritte in den Verbrecherstudien, 1894; Cesare Lombroso/Guglielmo Ferrero: Das Weib als Verbrecherin und Prostituierte, 1894.

erforschten ihn mit deren Methodenkanon. Das führte auch zu einer Literarisierung der Kriminologie. Zum einen wurden Kriminelle mit literarischen
Erzählmustern beschrieben, zum andern wurde in der Literatur das Kriminelle
gesucht, wurde die Literatur selbst zum Forschungsgegenstand der Kriminologie. Literatur generierte kriminologische Aussagen. Damit verbunden war das
wachsende Interesse der Kriminalisten an den Biographien kriminell geworde-
ner Menschen. Schon 1842 meinte der Berliner Kriminalist A.F. Thiele: „Gerade
der Lebenslauf charakterisiert erst den Gauner."[8] Später sprach man gar von den
„biographischen Obsessionen des Justizapparats"[9]. Der Lebenslauf, der von der
bürgerlichen Norm abwich, liess sich als Zeugnis einer „verkehrten Gesinnung"
lesen. Vom kriminellen Lebenslauf her wurde auf eine solche verkehrte Gesinnung geschlossen. Die Kriminalisten modellierten die Lebensbedingungen und
Familienverhältnisse von Kriminellen als „Gegenordnung". Das nahm ihnen das
Bedrohliche und führte sie einer beruhigenden, rationalen Erklärung zu; es war
auch eine Grundlage zur Ergreifung von Gegenmassnahmen.

In der zweiten Hälfte des 19. Jahrhunderts wurde das Muster des „gefallenen
Menschen" zunehmend von jenem des „verhinderten Menschen" verdrängt. Er
wurde nicht mehr moralisch-sittlich, sondern medizinisch-anthropologisch definiert. Gewalttäter und Rückfällige galten im Anschluss an die Degenerations-
und Evolutionstheorie als erblich Belastete, die eine tiefere Hemmschwelle, ein
ausgeprägteres Triebleben und eine schwächere Willens- und Gewissenskraft
besassen, als es der bürgerlichen Norm entsprach. Der Kriminelle wurde patho-
logisiert. Auf die Spitze getrieben wurde diese „Naturalisierung der Devianz"[10]
durch die (schon von Lavater initiierten) Versuche Lombrosos, aus körperlichen
Merkmalen Rückschlüsse auf kriminelle Veranlagung zu ziehen. Lombroso versuchte den Typus des „geborenen Verbrechers" anhand äusserlicher Missbildungen zu definieren. Das Böse wurde so am Körper festgemacht. Damit war die
kriminelle Persönlichkeit neu zu lesen, was nachhaltige Folgen hatte. Die krimi-
nalistische Biographik wurde ergänzt durch genealogische und psychopathologi-
sche Elemente wie Krankengeschichten. Alkoholkonsum und Prostitution waren
nicht die Folgen, sondern die Ursachen einer „erblichen Belastung".

Hier ist nun der Moment, Erich Wulffen zu erwähnen. Mit ihm nahm
vielleicht zum ersten Mal der Vertreter eines literarischen Ansatzes am Kri-
minologiediskurs teil. Wolf Hasso Erich Wulffen (1862–1936) wurde als Sohn
eines Verlagsbuchhändlers in Dresden geboren. Er studierte das Recht und
wurde 1899 Staatsanwalt in Dresden. Von 1913 an war er an verschiedenen
sächsischen Gerichten Amtsgerichtsrat und Landgerichtsrat. 1920 wurde er

---

[8] Zit. nach Becker, Verderbnis, S. 70.
[9] Ebd., S. 59.
[10] Ebd., S. 262.

für die Demokratische Partei Mitglied der Sächsischen Volkskammer. 1923 bis zu seinem Ruhestand 1928 war er als Ministerialdirektor im sächsischen Justizministerium tätig.

Bekannt geworden ist Wulffen aber weniger durch seine berufliche Laufbahn als durch seine kriminalpsychologischen Schriften. Er war ungemein produktiv; der Nachlass umfasst 1500 katalogisierte Schriftstücke, und zwar neben Fachstudien auch literarische Werke. Zwischen 1882 und 1929 schrieb Wulffen einen Gedichtband, zwei Dramen, zwei Lustspiele, zwei Festspiele und zehn Romane, die meist kriminalpsychologische Hintergründe haben. Ferner veröffentlichte er zahlreiche literarisch-kriminalistische Untersuchungen. Er befasste sich mit Karl May, Goethe, Shakespeare, Schiller, Ibsen, Gerhart Hauptmann und der in ihren Werken präsenten Kriminalität.[11] Mit seinen Schriften erregte er grosses Aufsehen.

---

[11] Zu seinen vielen Werken, die oft zahlreiche Auflagen erlebten, gehören: Handbuch für den exekutiven Polizei- und Kriminalbeamten, 2 Bände, Dresden: Lehmann 1905; Strafgesetzbuch für das Deutsche Reich mit Erläuterungen, [o.A.] 1905; Reformbestrebungen auf dem Gebiete des Strafvollzugs, Dresden: v. Zahn & Jaensch 1905; Kriminalpsychologie und Psychopathologie in Schillers Räubern, Halle/Saale: Marhold 1907; Ibsens Nora vor dem Strafrichter und Psychiater, Halle/Saale: Marhold 1907; Georges Manolescu und seine Memoiren. Kriminalpsychologische Studie, Berlin: Langenscheidt 1907; Gerhart Hauptmann vor dem Forum der Kriminalpsychologie und Psychiatrie, Breslau/Leipzig: Langewort 1908; Psychologie des Verbrechers. Ein Handbuch für Juristen, Ärzte, Pädagogen und Gebildete aller Stände, 2 Bände, Gross-Lichterfelde: Langenscheidt 1908; Das Kriminelle im Volksmärchen, in: Archiv der Kriminalanthropologie und Kriminalistik, Nr. 38 (1910), S. 340–370; Der Sexualverbrecher. Ein Handbuch für Juristen, Verwaltungsbeamte und Ärzte, Gross-Lichterfelde: Langenscheidt 1910; Gauner- und Verbrecher-Typen, Berlin: Langenscheidt 1910; Gerhart Hauptmanns Dramen. Kriminalpsychologische und pathologische Studien, Berlin: Langenscheidt 1911; Shakespeares grosse Verbrecher. Richard III. – Macbeth – Othello, Berlin: Langenscheidt 1911; Shakespeares Hamlet. Ein Sexualproblem, Berlin: Duncker 1913; Das Kind. Sein Wesen und seine Entartung, Berlin: Langenscheidt 1913; Kriminalpädagogik. Ein Erziehungsbuch, Leipzig: Voigtländer 1915; Psychologie des Giftmordes, Wien: Verlag des Volksbindungshauses Wiener Urania 1917; Sexualspiegel von Kunst und Verbrechen, Dresden: Aretz [um 1920]; Die Psychologie des Hochstaplers, Leipzig: Dürr & Weber 1923; Das Weib als Sexualverbrecherin. Enzyklopädie der modernen Kriminalistik. Ein Handbuch für Juristen, Verwaltungsbeamte und Ärzte, Berlin: Langenscheidt 1923; Der Sexualverbrecher. Enzyklopädie der modernen Kriminalistik. Ein Handbuch für Juristen, Polizei- und Vollzugsbeamte, Ärzte und Laienrichter, Berlin: Langenscheidt 1923; Verbrechen und Verbrecher, Berlin: Rechts- u. Wirtschaftsverlag 1925; Kriminalpsychologie. Psychologie des Täters. Ein Handbuch für Juristen, Justiz-, Verwaltungs- und Polizeibeamte, Ärzte, Pädagogen und Gebildete aller Art, Berlin: Langenscheidt 1926; Sexualspiegel. Von Kunst und Verbrechen. Mit über 100 Tafeln und Abbildungen im Lichtdruck, Dresden: Aretz [1928]; Irrwege des Eros. Mit einer Einleitung für Mütter und Töchter, Hellerau/Dresden: Avalun 1929; Sittengeschichte der Revolution. Mit über 250 ein- und mehrfarbigen Illustrationen und Tafelbeilagen, Wien u.a.: Verlag für Kulturforschung 1930; Erich Wulffen/Felix Abraham: Fritz Ulbrichs lebender Marmor. Eine sexualpsychologische Untersuchung des den Mordprozess Lieschen Neumann charakterisierenden Milieus, Wien/Berlin/Leipzig: Verlag für Kulturforschung [1931]; Rechtsunterricht in der Schule, Leipziger Lehrerzeitung, Pädagogische Beilage Nr. 44, Leipzig 1931.

Wulffen trieb das Fachgebiet der Kriminologie entscheidend voran. Er hat das Bild des Verbrechers im deutschen Sprachraum stark geprägt. Lombroso hatte die Theorie vom geborenen Verbrecher entwickelt. Wulffen folgte ihm zuerst, löste sich dann aber von dieser Vorstellung und kam zur Überzeugung, dass jeder Mensch latent kriminell sei. Es gab nicht die geborenen Verbrecher und die geborenen Nichtverbrecher. Vielmehr hatten alle Menschen Anlagen zum Verbrechertum. Das Verbrechen war ein Produkt der Veranlagung, aber auch der Erziehung und der Lebensschicksale. Mit dieser These gehörte Wulffen der modernen Kriminalistenschule an. „Wulffens Lehre beruht auf der These der grundsätzlichen Gleichheit von Verbrecher und Nichtverbrecher. [...] Nicht was den Nichtverbrecher vom offenbar gewordenen Verbrecher unterscheidet, sondern was sie gemeinsam haben, gibt den Schlüssel zum Verständnis des letzteren.“[12]

Wiederholt hat sich Erich Wulffen mit Hochstaplern, mit schriftstellernden Hochstaplern und hochstapelnden Schriftstellern befasst. Einer von ihnen war Karl May, der in der Jugend mehrere Straftaten begangen hatte. So erschien er am 15. Juni 1869, mit 27 Jahren, bei einem Bäcker namens Wappler, trat auf als Bote eines Dresdener Advokaten und teilte der freudig erstaunten Familie mit, es sei ihr eine grosse amerikanische Erbschaft zugefallen. Der Vater solle sich mit seinen Söhnen zur Regelung der Angelegenheit schleunigst nach Glauchau begeben. Als die vier Männer weggegangen waren, stellte er sich der Frau als Geheimpolizist vor und eröffnete ihr, dass in ihrem Haus Falschmünzerei getrieben werde. Er müsse eine Hausdurchsuchung durchführen. Er fand 28 Taler und „beschlagnahmte“ sie sogleich.[13] Zweimal wurde er zu mehrjährigen Freiheitsstrafen verurteilt, die er 1865–1868 im Arbeitshaus in Zwickau und 1870–1874 im Zuchthaus Waldheim bei Leipzig verbüsste.

Als Staatsanwalt am Königlichen Landgericht in Dresden hatte Wulffen Einblick in die Strafakten Karl Mays. Er zog sie in seinen Werken *Psychologie des Verbrechers* (1908) und *Gauner- und Verbrecher-Typen* (1910) als Quelle heran. Er wirkte auch in Karl Mays berühmten Prozessen nach der Jahrhundertwende mit.[14] Im November 1909 nannte der Journalist Rudolf Lebius

---

[12] Oberstudienrat Professor Dingeldey: Erich Wulffen. Lebensgeschichte des Jubilars, in: Erich Wulffen. Festschrift zu seinem 70. Geburtstag, hrsg. von Reichsgerichtsrat Dr. Baumgarten u.a., Berlin: Hanseatischer Rechts- und Wirtschaftsverlag 1932, S. 29f.

[13] Claus Roxin: Karl May, das Strafrecht und die Literatur, in: Jahrbuch der Karl-May-Gesellschaft 1978, S. 20.

[14] Vgl. Rudolf Beissel: „Und ich halte Herrn May für einen Dichter…“. Erinnerungen an Karl Mays letzten Prozess in Berlin, in: Jahrbuch der Karl-May-Gesellschaft 1970, S. 11 ff.; Roxin, Karl May, S. 9 ff.; Gerhard Klussmeier: Die Gerichtsakten zu Prozessen Karl Mays im Staatsarchiv Dresden. Mit einer juristischen Nachbemerkung von Claus Roxin, in: Jahrbuch der Karl-May-Gesellschaft 1980, S. 137 ff.; Gerhard Klussmeier: Die Gerichtsakten zu Prozessen Karl Mays im

Karl May einen „geborenen Verbrecher". Er wurde zuerst in einem Prozess, den Karl May vor dem Amtsgericht Berlin-Charlottenburg angestrengt hatte, freigesprochen, worauf die ganze deutsche Presse Lebius' auf Lombroso zurückgehendes Wort vom „geborenen Verbrecher" genüsslich nachsprach. In der Berufung wurde Lebius dann im Dezember 1911 verurteilt. Nur kurz nach seiner Rehabilitierung starb May.

Der Prozess stellte eine explizite Verbindung zu Georges Manolescu her. In dem Berufungsprozess führte Karl May nämlich aus, der Berliner Verleger Paul Langenscheidt habe ihn „ersucht, den zweiten Band von Manolescus Memoiren zu schreiben".[15] Wenn es sich so verhalten hätte, dann zeigte dies, dass es Langenscheidt mit der Authentizität von Manolescus Memoiren nicht eben genau nahm und er bereit gewesen wäre, dem Publikum eine Karl-May-Fiktion als wahre Autobiographie eines Zeitgenossen unterzujubeln.

Aber auch bei Karl May selbst verschränkten sich reale und fiktive Existenz. Schon zu seinen Lebzeiten wurde darauf hingewiesen, dass die frühe Delinquenz mit der späteren Schriftstellerei verwandt war. Dies gerade auch durch Erich Wulffen, der May zunächst kritisch gegenübergestanden war, sich ihm aber annäherte, als er die Lehre vom „geborenen Verbrecher" aufgab. Karl May trat wie erwähnt in zahlreichen Masken gelehrter und beamteter Personen auf. In den Jahren 1864 bis 1870 gab er sich als Augenarzt Dr. med. Heilig aus, als Seminarlehrer Lohse, Notenstecher Hermes – ausgerechnet! –, als Polizeileutnant von Wolframsdorf, als Mitglied der Geheimpolizei. Er legte sich den Namen Alin Wadenbach bei und stellte sich als Neffe eines Pflanzungsbesitzers in Martinique vor, der seine Ausweise verloren habe. Er liess Fotos von sich im Kostüm Old Shatterhands oder Kara Ben Nemsis anfertigen und bezeichnete seine Geschichten als selbst erlebt. Auch mündlich soll er ein überzeugungskräftiger Erzähler gewesen sein. Die Pressereporter schrieben, er spreche 1200 Sprachen und habe Amerika schon 20 Mal bereist (das er in Wirklichkeit noch nie gesehen hatte). Er redete, lachte und weinte mit seinen Figuren, etwa über Winnetous Tod.[16] Die Psychiater sprechen hier von *pseudologia phantastica*, der Verminderung der Fähigkeit, Imagination und Realität auseinanderzuhalten. Sie soll besonders gegeben sein beim Kind,

Staatsarchiv Dresden. Mit einer juristischen Nachbemerkung von Claus Roxin, in: Jahrbuch der Karl-May-Gesellschaft 1981, S. 262 ff.; Claus Roxin: Ein geborener ‚Verbrecher'. Karl May vor dem Königlichen Landgericht in Moabit, in: Jahrbuch der Karl-May-Gesellschaft 1989, S. 9 ff.; Volker Wahl: Der Dresdener Kriminalpsychologe und Schriftsteller Erich Wulffen (1862–1936) in seinen Beziehungen zur Goetheforschung sowie zu Karl und Klara May, in: Karl-May-Nachrichten, Nr. 143 (2005/1), S. 13–22.

[15] Beissel, „Und ich halte Herrn May…", S. 29.
[16] Roxin, Karl May, S. 24.

beim Schauspieler, beim Dichter und beim Hochstapler. Alle vier Rollen sind bei Karl May ausgeprägt, alle bei Manolescu, und alle auch bei Felix Krull. Alle sind sie Pseudologen.

Ob sich Thomas Mann mit Karl May und seinen Hochstapeleien befasst hat, ist nicht bekannt. Es gibt kaum Äusserungen zu May. Im Band *Frühe Erzählungen* der GKFA weist der Kommentar an einer Stelle scheu darauf hin, dass in einem Paralipomenon zu *Tonio Kröger* von einem Calabreserhut die Rede ist und dass auch der Kunstmaler Hieronymus Schneffke in Karl Mays Roman *Die Liebe des Ulanen* einen solchen trägt. (2.2, 194) Ferner hat Hermann Hesse bei einem gemeinsamen Aufenthalt in St. Moritz viel später festgestellt, dass Thomas Manns Tochter Elisabeth eine „eifrige Leserin von Karl May" war.[17]

Auch mit Georges Manolescu hat sich Erich Wulffen beschäftigt, und zwar weit intensiver noch als mit Karl May. Kurz nach dem Erscheinen von Manolescus Memoiren hat er dessen Werdegang, wie in den Büchern geschildert, überprüft. Er stützte sich nicht nur auf die beiden Memoirenbände, sondern auch – und darin liegt die besondere Qualität seiner Untersuchung – auf alle greifbaren Gerichts- und Polizeiakten. Seine Erkenntnisse erschienen unter dem Titel *Manolescu und seine Memoiren. Kriminalpsychologische Studie* 1907 in Berlin, und zwar im selben Verlag Dr. Paul Langenscheidt. Mehr noch: Wulffens Buch wurde förmlich als dritter Band einer Manolescu-Trilogie angeboten. Es liegen keine Belege dafür vor, dass Thomas Mann auch ihn gekannt hat, aber es schiene dies durchaus möglich.

Wulffen trat mit Manolescu auch in Briefverkehr. Er hat ihn weiterhin so sehr interessiert, dass er nicht nur 1923 im Rahmen seines Buches *Psychologie des Hochstaplers* wieder auf ihn zu sprechen kam, sondern 1917 auch den Roman *Der Mann mit den sieben Masken* (Verlag Carl Reissner, Dresden) veröffentlichte. Der Mann mit den sieben Masken heisst Niklas Györki und ist Manolescus *alter ego*; der junge Staatsanwalt Dr. Sperl, mit dem er sich einen Zweikampf liefert, gleicht Wulffen selbst. Der Autor lässt Györki im Gerichtssaal ausführen, eigentlich stecke in jedem ein Hochstapler.[18]

Aus heutiger Sicht erscheint die Kriminologie des 19. Jahrhunderts als ausserordentlich simpel. Die Schlagwörter vom „geborenen Verbrecher" und vom „verhinderten Menschen" werden der komplexen Realität in keiner Weise gerecht. Sowenig es „den" Verbrecher gibt, sowenig „den" Bürger, von dem er abzugrenzen wäre. Zwangsläufig nahm das 20. Jahrhundert eine Pluralisierung der kriminalpolitisch relevanten Delinquentenbilder vor. Schon um 1900 wurde

---

[17] Brief Hermann Hesses vom 7. Februar 1931 an Heinrich Wiegand, zit. nach: Gert Heine/Paul Schommer: Thomas Mann Chronik, Frankfurt/Main: Klostermann 2004, S. 222.
[18] Wulffens Roman wurde nur ein Jahr später, 1918, verfilmt, mit Viggo Larsen als Hochstapler Györki.

klar, dass der Hochstapler mit dem Sexualverbrecher oder dem Raubmörder nicht in eins zu setzen war. Äusserliche Missbildungen wären für Hochstapler eine schwere Hypothek, wenn nicht berufsverhindernd. Der Idealtypus verlangt grösstmögliche Verwandelbarkeit und damit genuine Unauffälligkeit. Felix Krull ist die lebende Widerlegung entsprechender Thesen Lombrosos. Von äusserlichen Missbildungen keine Spur, rein gar nichts Sichtbares lässt den Delinquenten erkennen, und wenn von Devianz die Rede sein kann, dann nur in Hinsicht auf die überbürgerlich-göttliche Schönheit seines Leibes.

Hochstapler in Wahrheit und Dichtung

Georges Manolescu war nicht der einzige. Um 1900 häuften sich in der Presse die Berichte über Hochstapler. Die Zeit war reif für sie, Hochstapelei lag im Trend. Um 1910 sammelte Thomas Mann solche Zeitungsberichte. Erhalten sind Meldungen über den Millionendieb Carlsson, den Wechselhandel des „Prinzen von Braganza", den „Grafen de Passy" alias „Major Schiemangk", den russischen Hochstapler von Tschernatieff und das „schwarze Hotel-Gespenst", den „Grafen Ostrowski".

Neben die wirklichen Hochstapler traten die fiktiven oder fiktionalisierten. Seit dem 18. Jahrhundert war die Beschäftigung mit Hochstaplern literaturhistorisch aufs erfreulichste legitimiert: Goethe und Schiller liessen sich von Graf Cagliostro inspirieren. An solchen Existenzen erkenne man, schrieb Goethe am 22. Mai 1781 an Lavater, dass „unsere moralische und politische Welt [...] mit unterirdischen Gängen, Kellern und Cloaken miniret" sei.[19] Schiller, zeitlebens von Betrügern fasziniert, hat Cagliostro in der Figur des Armeniers in *Der Geisterseher*, einem Romanfragment aus dem Jahre 1787, eingefangen:[20]

Nie in meinem Leben sah ich so viele *Züge*, und so wenig *Charakter*, so viel anlockendes Wohlwollen mit so viel zurückstossendem Frost in *einem* Menschengesichte beisammen wohnen. Alle Leidenschaften schienen darin gewühlt und es wieder verlassen zu haben. Nichts war übrig, als der stille, durchdringende Blick eines vollendeten Menschenkenners, der jedes Auge verscheuchte, worauf er traf.
[...]
Es wird wenige Stände, Charakter und Nationen geben, davon er nicht schon die Maske getragen. Wer er sei? Woher er gekommen? Wohin er gehe? weiss niemand.

---

[19] Johann Wolfgang von Goethe: Weimarer Ausgabe, Abteilung IV: Briefe, Bd. 5, S. 149.
[20] Friedrich Schiller: Der Geisterseher. Aus den Memoiren des Grafen von O**, München: Winkler 1968 (= Sämtliche Werke in 5 Bänden, Bd. 3), S. 537, 556.

Schon bei Schiller ist der hochstapelnde Mensch soviel wert, wie er wirkt. Er kennt keinen andern Gott als den Augenblick.

Hochstaplerhelden traten auch in der englischen und französischen Literatur auf. 1899 setzte der Engländer Ernest William Hornung die Figur von Raffles, dem Dieb, in die Welt.[21] Der literarische Erfolg blieb ihr über mehrere weitere Romane hinweg treu, ja sie wurde in England, wie George Orwell 1944 bezeugte, geradezu redensartlich.[22] Seinen kriminellen Erfolg verdankte Raffles nicht zum wenigsten seiner Fähigkeit zu Verstellung, Rollenspiel und Hochstapelei.

1907 stellte Maurice Leblanc die Romanfigur Arsène Lupin, einen Meisterdieb und Hochstapler, dem Publikum vor. Er wurde sogleich höchst populär, so dass in den folgenden Jahren elf weitere Bände mit Lupin-Abenteuern erschienen. Ausserdem eroberte Arsène Lupin bald die Leinwand, wie später auch der kriminelle Verwandlungskünstler Fantômas. Ihnen allen war gemein, dass sie Sympathie erzeugten, indem sie nicht mit Gewalt, sondern mit List vorgingen. Der Typus des Gentleman-Diebs etablierte sich auch in der Literatur. Er stellte sich in die Tradition des Schwanks, des Picaro-Romans und der Detektivgeschichte.[23]

Dies gilt auch für den „Hauptmann von Köpenick". Wilhelm Voigts Coup ereignete sich am 16. Oktober 1906. Voigt liess 1909 das Buch folgen *Wie ich Hauptmann von Köpenick wurde.* Es erzählt seinen Lebensweg von der traurigen Kindheit in Tilsit an. Im Gegensatz zu den späteren Bearbeitungen der Köpenickiade (vor allem Carl Zuckmayers *Der Hauptmann von Köpenick,* 1931) erfreut es mit wenig Humor. Dennoch verkaufte es sich gut, was die Empfänglichkeit des Publikums nicht nur für Hochstapelei, sondern auch für die „Literarisierung" von Hochstapelei zeigt. Es stammt vermutlich nicht von Voigt selber, sondern sehr wahrscheinlich von dem damals sehr bekannten Berliner Kriminalschriftsteller Hans Hyan. Es wimmelt von leicht durchschaubaren Ausreden, Verwischungen, Auslassungen und Überheblichkeiten, bagatellisiert den Kassenraub und strickt mit Eifer an der gerichtsnotorischen Legende, die ganze Köpenicker Aktion habe nur der Erlangung eines Passes gegolten. Das Buch wurde also selbst zur (weiteren) Hochstapelei.[24]

---

[21] Übergangen seien Hans Christian Andersens Märchen *Des Kaisers neue Kleider* (1837), Herman Melvilles Roman *The confidence-man* (1857), der die Erscheinung des Trickbetrügers beschreibt, oder auch Gottfried Kellers Erzählung *Kleider machen Leute* (1866).

[22] George Orwell: Raffles und Miss Blandish [1944], in: ders.: Rache ist sauer. Essays, Zürich: Diogenes 1975, S. 53–70, 53.

[23] Vgl. Michael Neumann: Der Reiz des Verwechselbaren. Von der Attraktivität des Hochstaplers im späten 19. Jahrhundert, in: TM Jb 18, 2005, 71–90.

[24] Winfried Löschburg: Ohne Glanz und Gloria. Die Geschichte des Hauptmanns von Köpenick, Berlin: Morgenbuch 1996.

Aber noch zu einer anderen Gattung gehörte es: zur Autobiographie von Verbrechern. Diese war ein Gegenstand der modernen Kriminalistik. Besondere Gefängnisgeistliche sammelten solche Selbstbekenntnisse von Verbrechern. Erich Wulffen stellt auch Georges Manolescus Memoiren in diese Reihe, und zwar „mit der Maßgabe, daß sie, der Eigenart ihres Urhebers und seiner schriftstellerischen Begabung gemäss sowie zufolge der kriminalpsychologischen und pathologischen Bedeutung ihres Inhalts, über alle andern literarischen Erzeugnisse dieser Gattung hinausragen".[25]

Manolescus Memoiren

Georges Manolescu wurde vermutlich 1871 in Rumänien geboren. Er verdiente ab 1888 seinen Lebensunterhalt mit Hochstapelei und Diebstählen. Wiederholt wurde er verhaftet und ins Zuchthaus versetzt. Insgesamt verbrachte er acht Jahre in Zucht- und Irrenhäusern. Von Anfang an strebte er eine reiche Heirat an, die ihm ein sorgenfreies Leben ermöglichen sollte. Es unterlief ihm aber der Lapsus einer Liebesheirat, die, nachdem die Angetraute Kenntnis von seiner wahren Existenz erlangt hatte, geschieden wurde. Der letzte Prozess über Manolescu 1901 stiess auf enormes Publikumsinteresse. Er landete im Irrenhaus, von wo ihm 1903 die Flucht gelang.

Seine Memoiren wuchsen aus der Biographie heraus. Ihre Entstehung ist so interessant wie diese selbst.[26] Im November 1903 wurde Manolescu von Österreich nach Rumänien abgeschoben. Er versuchte, ein verbrechenfreies Leben zu führen, und sprach von „régéneration", von Wiedergeburt.[27] Um sich über Wasser zu halten, begann er, für die rumänische Zeitschrift Adeverul Artikel mit Episoden aus seinem Leben zu schreiben.[28] Weil er bis Ende Mai 1904 keine feste Anstellung gefunden hatte, verließ er Europa Richtung New York. In Amerika wurde er Lastträger, Kellner, Geschirrwäscher, Stiefelputzer, Hafenarbeiter und Chauffeur. Er arbeitete als Ausrufer und schrieb weiter für Zeitungen. Dann ging er als Goldgräber nach Alaska. In den Gruben von Manitoba brach er seinen rechten Arm und konnte keine schwere

---

[25] Erich Wulffen: Georges Manolescu und seine Memoiren. Kriminalpsychologische Studie, Gross-Lichterfelde: Langenscheidt [1907], S. 8.

[26] Vgl. Schiffer, Manolescu's Memoirs, S. 283: „the most interesting aspect of his *Memoirs* is undoubtedly the story of its publication".

[27] Wulffen, Manolescu, S. 116.

[28] Georges Manolescu: Ein Fürst der Diebe. Memoiren, Berlin: Langenscheidt [1905], S. 273, nachfolgend zitiert als [Manolescu I].

Arbeit mehr leisten. 1905 kehrte er aus Kanada nach Europa zurück und zog, da ihm Frankreich, Deutschland und Österreich verwehrt waren, nach Italien, wo er sich in Mailand niederliess.

Nun kommt Paul Langenscheidt ins Spiel. Er interessierte sich für Manolescus in Französisch geschriebene Memoiren, übersetzte sie ins Deutsche und brachte sie in Buchform heraus. Ob der Titel *Ein Fürst der Diebe* von Manolescu stammt, ist nicht bekannt. Vermutlich hat Langenscheidt ihn geprägt. Bei aller möglichen Ironie ist er in verschiedener Hinsicht eine Provokation. Er bringt zum Ausdruck, dass auch die Diebe unter sich einer Hierarchie folgen, dass es vornehme Diebe gibt, die im Verhältnis zu den andern Dieben Fürsten geheissen werden dürfen, und dass dies für Manolescu gilt. Er bringt umgekehrt aber auch den Adel zusammen mit der Welt der Kriminalität. Wenn Diebe Fürsten sein können, können Fürsten auch Diebe sein. Fürsten und Diebe bilden nicht nur eine Kontradiktion, sondern auch Begriffskreise, die sich teilweise überschneiden.

Das Buch schlug voll ein. Schon nach wenigen Monaten lag die fünfte Auflage in den Läden. Sie enthält einen Anhang mit 44 Pressestimmen über Manolescu, Mitteilungen über seine Untersuchungshaft in Frankfurt am Main, Berichte des Untersuchungsrichters Dr. Massmann-Berlin, seines Verteidigers Rechtsanwalt Dr. Schwindt-Berlin, Mitteilungen des K.K. Staatsanwaltssubstituts Dr. Eduard Khittel-Wien sowie solche „über Manolescus weitere Schicksale". Sie alle sollen offenbar Manolescus Memoiren in Authentizität und Wissenschaftlichkeit einbetten. Denn der Umstand, daß ein chronischer Verbrecher und langjähriger Zucht- und Irrenhausinsasse seine Memoiren schrieb und daß ein Verleger sie veröffentlichte, war durchaus begründungsbedürftig. Langenscheidt erklärte deshalb in seinem Vorwort, was ihn zu der Edition bewogen habe. Aus literarischen Gründen konnte es wohl nicht geschehen sein. Also sprach er von einem „menschlichen Dokument‘" (Manolescu I, 5) und wies auf seine Einzigartigkeit hin. Schon der erste Satz setzte den Massstab:

Nachstehend bringen wir die Memoiren des berüchtigten Hochstaplers Georges Manolescu, der durch die Kühnheit seiner Verbrechen, Mut und Verschlagenheit auch in verzweifelten Lagen sich einen Weltruf schuf. (Manolescu I, 1)

Das sind ambivalente Aussagen: Er ist zwar berüchtigt, ein verschlagener Hochstapler und Verbrecher, aber doch auch kühn, mutig, standhaft in verzweifelten Lagen, der Schöpfer und Inhaber eines Weltrufs, also weltberühmt aus eigener Kraft. Und so geht es weiter: Er hat Diebstähle begangen, doch ist er dazu nie eingebrochen. Er war ausserordentlich erfolgreich und brachte es zum mehrfachen Diebesmillionär, doch hat er am Spieltisch das meiste verloren. Von glänzender Erscheinung, bewegte er sich „in den exklusivesten Kreisen von Paris, London, Berlin und anderen Hauptstädten der Welt". Jetzt baut er sich jenseits des Ozeans „eine neue, ehrliche Existenz" auf. Sein Schicksal erscheint einerseits märchenhaft, andererseits als Heilsgeschichte, denn nun ist der Held, nach Verbüssung gerechter Strafe, geläutert, hat den alten Verbrecher-Adam abgestreift und strebt im jungen Amerika neuen, ehrlichen Küsten zu.

Als Grund für die Publikation wird nicht angegeben: Ich, Dr. Paul Langenscheidt, will mit diesem Buch und seinem „Reklamewert des Kriminellen"[29] so viel Geld wie möglich verdienen. Der Grund für die Publikation, behauptet der Verleger, liege vielmehr in dem psychologischen Problem, das Manolescu biete, nämlich der Frage, ob er geisteskrank gewesen sei. Er, Langenscheidt, wolle dieses „menschliche Dokument" aus der Sphäre des Sensationellen herausheben und zu einem „wertvollen Kultur- und Sittenbild der Jetztzeit" gestalten. Da ist der Verleger der passende Partner des Autors und schwindelt brüderlich mit. Und welcher Leser wüsste das nicht! Der Leser will selbst den Schwindel des Verlegers, denn auch er braucht einen geistig-kulturellen Vorwand, der ihm die Lektüre bürgerlich erlaubt. Zwischen Autor, Verleger und Leser herrscht stillschweigende Kumpanei.

Die fünfte Auflage enthält ein eigenes Vorwort, das nicht nur betont, das Werk habe „seitens der Kritik eine Aufnahme [gefunden], die unsere grössten Erwartungen übertraf", sondern auch aus mehreren Besprechungen der ersten Auflage zitiert. Denn die Presse, die Langenscheidt zur „berufenen Führerin der literarischen Meinung" adelt, machte mit. Stolz zitiert Langenscheidt aus der Berliner Morgenpost, er habe „als erste unter den deutschen Buchhändlerfirmen den Mut besessen, die einzigartigen Memoiren eines notorisch anerkannten Verbrechers herauszugeben" (Manolescu I, 5). Und weiter schreibt er:

Die führenden Blätter brachten fast ausnahmslos Leitartikel über das Werk; sie nannten es ‚ein Dokument zur Geschichte des Menschtums, das an Grosszügigkeit und kulturhistorischer Bedeutung Casanovas Memoiren mindestens nahe kommt', – die Beichte ‚eines Genies, deren ethischen Wert man erkennt, wenn man hinter den Geschehnissen das eherne Gesetz der Kausalität zu erblicken versteht', – ‚einen Appell an die ganze Kulturmenschheit', – ‚eine Fundgrube für Staatsanwälte, Verteidiger, Richter, Ärzte, Psychiater und Philosophen', [...] – ein Buch, ‚mit dem verglichen der Gil Blas von Le Sage, der berühmteste aller Schelmenromane, eine Stümperei ist', – endlich ‚das Werk eines Mannes, der, obwohl kaum vierunddreissigjährig, gehasst und geliebt, gefürchtet und geehrt, bewundert und geschmäht wurde, wie selten ein

---

[29]   Wulffen, Manolescu, S. 8.

zweiter, und jetzt, ein Bettler, in die Welt hinausgezogen ist, um sich mühselig das zu erringen, was man in Wirklichkeit – das Leben nennt [...]'.

Manolescus Memoiren wurden also von Anfang an auch in literarische Traditionen gestellt, der Memoirenliteratur wie des Schelmenromans.

Langenscheidt war klug und geschäftstüchtig genug, auch eine Presseäusserung zu zitieren, die Memoiren seien „so eigenartig und spannend, dass man eine Fortsetzung gern in Aussicht hätte". Er hatte nicht nur ihr verlegerisches Potential erkannt, er sah nun auch die Chance einer gewinnträchtigen Fortsetzung. Wiederum aber musste eine solche begründet werden. Langenscheidt führte deshalb aus, dem ersten Band fehle ein wichtiges Moment. Er berichte zwar, was geschah, aber nicht, warum es geschah (Manolescu I, 5 f.), es fehle also die Psychologie. Er korrespondierte mit Manolescu und besuchte ihn im Mai 1905 in Paris, angeblich, um sich einen Eindruck über seinen Geisteszustand zu verschaffen, hauptsächlich aber, um ihn zu einem Fortsetzungsband zu bewegen, was ihm auch gelang. Manolescu diktierte den zweiten Band zum grössten Teil, wiederum auf französisch. Bei seiner Übersetzung[30] konnte Paul Langenscheidt nicht einmal die Hälfte verwerten[31] und musste nicht nur kürzen, sondern auch bearbeiten. Im Vorwort führte er aus:[32]

[B]ei den eigentümlichen Verhältnissen, in denen Manolescu das Buch verfasste – ohne die geringste Notiz und unter wöchentlicher Übersendung des frei nach dem Gedächtnis Geschriebenen an den Verlag – hat der Übersetzer hier und da von dem ihm übertragenen Recht gleichzeitiger Bearbeitung vorsichtigen Gebrauch machen müssen.

Langenscheidt hat insbesondere erotische Episoden ausgesondert oder abgeschwächt und Hinweise auf lebende Personen unterdrückt.[33] Das Ehe-Kapitel wurde zum Schutz der Ehefrau verändert. All dies, schreiben, übersetzen, bearbeiten, setzen und drucken, geschah in journalistischer Rasanz. Der zweite Band kam noch im selben Jahr 1905 unter dem Titel *Gescheitert. Aus dem Seelenleben eines Verbrechers* heraus. Trotz seines Untertitels ist er aber keine psychologische Vertiefung, sondern das Ganze nochmals. Das höchste Honorar soll Manolescu übrigens dafür erhalten haben, was er *nicht* schrieb. So wäre diesem seltsamen Autor das Schweigegeld zur besten Einnahme geworden.

---

[30] Wulffen, Manolescu, S. 7.
[31] Ebd., S. 105 f.
[32] Georges Manolescu: Gescheitert. Aus dem Seelenleben eines Verbrechers, Berlin: Langenscheidt 1905, S. 3 f., nachfolgend zitiert als [Manolescu II].
[33] Wulffen, Manolescu, S. 117.

Das dem ersten Band mitgegebene Foto von 1905 zeigt einen eleganten, distinguiert gekleideten Mann. Er hat südliche Augen, einen schön gezogenen Schnurrbart, einen sorgfältig gezogenen Scheitel. Etwas verkrampft sitzt er da auf seinem Stuhl. Man glaubt nicht recht, dass er die Rückenlehne benutzt. Seine Rechte umklammert bei auffallend abgedrehtem Ellenbogen den Vorsprung der rechten Armlehne, während das Gesicht sich bemüht, bedeutend auszusehen. Nun, durch die beiden Bände wuchs Manolescus Bekanntheit noch weiter. Ein Rennpferd wurde nach ihm benannt, was ihn entzückte. Mehrfach setzten sich Grossindustrielle mit dem Verleger in Verbindung, die Manolescu eine auskömmliche Stellung „ohne pekuniäre Versuchungen" anboten.[34]

Damit ihn das Land, in dem er nun lebte, kennen und würdigen könne, bemühte sich Manolescu um eine italienische Übersetzung. Auch dachte er daran, mit der Schriftstellerei fortzufahren. Er wollte aus seinem Leben ein Theaterstück machen (und in diesem dann die Hauptrolle gleich selbst spielen) sowie einen weiteren Band mit Geschichten aus seinem Leben folgen lassen. Ferner wollte er dem Verleger das Hirn verkaufen, damit man nach dem Tode seine Genialität erforschen könne, und er sandte ihm auch gleich einen entsprechenden Vertrag. Er war überzeugt davon, dass sein Gehirn der kriminalpsychologischen Wissenschaft reiche Aufschlüsse böte. Langenscheidt lehnte ab. Manolescu offerierte das Hirn dann auch Professor Lombroso und Erich Wulffen, doch ebenso erfolglos.

Auch und vielleicht erst recht der zweite Band (den Langenscheidt mit den Worten ankündigte, er werde den ersten „an äusserer Spannung und innerem Wert noch weit übertreffen") hatte den auf der Hand liegenden Verdacht abzuwehren, es gehe dem Verleger einzig um Sensation. Deshalb beteuerte dieser seine (ganz offensichtlich auch juristisch motivierte) Hoffnung, die Memoiren Manolescus würden „– weit entfernt, zu ähnlichen Verfehlungen anzureizen – nach allen Seiten klärend, warnend und erschütternd wirken" (Manolescu I, 7).

Wenn man Langenscheidts Vorworte mit den Memoiren vergleicht, gewinnt man den Eindruck, der Verleger habe als Übersetzer auch stilistisch stark eingewirkt. Anders gesagt: Nicht nur Georges Manolescu, sondern auch Paul Langenscheidt schreibt krullsch. So heisst es etwa, der erste Band berichte

nicht, wie verzweifelt Gut und Böse in des Knaben Brust um seine Seele rang, – nicht, was das Herz des Jünglings durchschauerte, wenn unersättliche Gier nach mühelos erworbenen Schätzen ihn wieder und wieder aus den Höhen des Lebens in die Abgründe des Elends schleuderte, und aus der Tiefe der Not nur um so lockender die

---

[34] Ebd., S. 118.

Fata Morgana von Glanz und Reichtum vor seinen sehnenden Augen aufflammte, – nicht, wie er heute als gereifter Mann auf seine wildbewegte Vergangenheit, auf einst Empfundenes und endlich Überwundenes zurückblickt (Manolescu I, 6).[35]

Während Manolescu an seinem zweiten Buch sass, lernte er die Französin Pauline Pollet kennen. Im Oktober 1905 fand die Verlobung statt. Im Dezember 1905 kam es zu einer zweiten Operation seines rechten Armes, die ungünstig verlief. Im März 1906 musste der Arm amputiert werden,[36] was Manolescus kriminelle Karriere definitiv beendete. Dessen ungeachtet gelangte er im Sommer 1906 zur zweiten Hochzeit. Damit sicherte er sich, wie er seinem Verleger mit Stolz schrieb, eine jährliche Rente von 30 000 Franken und eine Anwartschaft von dreieinhalb Millionen. Die Amputation war nicht das Ende. Der nächste Schnitt ging noch weiter; auch ein Stück der Schulter mußte entfernt werden. Davon erholte sich Manolescu nicht. Er starb am 2. Januar 1908 mit 37 Jahren.

Von seinen Memoiren liegen neben den deutschen Ausgaben offenbar nur Übersetzungen in die englische und die norwegische Sprache vor; keine auf französisch oder italienisch. Manolescus Leben wurde in Deutschland mehrmals verfilmt: 1920 unter dem Titel *Manolescus Memoiren / Fürst Lahovary, der König der Diebe* mit Conrad Veidt in der Hauptrolle,[37] 1929 unter dem Titel *Manolescu – Der König der Hochstapler* mit Ivan Mosjoukin in der Hauptrolle, 1932/33 unter dem Titel *Manolescu, der Fürst der Diebe* mit Ivan Petrovich in der Hauptrolle. Manolescu war auch das Vorbild für Ernst Lubitschs Film *Trouble in Paradise* (1932). 1972 wurde in Deutschland *Manolescu – die fast wahre Biographie eines Gauners* als zweiteilige Fernseh-Sendung ausgestrahlt.

1963 erschien in London eine Manolescu-Biographie von J.J. Lynx: *The Prince of Thieves. A Biography of George Manolesco* [sic] *alias H.H. Prince Lahovary alias The Duke of Otranto*, London: Cassell 1963. Das Buch erschien auch in deutscher Übersetzung: *Manolesco, König der Diebe*, München: List 1964. Beim Autor handelt es sich um Joachim Joe Lynx, einen deutschen Journalisten und Verfasser mehrerer Bücher. In den 1920er Jahren arbeitete er als Korrespondent in Wien, wo er Material sammelte, das er später zu seinem Manolescu-Buch verwertete. Als Jude emigrierte er in den 30er Jahren nach England. 1945 publizierte er eine Essaysammlung *The Future of the Jews*, welche – hier schliesst sich ein merkwürdiger Kreis – ein Vorwort von Thomas

---

[35] Langenscheidt war nicht nur Verleger, sondern auch Dichter. So veröffentlichte er im eigenen Verlag *Arme kleine Eva!* und *Im Blütenschnee*.

[36] Wulffen, Manolescu, S. 119.

[37] Conrad Veidt hat übrigens 1919 schon in einem Film *Prinz Kuckuck* mitgewirkt.

Mann enthielt.[38] Leider ist sein Manolescu-Buch mit spitzen Fingern in die Hand zu nehmen. Lynx schreibt eine Biographie mit offensichtlich fingierten Dialogen. Er gibt weder Quellenangaben, noch setzt er Anführungszeichen, und so sind seine Darlegungen von geringem Quellenwert.[39]

Manolescu als literarischer Hochstapler

An der Authentizität von Manolescus Memoiren weckt schon die Lektüre Zweifel. Da werden Dialoge gebracht, die zehn oder zwanzig Jahre zurückliegen, ohne ihre Wortgenauigkeit zu plausibilisieren. Auch werden von vielem Diebstahlsgut oft etwas gar präzise Wert- und Erlösangaben gemacht. Und schliesslich findet sich im Anhang zum ersten Band ein Bericht von Manolescus Verteidiger Dr. Schwindt, Berlin, der im Rahmen des Anwaltsgeheimnisses die Abschnitte, die er verfolgen konnte, als zum Teil schlicht falsch bezeichnet. (Manolescu I, 268)

Erich Wulffen hat Dichtung und Wahrheit genau verglichen. Wie erwähnt hat er die Memoiren anhand der greifbaren Akten überprüft und in der *Kriminalpsychologischen Studie* seine Ergebnisse veröffentlicht. Er fand Manolescu in Wirklichkeit „noch interessanter" und „von tieferer Bedeutung, als ihn die Memoiren geben";[40] eine Aussage, die allerdings mit eher gegenteiligen zusammengenommen werden muss – insgesamt stand Wulffen Manolescu stark ambivalent gegenüber. Wulffen kam zum Schluss:

In seinen Memoiren wird er nachträglich zum literarischen Hochstapler. Die Niederschrift wird für ihn zur Tat, er begeht beim Niederschreiben noch einmal alle diese Verbrechen und begeht zugleich diejenigen mit, die in Wirklichkeit zu verüben er

---

[38] The future of the Jews. A Symposium, ed. by J.[oachim] J.[oe] Lynx, London: Drummond 1945.

[39] Vgl. die Besprechung von Simon Raven, in: The New York Review of Books, vol. 2, no. 7 (May 14, 1964): „Of these two rather moderate books, David Ward's is probably the more reliable. J. J. Lynx's, by virtue of its charming hero, definitely the more attractive. [...] Mr. Lynx [...] is anything but sober his The Prince of Thieves, which deals with the life and gay times of George Manolesco (alias the Duke of Otranto, alias H. H. Prince Lahovary, historical prototype of Raffles and Arsène Lupin), abounds in imagined conversations and encounters so arch and yet so prurient that one feels as though one were reading a Victorian kitchen romance illustrated by early examples of the dirty photograph – you know the kind of thing, grotesqueries of black hose and enormous yellow bottoms. Nevertheless, it must be allowed that the criminal files of Europe do give Mr. Lynx broad warrant for these reconstructions; that Mr. Lynx, unlike Mr. Ward, does not come all over priggish about forensic problems; and that George Manolesco is in any case a big enough character to survive his biographer's shortcomings."

[40] Wulffen, Manolescu, S. 9.

keine Gelegenheit fand oder keine Geschicklichkeit besass, die aber begangen zu
haben ihn unendlich glücklich gemacht hätte. Er hat mit seinen Memoiren nicht nur
das deutsche Leserpublikum, sondern halb Europa und Amerika, die die Übersetzungen lasen, fasziniert und getäuscht.[41]

Wulffen wies nach, wie Manolescu einerseits Auslassungen machte, andererseits auf Schritt und Tritt übertrieb, wie er seine Kindheit erfand und überhaupt Fakten und Fiktion phantastisch ineinander mischte. Er wurde zum
Meisterlügner. Er erfand ganze Episoden, er erdichtete Verbrechen, er ver-
grösserte die gestohlenen Summen. Er erfand sich selbst und liess die Leser an
seine Erfindung glauben. Das ergab eine besondere Geständnissituation. Das
Bekenntnis wurde Täuschung, das Geständnis Delikt. Der Angeklagte betrog
aufs neue, und das Gericht des Publikums liess sich dies gefallen.

Wulffen rückte diese Haltung in den Bereich des Künstlertums. Er verglich Manolescu mit Goethe, Schiller, Aretino, Shakespeare, Ibsen, Gottfried
Keller und anderen mehr. Und er führte aus:

Die Wissenschaft weiss schon lange von dem innigen Zusammenhange zwischen
Schriftstellertum und Verbrechertum zu erzählen. Es gab Schriftsteller von Ruf und
Begabung, die zugleich gewohnheitsmässig oder gelegentlich Verbrechen begingen.
[…] Bei einem bekannten deutschen, noch lebenden Schriftsteller, der in seiner Jugend
wegen Diebstahls und Betrugs langjährige Freiheitsstrafen verbüsst hat, lässt sich der
feine, psychologische Zusammenhang zwischen seinem ehemaligen Verbrechertum
und seinem späteren Schriftstellertum aktenmässig nachweisen. Die Lehre von der
Degeneration zeigt, wie die literarische Begabung nicht selten eine Eigenschaft des
Degenerierten ist.
Der Zusammenhang zwischen Schriftstellertum und Verbrechertum kann sich
nach zwei Richtungen offenbaren. Das literarische Werk kann zum Ausdrucke des
Bekenntnisses und der Reue werden. Beispiele für die Beichte von Schuld und für
Reue sind Goethe im Faust und Iphigenie auf Tauris, Schiller in den Räubern, Lord
Byron im Manfred, unter den Modernen Sacher-Masoch und Gerhart Hauptmann in
der Versunkenen Glocke. In allen diesen Fällen dient das literarische Werk der inneren Reinigung und Entsühnung. Manolescu mit seinen Memoiren gehört in die Reihe
dieser Autoren nicht. Bei anderen Schriftstellern dagegen wird die Schrift der Ersatz
für die Tat, die sie aus irgend welchen Gründen nicht begehen können oder nicht
begehen wollen. So gibt es Literaten, die in Mordlust oder in Sittlichkeitsverbrechen
schwelgen; zu den ersteren gehörte der Franzose Beaudelaire, zu den letzteren die
Schriftsteller unserer modernen Unsittlichkeiten. […] Hierher gehört Manolescu.[42]

Damit wurde also der Hochstapler zum Künstler gemacht. Wulffen sah die
psychologische Verwandtschaft zwischen dem dichterischen Vermögen und

---

[41] Erich Wulffen: Die Psychologie des Hochstaplers, Leipzig: Dürr & Weber 1923, S. 48.
[42] Wulffen, Manolescu, S. 107 f.

der hochstaplerischen Veranlagung darin, dass beide fähig sind und sein müssen, die Wirklichkeit zu verwandeln. Der Dichter

kann sich nicht immer an das Reale, was schon einmal geschehen ist, halten, er muss tausend Möglichkeiten und scheinbare Unmöglichkeiten aufsuchen, entwerfen und darstellen. [...] Und diese phantastischen tausend Möglichkeiten [...] sind es, die ihn seitwärts der Wirklichkeit führen, genau wie den Hochstapler seine Phantasien und Illusionen auf die Wege des Schwindels, des Betruges. In der höheren Aufgabe des Poeten liegt es, die Charaktere der Menschen, die ihm zum Vorbilde dienen, und die Begebenheiten, die er darstellen will, nach seinem inneren Plane zu verändern, abzuwandeln, umzugestalten. Etwas Ähnliches unternimmt der Schwindler.[43]

Thomas Manns Rezeption Manolescus

Und damit nun zu Thomas Mann – bei dem wir ja schon die ganze Zeit waren. Denn lange vor Felix Krull bevölkern schon zahlreiche andere Figuren mit hochstaplerischen Zügen sein Frühwerk. Christian Buddenbrook tritt nach seiner Südamerikaepisode als Kaufmann von englischer Solidität auf (1.1, 285) und ist doch weder Kaufmann noch Engländer, noch solide. Aber auch sein Bruder Thomas legt auf sein Auftreten um so höheren Wert, je schlechter die Geschäfte gehen. Er wird zum Schauspieler seiner selbst und betreibt einen dekorativen Aufwand zu Zwecken, die sich von denen von Bendix Grünlich nicht allzu sehr unterscheiden. Analoges gilt in *Königliche Hoheit* für Prinz Klaus Heinrich. Sie alle sind nicht Kaufmann und Fürst, sondern spielen dies bloss. Tonio Kröger stellt seinerseits das Menschliche dar, ohne an ihm teilzuhaben; er wird denn auch für einen Hochstapler gehalten.

Thomas Mann hat also seit je viel Sinn für die vitalen Brüche im Leben und für das Hochstapelwesen bewiesen, und er hat auch erkannt, dass der Hochstapler an der Spitze des Zeitgeists ging und den Charakter der Epoche ausmachte. Er bewunderte Frank Wedekinds 1900 veröffentlichtes Hochstapler-Drama *Marquis von Keith* und erlebte es mit dem Autor in der Titelrolle.

Auf Manolescu aufmerksam geworden ist er zur selben Zeit. Am 24. Dezember 1900 wurde Manolescu in Berlin verhaftet und stand wenig später vor Gericht. Die Zeitungen berichteten davon. Thomas Mann hatte eben Heinrich Manns *Im Schlaraffenland* gelesen, berichtete seinem Bruder von den Anstrengungen, sich vom Militärdienst wegzusimulieren (21, 142 ff.), und war also innerlich und äusserlich eingestellt auf Hochstapeleien. Am 21.

---

[43] Wulffen, Psychologie des Hochstaplers, S. 78.

und 22. November 1901 erschien sodann in den Münchner Neuesten Nachrichten die Novelle *Das Ehepaar Kuminsky* von Kurt Martens. Ihren Handlungskern bezog diese Hochstaplergeschichte aus der ersten Heirat Manolescus, wie Martens in seiner *Schonungslosen Lebenschronik* selbst festhielt:[44]

… ‚Das Ehepaar Kuminski‘ ging den psychologischen Möglichkeiten nach, die sich aus dem Fall des Hochstaplers Manolescu ableiten ließen. Eben hatte er in Dresden zuerst von sich reden gemacht, weil eine Dame der Dresdner Hofgesellschaft sein Opfer geworden war. In einem D-Zug hatte er sich an die ahnungslose Gräfin Wilding herangepürscht und sie im Nu zur Ehe beschwatzt. Zu spät erfuhren Mutter und Tochter, daß sie einem internationalen Gauner ins Netz gegangen waren.

Diese Episode hat sich 1897/98 abgespielt und wurde nach der späteren Verhaftung Manolescus und der Scheidung publik.[45] Thomas Mann las die Novelle, wie sich aus seinem Brief vom 30. November 1901 an Martens ergibt.[46] 1904 erschien sie dann in dem Novellenband *Katastrophen*, den Martens Thomas Mann widmete. Dieser hat das Buch wiederholt erwähnt.[47] Und natürlich hat er dann auch Manolescus Bücher gekannt. In einer Notiz zitiert er ausdrücklich aus „Manolescu II“,[48] und ohnehin beziehen sich viele Notizen auf Episoden aus dem zweiten Band. Vermutlich erfolgte die Lektüre schon 1905, im Erscheinungsjahr der Memoiren. Er wird beide Bände vom Verlag erhalten haben. Langenscheidt sandte zahlreichen bekannten Schriftstellern aus Reklamegründen eine Auswahl aus seiner Produktion. Thomas Mann schrieb zurück: „Ich wünsche Ihrem interessanten Unternehmen den Erfolg, den es verdient.“ Dieser Satz, obwohl etwas zweideutig, wurde dann gleich im Reklameanhang von *Gescheitert* abgedruckt.[49]

Im März 1906 erschien eine Besprechung der Memoiren von Alfred Gold in der Neuen Rundschau, die Thomas Mann kaum entgangen sein wird.[50]

---

[44] Zweiter Teil, 1901–1923, Wien u.a.: Rikola 1924, S. 44.

[45] Die These, Martens habe Manolescu schon im französischen Original gelesen, ist nicht haltbar. 1901 waren seine Memoiren noch gar nicht geschrieben.

[46] Vgl. Thomas Mann: Selbstkommentare. „Königliche Hoheit“ und „Bekenntnisse des Hochstaplers Felix Krull“, hrsg. von Hans Wysling und Marianne Eich-Fischer, Frankfurt/Main: Fischer Taschenbuch 1989 (= Fischer Taschenbuch. Informationen und Materialien zur Literatur, Bd. 6891), S. 57.

[47] Vgl. Briefe vom 16.4.1906 und 14.6.1913 an Kurt Martens (21, 362 f. und 524 ff.).

[48] Notizblatt 583 (TMS V, 417).

[49] Gemäss Klaus Hermsdorf: Thomas Manns Schelme, Figuren und Strukturen des Komischen, Berlin: Rütten & Loening 1968, S. 345. In der im TMA vorliegenden 5. Auflage ist dies noch nicht der Fall. – Damit ist erstellt, dass Thomas Mann die beiden Bücher zu diesem Zeitpunkt *besass*; dafür, dass er sie auch schon *gelesen* hatte, bildet sein Satz noch keinen stringenten Beweis.

[50] Alfred Gold: Georges Manolescu. Psychologie des Hoteldiebs, in: Die neue Rundschau, Berlin: S. Fischer 1906, S. 253 f.

Gold schrieb, die Memoiren seien „eine der spannendsten Wertlosigkeiten, die sich je als seelisch-sittliches Dokument eingeführt haben. Sie amüsieren im äußeren Sinn, wenn sie auch im tieferen langweilen." Und weiter: „Man deckt alle Pikanterien mit Lombroso und man würzt so gern und leicht ein salzlos-gleichgültiges Verbrecherleben mit dem Dreiklang der Ibsen-Zola-Nietzsche-Phrase." Gold zeigte – wenn dies denn zu zeigen nötig gewesen wäre –, daß Manolescu als Vorbild jedenfalls nicht genügte.

Weiterhin wurde er auch über die Presse vermittelt. So findet sich in Thomas Manns Materialsammlung zum *Krull* ein aus dem Jahr 1911 stammender Artikel *Der Hochstapler von heute, ein Kapitel aus der modernen Kriminalistik*,[51] in dem die berühmtesten Diebe und Hochstapler mit Foto abgebildet werden, darunter auch – wie die Bildlegende ausweist – „Der ‚König der Diebe, Fürst Manolescu‘, der eleganteste, raffinierteste und bedeutendste Hochstapler der Gegenwart".

In einem späten Brief von 1954[52] schrieb Thomas Mann: „Das Buch, aus dem mir tatsächlich vor mehr als vierzig Jahren die erste Anregung zum ‚Felix Krull‘ kam, ist schon in München liegen geblieben, und ich habe es nie wieder gesehen." Auch im *Lebensabriß* von 1930 hatte Thomas Mann festgehalten, auf den *Krull* hätten ihn, „wie viele erraten haben, die Lektüre der Memoiren Manolescu's [...] gebracht" (XI, 122). Die Manolescu-Bände, die Thomas Mann gelesen hat, sind tatsächlich nicht erhalten. Der Umstand aber, daß Thomas Mann von *einem* Buch schreibt, obwohl es zwei waren, läßt vorsichtig werden. Es ist im Lichte der Quellenlage sodann wohl auch etwas ungenau zu sagen, „die erste Anregung" zum *Krull* stamme von Manolescu. Unter den im Thomas-Mann-Archiv der ETH Zürich erhaltenen Materialien findet sich nämlich auch ein Zeitungsartikel aus dem Jahr 1902.[53] Es ist ziemlich unwahrscheinlich, dass Thomas Mann nach 1905 zu einem Zuchthaus-Artikel aus dem Jahr 1902 gelangt wäre. Dieser Artikel hatte keinen besonderen Quellenwert, es ist kaum denkbar, dass Thomas Mann nach 1905 eigens nach ihm gesucht hätte. Dies führt zum Schluss, dass Thomas Mann schon spätestens 1902 vorhatte, eine Geschichte zu schreiben, in der das Zuchthaus eine Rolle spielen sollte.

---

[51] In: Berliner Illustrierte Zeitung, Nr. 18, S. 337 ff. (Mat 3/510–511).
[52] Brief vom 6. August 1954 an Eva Schiffer (Kopie im TMA).
[53] Mat 3/260.

Die Präsenz von Manolescus Memoiren im *Krull*

Die Lektüre von Manolescus Memoiren bedeutete für Thomas Mann nicht nur eine Anregung, sondern auch eine Bestätigung, ein vielfaches Wiedererkennen von Eigenstem.[54] Sein neuer Werkplan profitierte davon in mehrerer Hinsicht:

1. Strukturell war das Manolescu-Muster mit seinem Ich-Erzähler die Maske, unter der Autobiographie möglich wurde.
2. Der Ich-Erzähler hatte auch stilistische Konsequenzen. „Was mich aber stilistisch bezauberte", hielt Thomas Mann im *Lebensabriß* von 1930 fest, „war die noch nie geübte autobiographische Direktheit, die mein grobes Muster mir nahelegte" (XI, 122). Zudem ließ Manolescu stilistisch die Parodie nicht nur zu, sondern forderte geradezu zu ihr auf.
3. Thematisch ermöglichte Manolescu eine Abwandlung der Künstler-Geschichte. Der Hochstapler war der Typus, in dem Künstler und Verbrecher zusammenfielen. Das musste Thomas Mann nicht in Manolescu hineinlesen, das sagte dieser schon selbst.
4. Handwerklich offerierte Manolescu eine Fülle von Figuren, Handlungen, Szenen, Motiven, Themen, Realien, die eine brauchbarer als die andere.
5. Mit Blick auf die Rezeption bot Manolescu Aussicht auf hohe Publikumswirksamkeit.

Hans Wysling[55] und vorher schon Peter de Mendelssohn[56] führten aus, Thomas Mann habe sich bei der Fixierung von Krulls Lebenslauf weitgehend an Manolescus Biographie gehalten. Sie stützten sich dabei auf eine Notiz von Thomas Mann aus dem Jahr 1910[57]:

Felix Krull wird mit 20 Jahren Kellner, lernt mit 21 den jungen Aristokraten kennen, an dessen Statt er reist. Kehrt mit 22 zurück. Arbeitet bis 27 als Hôteldieb. Von 27 bis 32 im Zuchthaus. Heiratet mit 34. Gerät mit 39 wieder in Untersuchungshaft und wird von Polizisten an das Sterbebett seiner Frau begleitet. Flucht aus dem Untersuchungsgefängnis und Entweichung nach England.

Dasselbe Notizblatt enthält auch einen Aufriss des geplanten Romans:

---

[54] Vgl. Frizen, Felix Krull, Interpretation, S. 9.
[55] Wysling, Narzissmus und illusionäre Existenzform, S. 155.
[56] Peter de Mendelssohn: Der Zauberer. Das Leben des deutschen Schriftstellers Thomas Mann, Frankfurt/Main: S. Fischer 1996, S. 1346f.
[57] Notizblatt 560 (TMS V, 405).

Erster Teil: Jugend.
Zweiter Teil: Kellner und Reise
Dritter Teil: Hôteldieb
Viertel Teil: Zuchthaus
Fünfter Teil: Ehe
Sechster Teil: Der Kleinen Tod. Flucht. Ende.

Die Analogie geht indes nicht ganz so weit, wie folgende Zusammenstellung zeigt.

Alter	Krull	Manolescu
		Geburt (vermutlich 2. oder 19. Mai 1871)
18		Dieb
19–23		Zuchthaus
20	Kellner	
21	lernt Aristokraten kennen, reist um die Welt	
22–27	Hoteldieb	
23–24		Dieb
24–25		Zuchthaus
25–26		Dieb
26–27		Zuchthaus
27–32	Zuchthaus	
27		Erste Heirat (17. Dezember 1898)
28		Dieb
28		Gefängnis
29		Dieb
30		Untersuchungshaft
31		Irrenanstalt
32		Flucht
33–34		Niederschrift Memoiren
34	Heirat	zweite Heirat
37		Tod (2. Januar 1908)
39	Untersuchungshaft, Flucht	
40	Niederschrift Memoiren	

Ausserdem kommt Felix Krull im vorhandenen Roman nicht über sein 21. Altersjahr hinaus, das Buch bricht bekanntlich schon auf der ersten Station der Weltreise ab. Felix Krull arbeitet nicht als Hoteldieb, er kommt nicht ins Zuchthaus und verheiratet sich nicht. Immerhin aber wird auch das frühe Fragment von einem Erzähler geschrieben, der diese Stationen hinter sich weiss. Sie sind also in seiner Erzählung vorausgesetzt und auch in einzelnen Andeutungen und Vorgriffen präsent.

Ergiebiger ist es, wenn man Manolescus Memoiren aus der Optik der *Bekenntnisse* prüft, wenn man sie also daraufhin liest, inwiefern sie in diesen wiederzuerkennen sind. Dies sind sie nun auf Schritt und Tritt:

– Die Rolle der Erotik da und dort wäre einen eigenen Vortrag wert.
– Der Schauplatz Frankfurt am Main spielt schon bei Manolescu eine Rolle, ebenfalls die dort verbrachte Wartezeit.
– Die Simulation von Krull in der Musterungsszene, aber auch schon bei der Schulkrankheit ist bei Manolescu deutlich vorgebildet.
– Dazu gehören auch die Vorbereitung der Simulation und die hinter ihr steckende Willenskraft. Manolescu betont wiederholt, dass es für ihn kein „unmöglich" gebe.
– Die gesellschaftliche Schulung durch Rosza bei Krull hat ihre Analogie bei Manolescu.
– Dasselbe gilt für die Szene am Zoll.
– Auch der Schauplatz Paris ist vorgezeichnet. In beiden Büchern wird die Pariser Weltausstellung von 1889 angesprochen.
– Wie Krull mit Stanko hat auch Manolescu einen Kumpanen. Beide betonen aber ihr Einzelgängertum.
– Eine weitere Figur, die bei Manolescu vorgezeichnet ist, ist Eleonor Twentyman.
– Wie Krull durch Lord Kilmarnock wird auch Manolescu verschiedentlich von Herren angegangen.
– Die Übernahme falscher, insbesondere adliger Namen findet sich natürlich schon bei Manolescu.
– Mme Houpflé hat bei Manolescu eine Vorläuferin, die jüdische Dame Selma Rosenberg, eine Deutsche mit Rittergut in Baden. Sie macht sich an Manolescu heran, wovon er vielfachen materiellen Vorteil hat.[58]

---

[58] Manolescu erwies sich dann aber nicht als sonderlich dankbar. „Sie pries mir", schreibt er, „in plastischen Wendungen die Vorzüge des gereiften [...] Weibes" (Manolescu II, 179). Sie habe „wie ein Tapir auf dem Drahtseil ihr Kleid zusammen" gerafft. Sie habe „zweifellos bereits die Schlacht bei den Thermopylen als Zeitgenossin miterlebt". Sie habe „sicherlich genau so viel eigenes Haar auf ihrem Schädel" getragen, „wie man auf einer Melone findet". Und weiter sagt er von ihr, sie sei:

Kurioserweise berichtet Joachim Joe Lynx in seinem Manolescu-Buch von einer weiteren Houpflé-nahen Geschichte, nämlich zwischen dem 16-jährigen Georges und einer etwa 42-jährigen, allerdings jünger aussehenden, gelangweilten Botschaftergattin namens Valeria Comtesse de Boulogne.[59] Ihr Mann weiss nicht, was er in ihr hat, und stellt sie keinesfalls zufrieden. Sie verführt den jungen Georges, den sie für 18 hält. Ihr gefällt die Haarlosigkeit seiner jünglingshaften Brust, sie nimmt seine Hand und führt sie über ihre Brust, lässt ihn sie ausziehen. Manolescu erwähnt, dass auch andere Damen ihres Alters ihn mit speziellem Interesse anblickten. Seine Neigung zu Valeria de Boulogne findet ein jähes Ende, als er erfährt, dass sie ihn für ein paar Wochen an Baroness Felicia de Stratonia von der italienischen Botschaft ausleihen will. Das beleidigt ihn, und aus Beleidigung bestiehlt er sie, als er sie verlässt. Die Analogien zum *Krull* sind offensichtlich und haben nur den quellenphilologischen Nachteil, dass Thomas Mann diese Szene mit Sicherheit nicht gekannt hat. Sie ist erst 1963 veröffentlicht worden, und auch wenn sie zurückginge auf einen der Artikel, die Manolescu bis 1904 in der rumänischen Zeitschrift veröffentlicht hat, so wäre es doch höchst unwahrscheinlich, dass Thomas Mann diesen vor sich hatte, als er an der Houpflé-Szene sass. Man könnte vielmehr umgekehrt meinen, dass Lynx Manolescu eine Houpflé-Szene auf den Leib geschrieben hat.

Manolescus Memoiren in anderen Werken Thomas Manns

Thomas Mann hat Manolescus Memoiren vermutlich gelesen, bevor er *Königliche Hoheit* schrieb. Es wäre also möglich, daß sie auch als Quelle für diesen Roman gedient hätten. Den Begriff der Quelle wird man zwar wohl kaum verwenden dürfen. Immerhin aber gibt es doch manche motivische Übereinstimmungen. Das beginnt beim Titel: *König der Hochstapler* ist von *Königliche Hoheit* nicht gar weit entfernt, und es ist jedenfalls die vollkommene Überleitung von *Königliche Hoheit* zum Hochstapler-Roman.

Klaus Heinrich hat seine körperliche Behinderung nicht nur mit Kaiser Wilhelm II. gemeinsam, sondern auch mit Georges Manolescu, bei dem es

---

voluminös; eine Gans, die ihren Pfuhl verlässt; ein wassersüchtiges Monstrum; eine alte Reliquie aus griechischer Vorzeit, ein Fossil; eine wandelnde Wurst (II, 176 ff.); eine wacklige Baracke; ein menschliches Riesengebirge; ein Frachtkollo; eine Mumie; eine erhitzte Dampfwalze, eine imposante Ruine; eine antiquarische Kuriosität; eine alte Karikatur; sie habe schwabbelnde Reize, ein öliges Lächeln und ein albernes Gegackere.

[59] Lynx, The Prince of Thieves, S. 20 ff.

sich allerdings nicht um den linken, sondern den rechten Arm handelte. Klaus Heinrichs Hemmung, in Notizenkonvolut Bl. 52 und 71 vorgezeichnet (4.2, 460 und 500), wurde vermutlich Ende 1907 / Anfang 1908 konzipiert, also ein bis zwei Jahre nach der Amputation von Manolescus Arm, der am Ende von Erich Wulffens Manolescu-Studie auffällig, ja melodramatisch moralisierend beschrieben wurde.[60] Ein Einfluss wäre also auch hier möglich gewesen. Zwar ist bei Manolescu die Behinderung nicht charakteristisch, aber sie könnte doch im Sinne Wulffens als symbolisch verstanden werden.

Einschlägiger scheint die Analogie des Typus der ehelichen Verbindung. Manolescu berichtet davon, wie sich eine Ehe anbahnt zwischen einem europäischen, vielleicht deutschen Herzog von Otranto und einem reichen amerikanischen Mädchen von 50 000 Dollar jährlicher Rente (Manolescu I, 63). Überhaupt ist bei ihm wiederholt von Heiraten zwischen Reichtum und Adel die Rede. Er selbst, der fürstliche Verbrechenskünstler, bringt den – falschen – Adel, und er will den Reichtum, eine halbe Million Franc als jährliche Rente. Dass sein Adel kein richtiger war, verhinderte das Geschäft nicht, sondern modifizierte es. Denn:

Es gibt nämlich Parvenus, die selbst auf anrüchige Weise zu ihrem Vermögen gelangt und daher zufrieden sind, einen in der Gesellschaft anerkannten Fürsten mit Titeln und Orden zu erwischen, selbst wenn dieser die Adelsprobe nicht völlig bestehen könnte. Ferner gibt es reiche Mädchen, die wegen eines physischen oder moralischen Defekts gezwungen sind, jede sich ihnen darbietende Partie anzunehmen. (Manolescu I, 195)

Bei seiner ersten wirklichen Heirat kehrt Manolescu dann die Rollen um: Er spielt den vermögenden rumänischen Gutsherrensohn und heiratet eine deutsche Adlige ohne Vermögen.

Auch zum *Zauberberg* bestehen Korrespondenzen. So werden hier wie dort Duelle beschrieben. (Manolescu I, 122)[61] An Dr. Krokowski und seine Lehre, alle Krankheit sei verwandelte Liebe (5.1, 196), lässt recht deutlich eine andere Manolescu-Szene denken. Im Moabiter Gefängnis mimt er, geistig nicht normal zu sein, und sagt dem ihn untersuchenden Arzt, er möge ihm eines der geisteskranken Mädchen, die im Hofe herumspazierten, heraufbrin-

---

[60] Wulffen, Manolescu, S. 121 f.: „Die faustgrossen Geschwüre an Manolescos rechtem Arme können auch symbolisch verstanden werden. Der Chirurg führt das Operationsmesser im Auftrage der Natur, deren Wissenschaft er vertritt, und entkleidet als Diener einer ewigen Gerechtigkeit seinen Patienten dieses einen wichtigen Werkzeugs für seine Verbrechertätigkeit. [...] Das ist die Tragik und die höhere Gerechtigkeit im Leben Georges Manolescos."

[61] Jene von Manolescu sollen nach Wulffen allerdings Erfindungen gewesen sein. (Wulffen, Manolescu, S. 42.)

gen. Er bekommt zur Antwort, dies sei nicht möglich, weil es geisteskranke Mädchen seien. Gerade deswegen, erwidert Manolescu, „möchte ich ein solches Mädchen herzen, denn sie wären alle gewiss nur krank, weil niemand ihnen Liebe erweise" (Manolescu I, 229).

Rezension

Viola Roggenkamp: *Erika Mann. Eine jüdische Tochter. Über Erlesenes und Verleugnetes in der Frauengenealogie der Familie Mann-Pringsheim*, Zürich: Arche 2005. [Sigle: JT]

Thomas Mann und das Judentum. Die Vorträge des Berliner Kolloquiums der Deutschen Thomas-Mann-Gesellschaft, hrsg. von Manfred Dierks und Ruprecht Wimmer, Frankfurt/Main: Klostermann 2004 (= Thomas-Mann-Studien, Bd. XXX). [Sigle: TMJ]

Jacques Darmaun: *Thomas Mann, Deutschland und die Juden*, aus dem Französischen von Jacques Darmaun, Tübingen: Niemeyer 2003 (= Conditio Judaica, Bd. 40). [Sigle: TMDJ]

Heinrich Detering: *„Juden, Frauen und Litteraten". Zu einer Denkfigur beim jungen Thomas Mann*, Frankfurt/Main: S. Fischer 2005. [Sigle: JFL]

Zur Biographie Thomas Manns. Sein Umgang mit dem Jüdischen

Review Essay

Thomas Mann lebte einen Widerspruch. Als Autor, allein mit seinem Werk, stand er über den Konventionen seiner Welt, war Immoralist in Nietzsches Sinn, sympathisierte mit der anarchisch-humanistischen Zukunftswelt des freien Menschen, wie sie Wagners Wotan in *Der Ring des Nibelungen* anvisierte. Der Außenseiter-Dichter fühlte sich seiner Gesellschaft überlegen, war aber zugleich angelegentlich Teil ihrer Ordnung, war Familienvater, Hausbesitzer und Bürger. Aus der Distanz sollten seine Werke die existierende Gesellschaft ansprechen, gewinnen und, vielleicht, ihre Gesinnung ändern.

Die programmatische Erzählung *Tonio Kröger* – ursprünglich sollte sie „Litteratur" heißen – erzählt diesen Widerspruch. Tonio bestimmt seine Außenseiter-Rolle als Bedingung des wahren Künstlerseins, während er sie als menschlichen Mangel beklagt. Seine Gesprächspartnerin Lisaweta, „der er Alles sagte" (2.1, 266), versteht ihn als unvollkommenen Künstler, als verirrten Bürger, ein Mangel, den Tonio mit dem Ausruf *„Ich bin erledigt"* quittiert

(2.1, 281). Die Zwischenstellung des „Künstler[s] mit schlechtem Gewissen"
(2.1, 317), der die Distanz braucht, den aber die Isolierung von der Mitwelt
quält, lässt ihn die Liebe zu den Gewöhnlichen bewahren (2.1, 318), und die
ist imstande, ihn aus „Erstarrung; Öde; Eis; und Geist! und Kunst!" (2.1,
315) hinauszuführen. Diese Worte aus Tonios innerem Monolog stammten
aus Gedichten, die Thomas Mann in sein Notizbuch 7 geschrieben hatte. Sie
drückten Erlösung aus der Entfremdung durch Liebe aus (Notb II, 44, 46).

Das in der *Tonio-Kröger*-Erzählung enthaltene Programm ist Zuwendung
zum lesenden Publikum aus der Außenseiter-Distanz: „Ihr wart es ja, für die
ich arbeitete" (2.1, 311). Der Text produziert als Bild des Publikums ein junges
Liebespaar, dessen Sprache zwar nicht die seine ist, das aber die Erinnerung an
geliebte Menschen aus Tonios Jugend erweckt, „kraft der Gleichheit der Rasse
und des Typus, dieser lichten, stahlblauäugigen und blondhaarigen Art, die
eine Vorstellung von Reinheit, Ungetrübtheit, Heiterkeit und einer zugleich
stolzen und schlichten, unberührbaren Sprödigkeit hervorrief" (2.1, 310f.).
Im Gegensatz zu der betont nordischen „Rasse" in diesem Bild seiner hei-
matlichen Gesellschaft hat Tonio selbst jedoch eine nicht-nordische Mutter,
und seine Vertraute ist eine Fremde. In seiner Wirklichkeit bestand Thomas
Manns Publikum aus deutschen Bildungsbürgern, die nicht nur blond und
blauäugig waren. Die Frau, die er heiratete, mit der er seine Zuwendung zur
Bürgerlichkeit sozial vollzog, stammte aus einer Familie mit jüdischer Herkunft. Er selber sprach ungescheut von sich als einer „Blutmischung". Weder
sein Publikum, noch seine eigene genetische Herkunft entsprachen dem emotional evozierten Bild aus *Tonio Kröger*.

Wenn ich für Thomas Manns Publikum den Ausdruck „Bildungsbürger"
gebrauche, dann meine ich das lesende Bürgertum seiner Zeit, das seinen
Wert nicht im Einkommen, sondern in seiner Bildung sah, mit dem höheren
Beamtentum und deren Familien als Kern. Die gebildeten Bürger betrach-
teten sich als *die* Nation. Der Schriftsteller, der für sie schrieb, empfand die
Aussicht, durch sein Schreiben auf die Nation zu wirken. Das war der Ehr-
geiz beider Brüder Mann. Während Heinrich eine Minderheit der deutschen
Bildungsbürger aufforderte, die deutsche politische Struktur zu ändern, den
Rest der Adelsherrschaft abzuschütteln und damit Nietzsches Vision von der
Herrschaft des Intellektuellen wahr zu machen, hielt Thomas jede parteiliche
Ideologie für eine Einschränkung der freien Orientierung des „geistigen"
Deutschen in der modernen Welt. Diese Freiheit des „Geistes" sah er als den
eigentlichen nationalen Wert und zwar in der Weise wie Nietzsche den moder-
nen Menschen von allen Bindungen der Tradition befreit hatte. In diesem Sinn
glaubte auch Thomas Mann, eine „geistige" Führung auszuüben.

Dazu sollte ein Aufsatz dienen, für den Thomas Mann jahrelang, etwa

1909 bis 1914, sich Notizen anlegte. Dieses wegweisende Essay sollte neue Richtungen in Literatur und Leben angeben und beurteilen. Er nannte den Plan „Geist und Kunst", mit Worten aus der in *Tonio Kröger* zitierten Zeile aus dem Gedicht im Notizbuch 7. In den erhaltenen Notizen dafür erscheint einmal der Ausruf: „Gott Lob, daß ich kein Jude bin. Man würde sonst sofort sagen: Natürlich, drum auch! – Ich habe dafür ein wenig romanisches Blut, das in mir gegen die antiliterarische Simpelei protestiert."[1] Das modernistische Anschreiben gegen alte Konventionen erschien manchen konservativen Lesern und Kritikern undeutsch, fremd, „jüdisch". Als Jude mochte Thomas Mann nicht gelten, aber mit den blonden und blauäugigen Lesern identifizierte er sich auch nicht, er wollte anders sein, seine brasilianische Großmutter war der Beweis. In einer anderen Notiz reagierte er auf die Schriftsteller Carl Busse und Adolf Bartels, die Fontanes Schreibart für jüdisch erklärt hatten. Das sei „der unanständige Antisemitismus".[2] Es musste also auch einen anständigen geben.

Mehrere Notizen zu dem geplanten, nie geschriebenen Essay befassen sich mit den Begriffen „Literat" und „Literatur", weil sie oft im absprechenden Sinn gebraucht wurden. Eine davon verurteilt als „artistische[n] Geck" einen Schriftsteller, der sich in einem „Geschmack" gefällt, der „von einer echten Natur und Persönlichkeit" geschaffen wurde. Als unechte Schriftsteller fallen Thomas Mann jüdische Anhänger des George-Kreises ein. Zwar brauchten „aristokratische und reaktionäre Neigungen bei einem jüdischen Intellektuellen" nicht Heuchelei zu sein, aber „eine sublime Perversität (Verkehrtheit)" sind sie. Jüdisches und unechtes Schreiben liegen nahe beieinander. Und dann heißt es: „Man soll wissen, wer man ist und was einem zu Gesichte steht, sonst wird man nicht überzeugen und an sich glauben machen. Was man hervorbringt[,] ist ‚Litteratur'."[3]

Solche Aufzeichnungen verwendete Thomas Mann für einen erst 1913 veröffentlichten Aufsatz *Der Literat* (14.1, 354–362), der einen Teilaspekt aus den Notizen präsentiert. Ein Entwurf dafür, der dieser Notiz nahesteht, wurde von Heinrich Detering im Kommentar der Ausgabe veröffentlicht. Von diesem Text wird unten die Rede sein. Andererseits enthalten mehrere Notizen lobende oder anerkennende Äußerungen über jüdische Schriftsteller.

Ein Brief an Otto Grautoff, wenige Monate nach der Publikation der Novelle *Tonio Kröger* geschrieben, zur Zeit der Freundschaft mit Paul Ehren-

---

[1] Hans Wysling: „Geist und Kunst", in: Paul Scherrer/Hans Wysling: Quellenkritische Studien zum Werk Thomas Manns, Bern/München: Francke 1967 (= Thomas-Mann-Studien, Bd. I), S. 158.

[2] Ebd., S. 197.

[3] Ebd., S. 186.

berg, spricht über eine „Beobachtung", von der er Grautoff erzählte und die man als Interesse für Katia Pringsheim zu deuten hat (21, 235; siehe den Kommentar: 21, 652).[4] Seine „Beobachtung" bezieht der Briefschreiber auf eine viel frühere, deren Zeuge Grautoff war. Diese fand auf einem „nackte[n] Fliesenhof" statt. Das war das Lübecker Katharineum und aller Wahrscheinlichkeit nach die Szene, als Thomas Mann sich einen Bleistift von Williram Timpe, seiner heimlichen Liebe, auslieh, die Szene also, die eine so wichtige Rolle in *Der Zauberberg* spielt. Thomas Mann tadelt sich im Brief an Grautoff, er solle besser „etwas Gutes" produzieren, statt „Zaubermärchen nachzuhangen". Solche Träume seien „Wunder und wilde Mären" (21, 235). Der Ausdruck zitiert aus Wagners *Die Walküre*. Hunding, ein Repräsentant der „Gewöhnlichen", charakterisiert so Siegmunds Bericht von seiner außerordentlichen Existenz. In dieser Briefstelle finden wir Bilder bewegender Momente aus Thomas Manns Biographie: die Außenseiter-Existenz, Selbstverpflichtung zur Produktion, Wagner, homoerotische Zuwendung und die Aussicht auf eine außerordentliche Bindung.

Er sei der Familie Pringsheim willkommen, teilte Thomas Mann seinem Bruder vor seiner Heirat mit, „[i]ch bin Christ, aus guter Familie, habe Verdienste, die gerade diese Leute zu würdigen wissen" (21, 272). Einen christlichen Glauben hatte der Nietzscheaner Thomas Mann nicht. „Ich bin Christ" bedeutete, dass er sich anders als „diese Leute", die Familie Pringsheim, fühlte. Die Mutter, Hedwig Pringsheim, hatte jüdische Großväter, die schon lange der evangelischen Konfession angehörten, der Vater stammte aus einer jüdischen Familie und war glaubenslos, die Kinder waren evangelisch getauft und wussten lange nicht, dass sie als jüdisch galten. Thomas Mann war überzeugt, als Nichtjude einer sich assimilierenden jüdischen Familie Gelegenheit zu geben, sich aufzubessern. Seine Leistung als Schriftsteller würde dieser Familie mit schon hoher Kultur ihre kulturelle Assimilation bestätigen.[5]

---

[4] Das Brief-Fragment ist in Thomas Manns Notizbuch 7 erhalten (Notb II, 89), der Brief fand sich nicht in der von Otto Grautoff bewahrten Sammlung von Briefen an ihn. Thomas Mann betrachtete den Wachtraum, den die Briefstelle andeutet, offenbar für existenziell wichtig, so dass er sich die Passage vor dem Abschicken des Briefes ins Notizbuch abschrieb.

[5] Anschluss an die deutsche Kultur war ein gern ergriffenes Mittel der deutschen Juden, um sich die Ankunft in der bildungsbürgerlichen Klasse zu bestätigen. Den Oberklassen-Status des Bildungsbürgertums bestätigt Werner T. Angress: ...immer etwas abseits. Jugenderinnerungen eines jüdischen Berliners 1920–1945, Berlin: Edition Hentrich 2005, S. 7. Angress kennzeichnet die soziale Stellung der Familie, in der er aufwuchs, als „aus dem jüdischen Kleinbürgertum des neunzehnten Jahrhunderts langsam aufgestiegenen soliden Mittelstand" und fügt hinzu: „Natürlich hätte man gerne dem Bildungsbürgertum angehört und strebte das auch an".

Viola Roggenkamp – *Erika Mann. Eine jüdische Tochter* – zeigt mit ihrem Untertitel *Über Erlesenes und Verleugnetes in der Frauengenealogie der Familie Mann-Pringsheim* an, dass sie Verborgenes aufdecken will, nämlich Konsequenzen der Einheirat Thomas Manns in eine jüdische Familie. Dabei vertritt Roggenkamps Buch eine meiner Ansicht nach verfehlte These, nämlich, dass Erika Mann als Tochter einer jüdischen Mutter sich als Jüdin hätte fühlen müssen. Davon soll hier nicht die Rede sein,[6] sondern davon, dass das Buch eine Herausforderung für die Biographen und besonders für die Apologeten des schiefen Verhältnisses Thomas Manns zum Judentum darstellt. Roggenkamp zitiert aus dem im vorigen Absatz zitierten Brief (JT, 21) und fügt hinzu: „Ihn [Thomas Mann] mag das Jüdische sogar gereizt und angezogen haben, vielleicht vergleichbar der unerlaubten, der gesellschaftlich kriminalisierten Homosexualität". Die jüdische Assimilation bot sich an als Bild der Problematik des Schriftstellers, der, obwohl zum Außenseiter verurteilt, also Fremder, dennoch seine Nation anspricht. Vorausgesetzt war, dass der Schriftsteller und seine Leser die Juden für ausgegrenzt hielten. Sie galten nicht im vollen Sinne als Deutsche.

Ausgrenzung deutscher Juden aus dem nationalen Körper ist eine Art von Antisemitismus, der nicht aktiv judenfeindlich sein will. Ich nenne ihn „höheren" Antisemitismus, um auszudrücken, dass es sich um ein Bewusstsein handelt, dessen Träger sich nicht als Antisemiten fühlten und auf den aktiven, gewöhnlichen Antisemitismus als den niederen hinabsahen. Das muss man aus Thomas Manns Antwort auf eine Rundfrage von 1907 zur *Lösung der Judenfrage* schließen. Zwar befürwortet er darin ausdrücklich die Assimilation, aber der Kontext widerlegt die positive Aussage. Gleich zu Anfang schreibt der Text dem Judentum einen „unentbehrlichen europäischen Kultur-Stimulus" zu. Das ist juden-freundlich gemeint, europäisch gilt mehr als nur deutsch, aber zugleich soll es auch sagen, dass die Juden ein anderes Volk in Europa sind, nicht eigentlich deutsch. So meint es Nietzsche, der zu den „höheren Antisemiten" gerechnet werden muss.[7] Für den „Novellisten", der Bilder als Symbol-Material braucht, sagt Thomas Manns Essay, sei der Jude „[ü]berall als Fremdling kenntlich, das Pathos der Ausnahme im Herzen". Er sei eine außerordentliche Daseinsform, die sich inmitten des bür-

---

[6] Mit diesem Aspekt des Buches habe ich mich in einem anderen Review-Essay auseinandergesetzt: *Zur Biographie Thomas Manns. Erkenntnisse aus Biographien der Familienmitglieder.* Dieses Essay wird in Orbis Litterarum erscheinen.

[7] Siehe Aphorismus 205 in *Morgenröte* (Kritische Studienausgabe, Bd. 3, S. 180–183) und Aphorismus 251 aus *Jenseits von Gut und Böse* (ebd., Bd. 5, S. 192–195). Achtung für und Verachtung der Juden ist in beiden Aphorismen ganz ähnlich gemischt wie in Thomas Manns Essay *Die Lösung der Judenfrage.*

gerlichen Lebens erhalten habe, „in einem erhabenen oder anrüchigen Sinne von der gemeinen Norm ausgezeichnet" (14.1, 174). Die Formulierung steht fast gleichlautend in *Königliche Hoheit* als Beschreibung des Dr. Sammet, eine der seltenen sympathischen Judenfiguren im fiktionalen Werk (4.1, 34). Als „Novellist" ist Thomas Mann an der Erhaltung dieser Sonderform interessiert, er müsste also die Assimilation verneinen. Aber das will er nicht. Als „Lösung" der „Judenfrage" empfiehlt er die Assimilation durch Heiraten sowie die Taufe. Die „Nobilisierung" der Juden liege jedoch in weiter Ferne, „in drei Generationen nicht zu erreichen" (14.1, 177). Das Bild des Juden, das verschwinden soll, malt Thomas Mann schnell noch als besonders hässliche Karikatur: „Fettbuckel, krumme Beine und rote mauschelnde Hände [...], ein leidvoll-unverschämtes Wesen [...], fremdartig schmierige[r] Aspekt" (14.1, 176 f.).

Eine gelungene Assimilation schrieb Thomas Mann seinem Freund Bruno Walter in *Musik in München* (1917) zu, indem er ihn gegen den Münchnerischen niederen Antisemitismus verteidigte. Walter sei „deutsch seinem Geiste und Herzen, seiner Bildung und Liebe, wenn auch meinetwegen nicht seinem Blute nach" (15.1, 200). Den Antisemiten gesteht Thomas Manns „meinetwegen" zu, dass die Abstammung von jüdischen Vorfahren eben doch ein, wie immer kleiner, Hinderungsgrund zum vollen Deutschsein sei. „Blut her, Blut hin", meint er abschließend, diesen die Romantik liebenden Musiker wolle er nicht „undeutsch" genannt wissen (15.1, 202). Auch wenn die Gesinnung assimiliert ist, das fremde Blut bleibt.

Als Thomas Mann 1918 die nationale Niederlage verarbeiten musste, verschlimmerte sich der immer bereit liegende Antisemitismus, wie bei vielen Bildungsbürgern der Zeit. Obwohl er „nichts gegen den Fall der Dynastien u. des Kaisertums" hatte (Tb, 10.11.1918), wird Thomas Mann im Tagebuch ausfällig gegen die jüdischen Revolutionäre, wie man in einem Kapitel des Buches von Jacques Darmaun nachlesen kann (TMDJ, 104 ff.). Noch in der Rede von 1922 forderte Thomas Mann die Jugend auf, die Republik nicht „scharfe[n] Judenjungen" zu überlassen (15.1, 530). Der kleinbürgerliche nationalsozialistische Antisemitismus bewirkte dann Gegensteuerung.

Thomas Manns philosemitische Äußerungen bestätigen immer wieder die Fremdheit auch der assimilierten deutschen Juden. In seinem Aufsatz *Zur jüdischen Frage* von 1921 besteht er darauf, dass, was an Kultur-Erzeugnissen „nur den Echt- und Urdeutschen behagt" und von „den Juden [...] verschmäht wird", nicht „als höheres Deutschtum" in Betracht komme. Als solches gelte vielmehr nur, was „auch den Juden gefällt" (15.1, 432). Nämlich den assimilierten deutschen Juden, deren Urteile Wert haben, weil sie nicht wie die gewöhnlichen blonden und blauäugigen Deutschen denken und fühlen. Für

Thomas Mann gilt das Klischee der jüdischen Super-Intelligenz, das er immer wieder anwendet, auch in diesem Aufsatz (15.1, 437). Es setzt Anderssein voraus. Übrigens habe der „typische[ ] Charakter" der Juden auch Gefährlichkeit, wie „[j]edes einzelne der europäischen Völker" (ebd.). Als europäisches Volk sind Juden keine Deutschen. „[D]ie Auffassung des Judentums als einer aristokratisch-romantischen Tatsache, *ähnlich dem Deutschtum*" (15.1, 434; Emphase Thomas Manns) sei von früh an nach seinem Sinn gewesen. Juden, die gegen diese Ungleichheit protestieren, seien ihm unangenehm, er nennt sie: „jene Dissimulanten[8] und Verdrängungskünstler [...], die bereits in der Tatsache, daß jemand ein so markantes Phänomen wie das jüdische nicht geradezu übersieht und aus der Welt leugnet, Antisemitismus erblicken" (ebd.). Damit zielt er auf deutsche Staatsbürger jüdischen Glaubens, die sich weigern, Fremde oder Andere zu sein.

Das Essay *Zur jüdischen Frage* wurde wegen eines Einspruchs Katia Manns nicht veröffenlicht.[9] Leider verrät die Tagebuch-Eintragung vom 28. Oktober 1921 nicht, was Katia an dem Artikel auszusetzen hatte. Vermutlich missfiel ihr, dass sie und ihre Kinder spielerisch ins Exotische versetzt wurden, nämlich in Zitaten aus dem *Gesang vom Kindchen*, in dem sie mit „Märchenosten" und „Traum von Morgenland" in Verbindung gebracht wurden (15.1, 435), also Asiatisches in sich haben sollen; vielleicht auch störte sie die philosemitische Tendenz, von der sie wohl wusste, dass sie nur ein Teil der Wahrheit ihres Ehemannes war.[10]

In der Einleitung zu einer *Joseph*-Vorlesung in der Schweiz vor der zionistischen Frauen-Vereinigung Kadimah spricht Thomas Mann 1937 von einer „tiefe[n] Abneigung", die er „von jeher gegen den antisemitischen Dünkel empfunden habe" (XIII, 481 f.). Er lobt die „Verdienste" der deutschen Juden, „rezeptiv und produktiv, um die Kultur ihres sogenannten Wirtslandes, das so gut ihr Heimatland ist, wie das irgendeines ihrer nichtjüdischen Landsleute" (XIII, 482). „Dissimulanten" dürften ihn darauf hingewiesen haben, dass deutsche Juden sich auch durch seine judenfreundlichen Definitionen ausgegrenzt fühlten. Aber viel hatte er nicht gelernt, denn sonst hätte er den Begriff „Wirtsland" nicht im Kontext gebraucht. Auch sonst sagt er viel über die jüdische Besonderheit. Juden seien ein „zäh überlebende[r] Stamm", „zum großen Teil [...] ganz rein erhalten" (XIII, 485). Aber sie seien auch die

---

[8] Gemeint sind „Dissimulatoren", wörtlich: Menschen, die Ähnliches unähnlich machen wollen, Verleugner.

[9] Siehe den Kommentar Hermann Kurzkes (15.2, 283).

[10] Verharmlosend ist der Brief an Jakob Wassermann über *Mein Weg als Deutscher und Jude* (15.1, 354–357). Siehe dazu den Kommentar von Hermann Kurzke (15.2, 236–241) mit Wassermanns Antwort.

eigentlichen Europäer, denn sie vertreten „in deutscher Sphäre" das geistige, das „humane und universalistische Element", aber eben in ihrer Besonderheit, nämlich: „körperlich, blut- und rassenmäßig, physiognomisch" (XIII, 483).

Der *Josephs*roman sei nicht als anti-antisemitische Propaganda beabsichtigt gewesen, sagt Thomas Mann bei dieser Gelegenheit, er sei nicht als „Juden-Epos", sondern als „Menschheits-Epos" geplant worden (XIII, 486). Josephs „Doppelsegen" von oben und unten und seine Verehrung des androgynen Mondes mache ihn zu einem typischen Künstlermenschen (XIII, 489). Als solcher lebt er über der Widersprüchlichkeit der Welt und zugleich in ihr.

Im Januar 1942 hatte Thomas Mann angefangen, seine deutschen Hörer über die Judenmorde aufzuklären (XI, 1025). In der Sendung vom 27. September des gleichen Jahres brachte er den „Entschluß [des nationalsozialistischen Regimes] zur völligen Austilgung der europäischen Judenschaft" zur Kenntnis der Deutschen, die es wagten, ihm zuzuhören (XI, 1051). Auch hat er die Bildung des Staates Israel aktiv unterstützt. Aber noch nach Ende des Zweiten Weltkrieges, am 27. Oktober 1945, hielt er im Tagebuch an der Alterität der Juden fest. „Wie soll man sie nennen?" fragt er und fährt fort: „Denn irgend etwas anderes ist es mit ihnen und nicht nur Mediterranes. Ist dies Erlebnis Anti-Semitismus? Heine, Kerr, Harden, Kraus bis zu dem fascistischen Typ Goldberg – es ist doch *ein* Geblüt. Hätte Hölderlin oder Eichendorf Jude sein können? Auch Lessing nicht, trotz Mendelssohn".

Dieser Eintrag wurde von seiner Lektüre des Buches *The Jewish Dilemma* von Elmer Berger (1908–1996)[11] hervorgerufen. Dieser, gebürtiger Amerikaner, war Rabbiner des Reformjudentums, das aus der deutschen Assimilationsbewegung entstanden war, und Vorsitzender des *American Council of Judaism*, einer Organisation, die den Zionismus als jüdischen Nationalismus verurteilte, ein amerikanisches Äquivalent des *Centralvereins deutscher Staatsbürger jüdischen Glaubens*. Sein Buch, 1945 nach Ende des europäischen Krieges geschrieben, besteht auf der völligen Integration der Juden in die amerikanische Gesellschaft. Berger sieht die Geschichte der jüdischen Emanzipation in der westlichen Welt als Prozess, der in Amerika so gut wie gelungen sei. Herzls nationalistischer Zionismus habe Rücktritt vom Emanzipationsprozess bedeutet und diesen gehemmt. Amerikanische Juden seien Juden nur ihrer Religion nach, als Bürger aber nicht willens, ihre Loyalität mit einem künftigen Judenstaat in Palästina zu teilen. Schon vor der Gründung Israels sagt Berger die Schwierigkeiten eines nationalistischen Judenstaates in einer feindlichen arabischen Welt unheimlich treffend voraus. Dagegen: Wenn Juden aufhörten, sich als Andere zu betrachten, könnten sie dem Nationalis-

---

[11] New York: The Devin-Adair Company 1945.

mus in der ganzen Welt entgegenwirken, der sich gerade im deutschen Nationalsozialismus als so mörderisch erwiesen hatte. Das Freundschafts-Verhältnis von Moses Mendelssohn und Gotthold Ephraim Lessing stellt Berger als historisches Vorbild der jüdischen Integration hin. Deren Beziehung, weil sie gegenseitige Anerkennung ihrer religiösen Traditionen einschloss, nennt er geradezu eine „Formel". Thomas Mann erschien Bergers Buch „vernünftig", aber „vielleicht etwas allzu vernünftig" (Tb, 27.10.1945). Vermutlich meint er: von der Realität abweichend. Nur Lessing sei der wahre Deutsche, Freundschaft überbrücke Fremdheit nicht.

Die Frage, die Thomas Mann an sich selber stellt, „Ist dies Erlebnis Antisemitismus?", ist mit „ja" zu beantworten. Das Wort „Erlebnis" in Thomas Manns rhetorischer Frage steht für seine anerzogene deutsche bildungsbürgerlich-nationalistische Sehweise. Wenn man jemanden in der eigenen Gruppe nicht zulassen will, ist das ein Werturteil, selbst dann, wenn aktive Feindschaft fehlt. Nationale Abwertung lag der Vertreibung der Juden aus Deutschland und dem Massenmord zu Grunde. Das Wissen, dass auch der „höhere" Antisemitismus in der Oberschicht Juden abwertete, nicht nur die Propaganda der Partei, erleichterte es den Offizieren der zu „Einsatzgruppen" bestimmten Polizeibatallione, ihre Mannschaften, darunter Familienväter, zu instruieren, dass sie vaterländische Pflicht erfüllten, wenn sie jüdische Männer, Frauen und Kinder als Volksfeinde in Reihen erschossen. Diese Konsequenz des „höheren" Antisemitismus hat Thomas Mann mit Sicherheit nicht gewollt, ja bekämpft. Das ändert nichts daran, dass der nicht judenfeindliche, scheinbar harmlose, „höhere" Antisemitismus in der deutschen wilhelminischen Gesellschaft, selbst wenn er als Philosemitismus auftrat, mit der Abwertung der deutschen Juden den Anfang der Gleitbahn darstellt, die auf den Fall aus der deutschen humanitären Tradition zulief, dessen Konsequenz die Judenmorde waren. Das gilt auch dann, wenn man weiß, dass die Gewohnheit, Juden aus der je eigenen Nationalität auszugrenzen, kein spezifisch deutsches Phänomen war und ist. Für die historische Aufklärung, der auch die Literaturgeschichte dient, ist die Internationalität des Antisemitismus kein Grund zu verschweigen, dass die Ausgrenzung von Juden im deutschen Bildungsbürgertum Thomas Mann nicht ausließ. Antisemitismus war möglich im Falle eines Menschen, der als Autor von den Anfängen des Nationalsozialismus an vor dieser Partei gewarnt hatte, dessen Leben von Nationalsozialisten bedroht war und der von ihnen aus dem Land seiner Liebe vertrieben wurde.

Die Verbindung des „höheren" Antisemitismus mit dem deutschen Nationalgefühl lebt weiter. Viola Roggenkamps Argument über die Verleugnung des Jüdischen in Thomas Manns Familie legt eine Post-Holocaust-Perspektive zu Grunde. „Juden besitzen einen unanfechtbaren Opferstatus" (JT, 71), schreibt sie, und meint ironisch, dass dieser Besitz Neid errege. Der Neid des Tätervolks auf das unschuldige Opfervolk ist eine Unterscheidung, die in der Diskussion über die Frage des Antisemitismus Martin Walsers eine Rolle spielte. Walser brachte zu seiner Verteidigung vor, dass er sich intensiv mit der deutschen Vergangenheit, er meinte den Holocaust, auseinandergesetzt habe.[12] Gerade weil er deutsche Schuld verinnerlicht hatte, weil er sich als Angehöriger des „Tätervolks" verstand, sah er „die" Juden als „Opfervolk", das anders ist als „wir". Deren Rolle, ihr Festhalten an der Schuldzuweisung, hielt Walser für eine Hinderung des deutschen Nationalgefühls.[13] Wohl ohne sich das bewusst zu machen, fiel Walsers Unterscheidung von „wir" und „ihr" in ein bereitliegendes Muster im deutschen bildungsbürgerlichen Diskurs, in der deutschen literarischen Sprache. Sie bewahrt den nationalistischen Widerwillen gegen die Assimilation, gegen die Anerkennung der Juden als Deutsche. Thomas Manns „höherer Antisemitismus" ist ein mitgeschlepptes national-kulturelles Erbe, das er nicht ausreichend befragt hat, nicht aus Anlass seiner Heirat, nicht einmal, nachdem er von den deutschen Judenmorden wusste. Das gehört zu den Widersprüchen der Bindung an seine deutsche Herkunft im Exil. Thomas Manns Biographie ist, wie die jedes Menschen, voller Widersprüche. Er war Patriot und Deutschen-Kritiker, manchmal fast Deutschen-Feind, schopenhauerischer Pessimist, optimistischer Lebensfreund, Glückskind und von Depressionen heimgesucht, nietzscheanischer Immoralist, bürgerlicher Moralist, human, streitbar, Kriege betreibend, friedliebend, Freund vieler Juden, Philosemit und Antisemit.

Viola Roggenkamp erwähnt das Tabu, das in der bildungsbürgerlichen guten Gesellschaft vor 1914 galt. Das Wort „Jude" war zu vermeiden. Das Tabu finden wir in Thomas Manns Werk und in seinen Lebensäußerungen. Er folgt ihm nicht immer, sehr deutlich tritt es jedoch auf, wenn er in seinem autobiographischen Epos *Gesang vom Kindchen* seine Frau als „Prinzessin des Ostens" auftreten lässt und ihre Schultern mit „Schultern von Flötenspielerinnen" vergleicht (VIII, 1088).

Bedenkenswerter noch ist eine andere Bemerkung Roggenkamps zu der Kulturliebe der deutschen Juden: „Dieser Liebe zu dieser Kultur wohnte ein andauernder Schmerz inne, die Abwehr der eigenen jüdischen Identität als verinnerlichter Antisemitismus" (JT, 121). Die Assimilation deutscher Juden bedeutete nicht nur eine Befreiung vom Ghetto-Status, sondern auch eine Trennung von den Vorfahren, deren Glauben und Lebensweise. Jede Trennung kann Schmerz bedeuten. Das Phänomen des jüdischen Selbsthasses

---

[12] Matthias N. Lorenz: „Auschwitz drängt uns auf einen Fleck". Judendarstellung und Auschwitzdiskurs bei Martin Walser, Stuttgart: Metzler 2005, S. 470.

[13] Ebd., passim.

kommt aus solchen emotionalen Affekten. Andererseits ist der Mensch seit Urzeiten ein wanderndes Wesen, und gewollte Wechsel wie der aus bäuerlicher Umgebung in die Stadt, aus einer sprachlichen Umgebung in eine andere, sind Vorgänge, die den anpassungswilligen Menschen nicht notwendig überfordern. Viola Roggenkamps Vorschlag, die Assimilation Katia und Erika Manns aus der jüdischen Perspektive zu negieren, als Beraubung, als eine Art von Kolonisation von Juden zu verstehen, schreibt ethnische Traditionen als unveränderbare menschliche Eigenschaften fest und ist darum abwegig. Aber etwas von dem, was Roggenkamp als „Schmerz" beschreibt, muss in Katia gewirkt haben, weil sie sich mit einer verräterischen Entschiedenheit gegen ihre jüdische Abkunft wehrte, sie verleugnete. Ihr verinnerlichter Antisemitismus[14] mag der eigentliche Grund ihres Einspruchs gegen die Veröffentlichung von Thomas Manns Aufsatz *Zur jüdischen Frage* von 1921 gewesen sein. Thomas Mann kümmerte diese Empfindlichkeit seiner Frau offenbar nicht. Ein peinliches Beispiel für diese Unbekümmertheit ist eine Tagebuch-Notiz vom 25. Dezember 1933 aus dem Zürcher Exil: „Die Kinder [gemeint sind wohl Elisabeth und Michael], noch gestern Abend spät befragt, was von Weihnachten das Schönste gewesen sei, erklärten: ‚Als Herr Papale bei Tisch einen Juden nachmachte!'"

* * *

Die deutsche Thomas Mann Gesellschaft veranstaltete 2002 in Berlin ein Symposium *Thomas Mann und das Judentum*, dessen Vorträge in Band XXX der Thomas-Mann-Studien gesammelt vorliegen, ergänzt durch eine Textsammlung von Thomas Klugkist am Ende des Bandes. Juden hat Thomas Mann immer wieder als Symbol für stigmatisierte Außenseiter eingesetzt. Nur sind das fast immer fragwürdige, problematische, oft hässliche Figuren. Das haben Essays von Ruth Klüger, *Thomas Manns jüdische Gestalten,*[15] und von Egon Schwarz, *Die jüdischen Gestalten in Doktor Faustus,*[16] schon vor Jahren gezeigt. Die Herausgeber des vorliegenden Bandes der Berliner Vorträge, *Thomas Mann und das Judentum*, sagen es auch: „Antijüdische Stereotype von Gestik und Sprechweise erhalten sich im Gesamtwerk (TMJ, 12).

Den Gebrauch von Außenseiter-Typen behandelt Heinrich Detering:

---

[14] Katia Mann bezeichnete sich nach dem Zweiten Weltkrieg als „Halbjüdin" oder „Vierteljüdin". Zu Katia Mann mehr in meinem Review Article *Zur Biographie Thomas Manns. Erkenntnisse aus Biographien der Familienmitglieder,* der in Orbis Litterarum erscheinen wird.

[15] Siehe: Katastrophen, Göttingen: Wallstein 1994, S. 39–58. Zuerst englisch in: Horizonte, hrsg. von Hannelore Mundt u.a., Tübingen: Niemeyer 1990, S. 161–172.

[16] Siehe: TM Jb 2, 1989, 79–101.

Juden, Frauen, Literaten. Stigma und Stigma-Bearbeitung in Thomas Manns frühen Essays (1893–1914). Diesen Beitrag hat Detering überarbeitet in sein Buch *Juden, Frauen und Litteraten* aufgenommen, das ich unten bespreche.

Hans Rudolf Vaget, *„Von hoffnungslos anderer Art". Thomas Manns „Wälsungenblut" im Lichte unserer Erfahrung*, berichtet aus der Forschungsliteratur, dass Schwiegervater Pringsheim dem Verlag die Kosten für das Einstampfen der Novelle *Wälsungenblut* und den Ersatzdruck in der Neuen Rundschau mit 6 000 Mark ersetzt habe (TMJ, 35 f., Anmerkung 2). Das hat biographische Bedeutung: Es war nicht die einzige Demütigung, die Pringsheim seinem weniger finanzkräftigen Schwiegersohn zumutete. Dennoch ist es verfehlt, die Darstellung der reichen Judenfamilie in der Novelle als Racheakt des Autors zu lesen. Vaget wendet sich gegen solche und andere primitiv-psychologische Interpretationen und bietet stattdessen eine subtile Interpretation der Thematik der jüdischen Assimilation in der Novelle. Zwar stammte Alfred Pringsheim aus einer Aufsteiger-Familie vom Typus des Herrn Aarenhold in *Wälsungenblut*. Während der alte Aarenhold seinen Reichtum selbst erworben hat, benutzte Alfred Pringsheim sein ererbtes Vermögen, um sich als beliebter und erfolgreicher Professor der Mathematik in das deutsche Bildungsbürgertum einzureihen. Er hatte keine Beziehungen zum Judentum mehr; seine Frau stammte aus einer evangelisch getauften Familie, in der die Männer jüdischer Herkunft waren. Hedwig Pringsheim und ihre Söhne genehmigten anfangs den Text von *Wälsungenblut*: Sie fühlten sich nicht getroffen.[17] Die Pringsheim-Familie hatte den Assimilationsprozess beendet, die Aarenhold-Familie wird noch auf dem Wege dazu dargestellt.

Vaget stellt die Darstellung dieses Prozesses in den Mittelpunkt seiner Interpretation. Die antisemitischen Klischees des Textes betrachtet er ohne jede Beschönigung im Lichte neuerer Antisemitismus-Forschung und stellt sie gegen den Text als Ganzen, den er als Zeugnis psychologischer Einfühlung in die Problematik der Assimilation gewertet haben will, und zwar ohne die falschen philosemitischen Töne in Thomas Manns Vorschlag zur *Lösung der Judenfrage* von 1907. Diesen Vorschlag, Assimilation durch Heirat, nimmt Vaget ihm ab (TMJ, 43). Der Inzest in *Wälsungenblut* sei Widerstand gegen den Assimilationsdruck, und dieser Widerstand gilt Vaget als Kontrafaktur oder Parodie des in Fontanes *Die Poggenpuhls* dargestellten Widerstands des preußischen Adels gegen jüdische Geldheiraten (TMJ, 45).

Die Darstellung der jüdischen Alterität will Vaget nicht widerlegen, aber sie sei durch den Wagnerschen Subtext neutralisiert (TMJ, 50). Die Ver-

---

[17] Allerdings war Hedwig Pringsheim über die Auffindung des Textes nach seiner Zurückziehung betroffen. Siehe Ariane Martin: Schwiegersohn und Schriftsteller. Thomas Mann in Briefen Hedwig Pringsheims an Maximilian Harden, in: TM Jb 11, 1998, 127–152, bes. 139–141.

wendung antisemitischer Klischees sei nicht selbst antisemitisch, weil, nach einer Definition des literarischen Antisemitismus von Mark H. Gelber, ein Text nur als antisemitisch gelte, wenn er antisemitisches Verhalten ermutige oder positiv bewerte (TMJ, 48). Das sei hier nicht der Fall; Thomas Mann habe selbst darauf aufmerksam gemacht, dass er das „verhaßte, respektlose und gotterwählte Geschlecht'" in Wagners *Die Walküre* verwirrend auf seine Novellenfiguren bezogen habe (15.1, 434; TMJ, 50). Der Text identifiziere die jungen Aarenholds mit Wagners Wälsungen, die in Wagners *Die Walküre* höher bewertet werden als gewöhnliche Menschen wie Hunding. Damit, meint Vaget, sei die übliche Bewertung der Außenseiter umgekehrt: Die Anderen sind die Hundings und Beckeraths, nicht die jüdischen Zwillinge. Die Beziehung der Novellen-Figuren auf die auf der Bühne diene zur „Unterminierung der Klischeevorstellungen von den Juden" (TMJ, 50). Der Erzähler der Bühnenhandlung in Thomas Manns Text weiß den Grund von Hundings Hass auf die überlegene Art der Wälsungen, „der er sich nicht gewachsen fühlte", während Wagner das Unterlegenheits-Gefühl seiner Figur Hunding nicht in den Mund lege. Diese Erzähler-Passage sei (nach dem Vorgang Dieter Borchmeyers[18]) eine psychologische Entlarvung des Judenhasses als Ideologie der Zu-kurz-Gekommenen. Die stachlige Abwehr der Geschwister gegenüber ihrer Umwelt symbolisiere eine sympathische Anerkennung der jüdischen Verfolgung (TMJ, 51).

Ein Text, der mit komischen Effekten arbeitet, kann einen ernsten Subtext haben. Die Rolle Hundings teilt der Text ausdrücklich dem Nichtjuden Beckerath zu (2.1, 439). Beckeraths „derangierte" Unterlegenheit wird demonstriert, als er den Theaterbesuch der Zwillinge erlaubt, obwohl gar nichts zu erlauben war. Siegmunds: „wir nahen uns Ihnen in bittender Haltung" war bloß ein Scherz (ebd.). Der komischen Überlegenheit über Beckerath entspricht die der Wälsungen auf der Bühne über den gewöhnlichen Hunding, was, wie Vaget erklärt, Wagners Musik „verschwenderisch" ausmalt (TMJ, 45). Beckeraths Unterlegenheit wird durch die Sprechweise der Aarenholds erzeugt. Die so gewonnene Überlegenheit der Geschwister unterminiert der Text jedoch, zum Beispiel wenn Sieglinde sagt: „„Auch fühlte das Orchester sich bewogen, bei dem Frühlingslied schrecklich zu schleppen.'" (2.1, 455) Als Repräsentation stachliger Abwehr jahrhundertelanger Judenverfolgung kann ich diese Sprache nicht lesen.

Komischer noch ist der „desillusionierende" Effekt in Thomas Manns Nacherzählung der Bühnenhandlung, auf den Borchmeyer hinweist. Nicht

---

[18] Dieter Borchmeyer: Das Theater Richard Wagners. Idee – Dichtung – Wirkung, Stuttgart: Reclam 1982, S. 325 f.

nur Hunding ist komisch auf der Bühne, bauchig und x-beinig wie eine Kuh (übernommen aus *Versuch über das Theater*, vgl. 14.1, 140), auch Siegmunds „blonde[s] Stirngelock" ist das einer Perücke. Der alabasterfarbene Busen der Sängerin Sieglindes wogt „wunderbar" in ihrem Ausschnitt; ihr Kinn faltet sich, wenn sie es auf die Brust drückt (2.1, 449). Die Parallelität der Aarenhold-Zwillinge mit Wagners Wälsungen verleiht den Geschwistern Würde, aber sie ist nur Theater. Wagners Musik lässt Siegmund fühlen, was ihm zum echten Künstler fehlt: „Schöpfertum ... Leidenschaft" (2.1, 456). Siegmund und Sieglinde Aarenhold sind von anderer Art als die Wälsungen, aber die Würde ihres Andersseins ist vom Theater geliehen. Ihr Opernbesuch gehört zu ihrer Luxus-Existenz, in der sie sich von dem „großen Leben" abschließen, das sich hinter den Vorhängen der Kutsche abspielt, in der sie ins Theater fahren (2.1, 448). „Die Ausstattung des Lebens war so reich, so vielfach, so überladen, daß für das Leben selbst beinahe kein Platz blieb." (2.1, 442)

Die Flucht vor dem „Leben" in die Kunst war in der damals modischen artistischen Terminologie das Charakteristikum für Dekadenz, die nicht notwendig als negativer Begriff aufzufassen ist. Die Assimilation der jüdischen Großbürger, ihre Identifizierung mit der deutschen zeitgemäßen Kultur war ein Abfall von, eine Flucht vor dem Ghetto-Erbe.[19] Auch der Künstler, auch Thomas Mann, war vor dem gewöhnlichen Leben in die Kunst geflohen. Aber Siegmund Aarenhold ist nur ein Dilettant, der bei einem Künstler von europäischem Ruf studiert, weil der Vater diesem 2000 Mark im Monat für seine Bemühungen bezahlt. Das ist ein Motiv aus dem antisemitischen Arsenal: Der nicht-kreative Jude kann den echten Künstler kaufen, was ihm aber nicht hilft; er bringt es nur zur Nachahmung.

Der inzestuöse Liebes-Akt auf dem Bärenfell ist Nachahmung des Wagner-Mythos, an dem sich die Geschwister „berauschten wie Hoffnungslose" (2.1, 463). Vielleicht ist das die gleiche „Rache" wie sie der Erzähler der Bühnenhandlung deutet (2.1, 454): Rache der Wälsungen-Geschwister an denen, die sie in eine falsche Existenz gezwungen haben. Jedoch sind die Aarenhold-Kinder nicht in ihre falsche Existenz gezwungen worden, vielmehr genießen

---

[19] Vaget nennt den Artikel von Mark M. Anderson: „Jewish" Mimesis? Imitation and Assimilation in Thomas Mann's „Wälsungenblut" and Ludwig Jacobowsky's „Werther, der Jude", in: German Life and Letters, vol. 49, no. 2 (1996), p. 193–204, geht aber nicht ein auf Andersons Widerspruch gegen einen früheren Artikel Vagets: „Sang réservé" in Deutschland. Zur Rezeption von Thomas Manns „Wälsungenblut", in: German Quarterly, vol. 57 (1984), p. 367–376. Vaget hatte dort schon von der „Umkehrung der etablierten und sanktionierten Perspektiven der Wilhelminischen Epoche" gesprochen, von einem „Rassismus, der [...] gegen die germanische Mehrheit gerichtet ist" (a.a.O., S. 368). Anderson bestreitet eine solche Umkehrung. Thomas Manns Text reflektiere das übliche Bild des Juden im wilhelminischen Deutschland als eines rassisch und dekadenten Anderen (a.a.O., S. 204).

sie den Wohlstand. Die Assimilation ist ihnen nicht von der älteren Generation verordnet worden, im Gegenteil, sie betreiben sie intensiver als ihre Eltern. Sieglindes jüdische Identität wird nicht „auf dem Altar der Assimilation geopfert" (Vaget, TMJ, 45), der Text zeigt nirgendwo an, dass sie auf diese Identität Wert gelegt hatte oder dass sie sich geopfert fühlte. Sie hatte „Ja" gesagt, nachdem sie Beckerath prüfend, erwartungsvoll betrachtet hatte (2.1, 445), und „erwartungsvolle Träume" hatte sie seit ihrer Verlobung (2.1, 463). Herr Aarenhold übte keinen „Assimilationsdruck" aus (Vaget, TMJ, 55), sondern bewahrte „wohlwollende Neutralität", und Frau Ahrenhold leistete „Fürsprache" (2.1, 445). „Eifernd" ist Sieglindes Bruder Kunz, der Reserve-Offizier (ebd.). Der hat Interesse daran, den Schwager, einen Ministerialbeamten, seinen Offiziers-Kameraden vorzustellen. Siegmund, dem seine Schwester „untertan" ist, ist Sieglindes Ja-Sagen „nicht entgegen", wohl wegen Beckeraths gesellschaftlicher Stellung. Hier wird Assimilation dargestellt, aber nicht als Druck der älteren Generation, und sie ist den Kindern kein Problem, sondern erwünscht. Die antisemitischen Signale behalten ihre Bedeutung; die jüdische Assimilation symbolisiert die Falschheit der Kunst. Zugleich vermittelt der Text den nicht-jüdischen Lesern ein Überlegenheitsgefühl über die Bemühung jüdischer Familien um Eingang in eine Lebensform, die ihnen unangemessen ist.[20]

Kunst ist, gegen das aufstrebende „Leben" der Natur gehalten, immer „falsch", wie besonders Nietzsche gern betonte, und Thomas Mann thematisierte das, wenn er fragwürdige Künstler oder Kunst-Genießer am gewöhnlichen, bürgerlichen „Leben" leiden ließ. Wie der „Bajazzo" der frühen Erzählung in einem selbst gewählten ästhetischen dilettantischen Scheinleben unglücklich wird, weil ihm „das Leben", in Gestalt begehrenswerter Bürgermädchen, versagt ist, so wird der sich assimilierende Jude auf seine Außenseiter-Existenz, sein Judentum, zurückgeworfen. Aus der Außenseiter-Position gibt es ein Entrinnen nur für den Künstler, wenn er sich durch ein Werk rechtfertigt (siehe 2.1, 456).

Yahya Elsaghe, *Judentum und Schrift bei Thomas Mann*, will versteckten Antisemitismus aufdecken. Die Figur Spinell wird in der Erzählung *Tristan* als jüdisch dargestellt, ohne dass die Wörter „Jude" und „jüdisch" vorkommen (TMJ, 66). Freilich war die jüdische Herkunft eines Menschen, der einen Edelstein zum Namen hat und „bloß aus Lemberg" (2.1, 330) stammt,

---

[20] Beispiele: Herr Aarenhold sammelt nicht wie ein echter Sammler auf einem besonderen Gebiet (so wie Alfred Pringsheim), sondern „kostbare und moderige Scharteken" in „allen Sprachen". Frau Aarenhold, hässlich und geschmacklos geschmückt, muss in neureichem Stolz (und ost-jüdischer Sprechweise) aussprechen, dass der Beamte Beckerath, anders als die Familie Aarenhold, sparsam leben muss (2.1, 429).

in der damaligen deutschsprachigen Umwelt deutlich genug, gerade weil das Wort „Jude" einem Tabu unterlag. Die Schrift Spinells, die sorgfältig gemalt erscheint, aber in Klöterjahns Augen „miserabel" ist, deutet Elsaghe als Zeichen für die Falschheit der Assimilation. Der gute deutsche Stil der Jüdin Kunigunde Rosenstiel, in dem sie inhaltsleere Briefe schreibt, dient Elsaghe als Parallele aus dem *Doktor Faustus*.[21] Wenn Spinells Brief an Klöterjahn das Bild Gabrieles und ihrer Freundinnen am Brunnen lügenhaft erhöht (2.1, 339 f. und 359), werde jüdische Alterität „hinter aller ‚vorgespiegelten‘ Assimilation auf dem Niveau des ‚Realen‘ oder als ‚real‘ Imaginierten" festgemacht (TMJ, 69). Elsaghe verweist als Parallele auf Klages, der die Existenz eines spezifisch jüdischen Schriftcharakters behauptet hat. Antisemitische Distanzierung und autobiographische Identifikation werde hier wie in *Wälsungenblut* verbunden. Jedoch hält Elsaghe die Distanzierung für dominant. Mir erscheint die Deutung von Spinells Schrift als Zeichen jüdischen Andersseins als überinterpretiert. Jedoch bin ich einverstanden, dass Thomas Mann in *Tristan* karikaturistische antisemitische Klischees benutzt wie in *Wälsungenblut*.

Stefan Breuer, *Das „Zwanzigste Jahrhundert" und die Brüder Mann*, erklärt die Teilnahme beider Brüder an der antisemitisch-nationalen Zeitschrift für schuldhaft: „In ein solches, ideologisch hoch aufgeladenes Umfeld begibt man sich nicht ahnungslos", sondern vielmehr „aus prinzipiellen Gründen" (TMJ, 90). Thomas Manns briefliche Bemerkung, sein Bruder habe das „einfältige Blättchen" mit Widerwillen und um Geld zu verdienen dirigiert, sei irrelevant, da die Brüder finanziell gut dagestanden hätten. Auch Harald Höbuschs Folgerung aus dieser Briefstelle, dass die Annahme der Tendenz der Zeitschrift ein bewusstes Rollenspiel gewesen sei, lehnt Breuer ab (ebd., Anm. 47), ebenso wie meine damit zusammenhängende Lesung von Thomas Manns Rezension *Ein nationaler Dichter* als Parodie. Breuer versteht unter „Parodie" Texte mit herabsetzender, verzerrender Absicht; er setzt Parodie mit Satire gleich. Der Kommentar von Detering in der *Großen kommentier-*

---

[21] Die Rosenstiel-Figur hat Elsaghe in einer Reihe von Artikeln behandelt, die er zuletzt in die Sektion „Juden und Jüdinnen" in *Thomas Mann und die kleinen Unterschiede. Zur erzählerischen Imagination des Anderen* (Köln: Böhlau 2004) einbrachte. Elsaghe kommt zu dem Ergebnis, dass es Thomas Mann „eigentlich unmöglich war, seine Vorstellungen von der grundsätzlichen Alterität der Juden als ‚Volk‘ und ‚Rasse‘ oder ‚Geblüt‘ wirklich loszuwerden" (a.a.O., S. 258). Wenn das impliziert, dass er sie loswerden wollte, ist das allzu höflich ausgedrückt. Er wollte das nie. Der genannte Abschnitt in Elsaghes Buch bringt eine Fülle von Beweisen dafür. Elsaghe geht aus von der These in seinem Buch *Die imaginäre Nation. Thomas Mann und das „Deutsche"* (München: Fink 2000), dass Thomas Mann als nationaler männlicher Deutscher schreibt und dass er in seinen Texten darum Ausländer und Juden als Andere herabsetzt. Elsaghes Methode, die von Thomas Manns spielerischen („ironischen") Intentionen zumeist absieht, sowie seine akribische Beachtung der jeweiligen Textlage und Handschriften führt ihn sowohl zu Entdeckungen als auch zu einseitigen Abwegigkeiten. Dennoch sei auf das genannte Buch hingewiesen.

ten *Frankfurter Ausgabe* vermerkt an einer Stelle zu *Ein nationaler Dichter*: „Thomas Mann verschärft den nationalistischen Duktus der Vorlage." (14.2, 55). In dieser „Verschärfung" sehe ich satirische Absicht, die den verbohrten Lesern des Blattes nicht auffallen sollte, sondern für die modern denkenden Kollegen bestimmt war. Schon in dem früheren Aufsatz des noch siebzehnjährigen Thomas Mann, *Heinrich Heine, der „Gute"*, bescheinigte er dem Juden Heine Größe und nannte Patriotismus ein Zeichen geistiger Beschränktheit (14.1, 23). Detering, der Herausgeber der frühen Essays Thomas Manns, hat festgestellt, dass deren Verfasser ein „entschieden unabhängiger und oft skeptischer, aber doch zweifellos liberaler Kritiker" gewesen sei (JFL, 171).

Ich halte es für unwahrscheinlich, dass die sehr tendenziösen Artikel, die Heinrich Mann, der begeisterte Leser Heinrich Heines und Nietzsches, in Das Zwanzigste Jahrhundert veröffentlichte, die Überzeugung ihres Autors wiedergeben. Vielmehr sprechen die Umstände dafür, dass beide Brüder um des Geldes wegen willens waren, für diese Zeitschrift Texte so zu schreiben, wie sie verlangt wurden. Thomas und Heinrich Mann hatten eine Rente aus dem väterlichen Vermögen, die zum Junggesellenleben ausreichte, aber nur knapp. Das Erbe wurde von Vormündern, Lübecker Bürgern, Freunden des verstorbenen Vaters, verwaltet. Sie hielten sich an Bestimmungen des Senators, die den Schriftstellerberuf der Söhne verhindern sollten, aber für eine richtige bürgerliche „Etablierung" der Söhne einen Zuschuss von 25.000 Mark versprachen.[22] Journalistischer Erfolg, so dürfte Heinrich gehofft haben, könnte eine „Etablierung" im Sinne des Testaments erweisen. Für das dann zu erwartende Geld schien es sich zu lohnen, der Tendenz des Blattes zu willfahren. Thomas übte brüderliche Solidarität. Die Lübecker Vormünder konnten nicht überzeugt werden. Das könnte ein Grund gewesen sein, warum Heinrich bald die Lust am Redigieren verlor.

Das Thema der Falschheit der Fiktion war für Thomas Mann nicht bloß ein von Nietzsche übernommener philosophischer Gedanke, nicht nur ein Gegenstand für Kunst-Spiele (wie Spinells Brief an Klöterjahn in *Tristan*), sondern war in dieser journalistischen Episode unmittelbare Erfahrung geworden. Die experimentelle Ausgestaltung des Themas der Kunst-Falschheit in *Wälsungenblut* und *Tristan* enthielt auch Selbstkritik. Vielleicht spielt die Erinnerung an des Bruders Willfährigkeit gegenüber der Tendenz des Zwanzigsten Jahrhundert (eine Willfährigkeit, die viel größer war als die

---

[22] Siehe Herbert Lehnert: Buddenbrooks und der Senator Mann, in: Buddenbrooks. Neue Blicke in ein altes Buch, hrsg. von Manfred Eickhölter und Hans Wißkirchen, Lübeck: Dräger 2000, S. 62–73. Bei der Gelegenheit kann ich einen Irrtum auf S. 65 berichtigen. Krafft-Tesdorpf hat einen zweiten Vormund bestellt. Ich verdanke den Hinweis Karsten Blöcker, der sich um die Erforschung dieser Hintergründe verdient gemacht hat.

seine) eine Rolle in Thomas Manns Widerstand gegen Heinrichs Forderung nach liberalistischem Engagement des Schriftstellers in *Geist und Tat* (1911).

Manfred Dierks, *Thomas Mann und die ‚jüdische' Psychoanalyse*, meint, wie Freud erzähle Thomas Mann dieselbe Geschichte: die der „verdrängten Sexualität und [...] der bedrohlichen Wiederkehr des Verdrängten" (TMJ, 97). Diese Geschichte sei der biographische Schlüssel zu Thomas Manns Erzählkunst. Er habe sich Freud als Aufklärer zugewandt unter der Nietzsche-Formel „Reaktion als Fortschritt'" (TMJ, 112). An dem Zugang zu einem über- oder auch unter-individuellen zeitlosen Urgrund wolle Thomas Mann festhalten, nämlich an Schopenhauers Wille als Ding an sich in der positiven (wenn auch amoralischen) Bedeutung des „Lebens", die Nietzsche ihm verlieh. Das sei der Grund, warum sich Thomas Mann nicht von Carl Gustav Jung löste, als dieser sich den Nationalsozialisten anbiederte. Dierks bringt den Aufsatz bei, aus dem Thomas Mann Jungs Untat erfuhr; der Verfasser war Walter Hartmann (TMJ, 119–123). Zwar nennt Thomas Mann Jungs Benehmen im Tagebuch vom 16. März 1935 „widerwärtig", stimmt diesem aber zu, wenn er gegen die Freudsche Psychoanalyse einwendet, die Neurose sei nicht etwas, das man loswerden müsse, sondern selbst ein kostbares Stück Seele (TMJ, 123). Verkehrt sei es, meint Thomas Mann, wenn Jung Freuds Einstufung der Neurose „seelenlosen Rationalismus" nenne. Denn es gelte nicht mehr, mit „Volldampf voraus" gegen den Rationalismus vorzugehen, sondern es sei „längst der Augenblick gekommen [...], aus allen Kräften Gegendampf zu geben" (TMJ, 123 f.). Einstmals war Irrationalismus berechtigt, jetzt aber hat der im Nationalsozialismus das Sagen und sei mit Rationalismus zu bekämpfen. Immer wieder treibe Thomas Mann über die Grenze zu C. G. Jung, von der Aufklärung zur Romantik. Doch er rufe sich auch immer wieder zur Ordnung, zurück auf die zeitgemäße Aufklärungsposition (TMJ, 113). Darum habe er sogar in der Festrede für Freud von 1936 an Jung festgehalten. Dierks nennt das eine „Fehlleistung" (TMJ, 113 f.). Charakteristisch für Thomas Mann seien die Grenzüberschreitungen hin und zurück zwischen der rationalen Kultur und Moral einerseits und der Irrationalität andererseits. Dierks will Thomas Mann schließlich auf die Rationalität festlegen. Das geschehe, als Joseph sich Mut-em-enet verweigere, denn das drücke den Sieg der geistigen jüdischen Vaterreligion über die asiatische Mutterreligion aus, sei, im Sinne Freuds, die Kulturleistung des Ödipuskomplexes (TMJ, 115 f.). Ich halte das für eine bemerkenswerte Interpretation, nur erscheint mir zweifelhaft, ob sie als definitive Festlegung Thomas Manns gelten kann, um so weniger, da sie in einer Fiktion stattfindet. Joseph der Verweigerer, der Ernährer und rationale „Volkswirt" gewinnt am Ende des Romans nicht den religiösen Segen, den erhält vielmehr Juda, der immer wieder seinem Trieb ins Irrationale unterliegt. Das eine Motiv hält das andere im Gleichgewicht.

Ruprecht Wimmer, in *Doktor Faustus und die Juden*, stimme ich zu, wenn er sagt, das „Anderssein" der Juden bliebe im Roman „fraglos" (TMJ, 153). Selbst wenn Thomas Mann außerhalb des Romans von den Judenmorden spreche, bleibe es dabei: „das prinzipiell Andersartige [...] wird unverändert vorausgesetzt" (TMJ, 155). Die Abwesenheit von positiven jüdischen Figuren und das Schweigen über die Judenmorde in einem Roman, der deutsche Kultur zum Thema hat, rechtfertigt Wimmer damit, dass auch von Hoffnung jenseits des hoffnungslosen Absturzes Deutschlands andeutend die Rede ist, am Ende von Fitelbergs Monolog sogar von einer Hoffnung für das Verhältnis von Deutschtum und Judentum zueinander. Der Ausdruck einer solchen Hoffnung, meint Wimmer, wäre zerstört worden, wenn die Judenmorde als Motiv in den Roman aufgenommen worden wären. Auch seine Leerstellen seien ein Zeichen für die Zeitgemäßheit des Romans.

Mir zeigt sich die Zeitgemäßheit des Romans eher in Zeitbloms Bildungsbürgertum. Die Erzähler-Figur teilt den „höheren" Antisemitismus und das Klischee der jüdischen Super-Intelligenz mit ihrem Autor. Eine frühe Stelle im Roman, in der Zeitblom versichert, er habe dem „Führer" in der Judenfrage niemals voll zustimmen können, was nicht ohne Einfluss auf seine Resignation vom Lehrfach gewesen sei (TMJ, 187; VI, 15), lässt sich als Verspottung des Erzählers durch seinen Autor lesen; problematischer ist eine andere, die Thomas Klugkist im Anhang dieses Bandes anführt. Dort erzählt Zeitblom, wie die Figur Schildknapp sich in reiche jüdische Häuser einladen lässt, obwohl man antisemitische Äußerungen von ihm hören konnte. Da heißt es dann: „Leute, die sich zurückgesetzt, nicht nach Gebühr gewürdigt fühlen und sich dabei einer edlen Physis erfreuen, suchen oft ihre Genugtuung in rassischem Selbstgefühl." Zeitblom tut den Antisemitismus ab als die Sache kleiner Leute. Wie wenig frei er selber davon ist, zeigt er, wenn er gleich im nächsten Satz assimilierte deutsche Jüdinnen verspottet: „Diese ihrerseits, die jüdischen Verlegersfrauen und Bankiersdamen, blickten mit der tiefgefühlten Bewunderung ihrer Rasse für deutsches Herrenblut und lange Beine zu ihm auf und genossen es sehr, ihn zu beschenken" (TMJ, 188; VI, 227).

In seiner Vorbemerkung zu dieser „Collage" stellt Klugkist richtig fest: Stereotypen gehören zum „Handwerkszeug" Thomas Manns (TMJ, 163). „Thomas Mann liebte es, Gegensätze auf engstem Raum zusammenzudrängen und gegeneinander auszuspielen – ausdrücklich, um vorhandene Vorurteile auf den Prüfstand zu stellen" (TMJ, 164). Die Methode der Konfrontierung von Gegensätzen ist richtig beobachtet, nur behauptet sich Thomas Manns eigenes Vorurteil in diesen Spielen.

Jacques Darmauns Buch *Thomas Mann, Deutschland und die Juden* ist für deutsche Leser geschrieben.[23] Es beruht auf seiner „Thèse de doctorat d'État" von 1985, *Thomas Mann et le problème juif*, die 1036 Seiten umfasst hatte. Eine gekürzte Fassung – *Thomas Mann et les juifs* – erschien auf Französisch 1995 bei Lang in Bern. Darmauns eigene Übersetzung ins Deutsche lässt die ursprüngliche Fremdsprache vergessen. Nur wurde aus dem Großherzog in *Königliche Hoheit* ein „Großfürst" (TMDJ, 60). Darmaun bezieht Deutschland in seinen Titel ein, so dass das Buch eigentlich Thomas Manns Werk unter dem Gesichtspunkt des Verhältnisses von Juden und Deutschen behandelt. Außer französischer Geschichtsschreibung, darunter Léon Poliakov, *Histoire de l'antisemitisme* (1965–1977), benutzt Darmaun viele deutsche Quellentexte, darunter antisemitische Schriften aus dem damaligen Hammer-Verlag, aus denen man ersehen kann, wie verbreitet die antisemitischen Vorurteile während Thomas Manns Lebenszeit in Deutschland waren. Die Tagebücher sind bis 1946 berücksichtigt.

Darmaun protestiert gegen Thomas Manns Empfehlung der Taufe in der Antwort auf die Rundfrage von 1907. Diese Zumutung erschüttere „die religiösen und ethischen Grundlagen des Judentums und der jüdischen Identität" (TMDJ, 57). Diese will Darmaun also erhalten. Aber er widerspricht, wenn eine von Thomas Manns Quellen, Heinrich von Eicken, *Geschichte und System der mittelalterlichen Weltanschauung*, die jüdische Religion als Nationalreligion beschreibt. Für Darmaun ist der jüdische Monotheismus eine universale Botschaft (TMDJ, 118). Der Quellen-Charakter des Mittelalter-Buches von Eicken und der der Schriften des Soziologen Werner Sombart sind zwar in der Thomas-Mann-Forschung wohlbekannt, aber nicht als Bestätigungen von Thomas Manns Überzeugung vom ethnischen Anderssein der deutschen Juden. Darmaun betätigt den bildungsbürgerlichen Konsens.

Darmaun sieht Thomas Manns Mitarbeit an der antisemitisch-reaktionären Zeitschrift Das Zwanzigste Jahrhundert im Zusammenhang mit den Vorurteilen seiner Klasse. Außer den bekannten kleinen Beiträgen Thomas Manns, die mit vollem Namen oder T.M. gezeichnet sind, schreibt Darmaun mehrere ungezeichnete Glossen und Besprechungen Thomas Mann zu, die

---

[23] Einen sachlichen Überblick über Thomas Manns Verhältnis zum Judentum in der Biographie und im essayistischen und fiktionalen Werk hat Alfred Hoelzel schon 1990 vorgelegt: Thomas Mann's Attitudes toward Jews and Judaism, in: Art and its Uses. The Visual Image in Modern Jewish Society, ed. by Ezra Mendelsohn and Richard I. Cohen, New York/Oxford: Oxford University Press 1990 (= Studies in Contemporary Jewry, vol. 6), p. 229–253. Hoelzel fand eine Reihe von bemerkenswert abwertenden Bemerkungen über Juden in Briefen Thomas Manns. Hoelzel kommt wie mein Bericht zu dem Ergebnis, dass Thomas Mann zwar nicht als Antisemit anzusehen sei, dass er aber deutsche Juden immer als Fremde ansah; er habe sich niemals von den antijüdischen Vorurteilen seiner Lübecker Herkunft lösen können.

vor einer der gezeichneten im Blatt erscheinen. Darunter ist eine Glosse über Cesare Lombroso und die Besprechung von Gedichten von Theodor Hutter, darunter ein ausgesprochen antisemitisches, das dort bemerkenswert genannt wird (TMDJ, 17–20). Diese Zuschreibung ist möglich; ich halte sie nicht für sicher. (Zu Thomas Manns Mitarbeit am Zwanzigsten Jahrhundert siehe oben meinen Kommentar zu dem Artikel von Stefan Breuer in TMJ.)

An *Wälsungenblut* kritisiert Darmaun, dass dort keine authentischen assimilierten Juden dargestellt sind, „die sich zu integrieren suchten, ohne sich verleugnen oder rächen zu wollen" (TMDJ, 53). Die Rede von Hans Blüher, *Deutsches Reich, Judentum und Sozialismus* (gedruckt 1920), die Thomas Mann hörte und im Tagebuch vom 11. Februar 1919 pries: „mir fast Wort für Wort aus der Seele geredet", habe Thomas Mann die Idee eingegeben, das sakrale Volk der Juden als vorbildlich für die Deutschen anzusehen. Blüher, jugendbewegter, homoerotischer Antisemit, argumentierte gegen Materialismus, Liberalismus und Sozialismus, den die Masse der der Religion entfremdeten jüdischen „Tschandalas" verbreitet habe. Er wollte die deutsche Jugend für eine anti-moderne, idealistisch-religiöse Staatsgesinnung gewinnen. Das sakrale Volk der Juden war Blüher andererseits dafür ein Vorbild, auch erkannte er einzelne assimilierte Juden wie Freud, Gundolf und Landauer an.

Den *Aufruf zum Sozialismus* des von Blüher empfohlenen Gustav Landauer las Thomas Mann damals. Landauers anarchistischer, anti-marxistischer Sozialismus der kleinen Gruppen habe in mittelalterlichen Wirtschaftsformen seine Existenzmöglichkeit bewiesen. Über die informierte sich Thomas Mann weiter aus Heinrich von Eickens Buch. Vielleicht ist Landauers Schrift die eigentliche Quelle für die Figur Naphta in *Der Zauberberg* und übrigens wohl auch für das humanistische, nicht-marxistische Verständnis von Sozialismus bei Thomas Mann. Eicken, Blüher und Landauer hätten Thomas Mann angeregt, die jüdische Volksgeschichte (gemeint ist die biblische) als „Verhaltensmodell" für die Deutschen abzuleiten (TMDJ, 117). In den Zwanziger Jahren, behauptet Darmaun, wachse Thomas Mann die „deutsch-jüdische Symbiose" ans Herz (TMDJ, 129).

Er will das an der Figur Naphta im *Zauberberg* belegen. Hans Castorps Rede zu Joachim, bevor beide Naphta treffen, über Sternbilder und die kriegerischen Chaldäer, die „Semiten und also beinahe Juden gewesen seien" (5.1, 561), liest Darmaun als Mittel des Autors, den „gängigen Vorurteile[n]" seiner Leser gegen die Juden zu begegnen (TMDJ, 151). Naphtas Vater Elia, eine reine Seele mit dem Streben nach dem Absoluten, verbinde die Grausamkeit seines Berufes, des Schächtens, mit der „Idee des Heiligen und Geistigen" (5.1, 664). Die Grausamkeit sei jedoch ein „gravierender Irrtum" Thomas

Manns, kritisiert Darmaun, die koscheren Gesetze schrieben scharfe Messer und damit schnelle Tötung vor (TMDJ, 155). Darmaun verteidigt die jüdische Religion engagiert. Jedoch, wenn Thomas Mann Naphtas Vater zum Schächter macht, dann ist dessen Frömmigkeit wohl kaum das auf die deutschen Leser der Zeit wirkende Motiv. Der Ritus des Schächtens war geeignet, deren judenfeindliche Tendenzen zu aktivieren, so dass die fromme Gesetzestreue Elia Naphtas die jüdische Religion eher belastete. Darmaun hat jedoch Recht, wenn er Naphta als eine der wichtigsten Figuren des Romans herausstellt, gerade wegen seiner Widersprüchlichkeit. „[I]nnere Zerrissenheit" identifiziert Darmaun mit Judentum, obwohl Naphta ja Renegat ist. Als Dissident sei und bleibe er ein Jude (TMDJ, 173, 166). Bedenkenswert ist es, wenn Darmaun meint, die Figur drücke „die verzweifelte Suche nach Halt in einer von Götzenanbetung verblendeten [...] Welt" aus und sei eine Warnung vor Ideologen und Ideologie (TMDJ, 173).

Der Rassismus, der immer eine feste, unveränderliche Vorstellung in Thomas Mann sei, werde im *Josephs*roman zum Besseren gelenkt. Das Ägypten, das der Jude Joseph reformiert, diene als Gegenbeispiel zu dem Verfall Deutschlands; vorbildlicher noch werde Israels Streben nach dem Göttlichen, weil das den praktisch-pragmatischen Bezug auf das Irdische nicht ausschließe. An der Kombination von Weltanschauung und Politik habe es Thomas Mann damals gelegen. Die Untaten der Söhne Jaakobs in der Sichem-Episode liest Darmaun als mahnende Darstellung des deutschen Rückfalls in Barbarei. Er denkt vorsichtig daran, den Streit der Brüder mit Joseph als Anspielung auf den deutschen Judenhass zu sehen (TMDJ, 201), jedoch tadelt er es, wenn Thomas Mann Jüdisches verwischt zugunsten des allgemein Menschlichen (TMDJ, 195).

Darmaun gewinnt sogar den jüdischen Figuren im *Doktor Faustus* vorbildliche Funktionen ab. Dazu gehört Fitelbergs Rede von der „Verwandtschaft der Rolle von Deutschtum und Judentum auf Erden" und seine Warnung vor dem jüdischen Schicksal, das er den Deutschen voraussagt, nämlich „verhaßt, verachtet, gefürchtet, beneidet" zu sein (VI, 541).[24] In dem Roman als Ganzem werde die Verteufelung der Juden als Außenseiter zu „deutscher Selbstverteufelung" (TMDJ, 271).

Fitelbergs Tadel der deutschen Weltfremdheit stimmt mit damaligen Ansichten Thomas Manns überein, aber seine Autorität wird erheblich reduziert durch Fitelbergs Zeichnung als halb-komische Figur, bestimmt zur Auflockerung der sinistren Handlung. Thomas Mann las die Episode darum gerne

---

[24] Siehe dazu: Franka Marquardt: Der Manager als Sündenbock. Zur Funktion des jüdischen Impresario Saul Fitelberg in Thomas Manns „Doktor Faustus", in: Zeitschrift für Germanistik, Neue Folge, Jg. 14 (2004), H. 3, S. 564–580.

vor. Das komische Ingredienz erzielt der Text durch Bedienung der karikaturistischen antisemitischen Klischees: Fitelberg, der aufdringliche Fremde aus Lublin, hat sich in das kulturelle Milieu nicht durch Leistung, sondern durch billige Anpassung eingeschlichen (VI, 531 f.), hat ein Theater gegründet, das „Fourberies gracieuses", anmutige Betrügereien, heißt.[25] Darmaun bemerkt zwar die Fragwürdigkeit der Figur (TMDJ, 250), erklärt aber dennoch ihre positive Funktion für dominant.

Sogar in Kunigunde Rosenstiel findet Darmaun Vorbildliches, trotz der penetranten, dick aufgetragenen Komik, weil Rosenstiel mit Musikalität und einem guten deutschen Briefstil einerseits und ihrem derben Lebensunterhalt, der Leitung einer Wurstdarmfabrik, andererseis, die eigentümliche Mischung und Durchdringung von Geistigem und Materiellem verkörpere. Diese und die „Verankerung des Universalen im Partikularen" (TMDJ, 208) erklärt Darmaun, unter Berufung auf Franz Rosenzweig und Erich Kahler, als wesentlich jüdisch. Thomas Mann halte dieses jüdische Modell den Deutschen vor (TMDJ, 235). Auch wenn der Inhalt ihrer Briefe „nicht eben erstaunlich" sei, nennt Zeitblom ihren Schreibstil besser als den der meisten Gelehrten. Dagegen muss man allerdings halten, dass Zeitblom Rosenstiel zur „Freundschaft" mit dem verehrten Adrian Leverkühn nicht zulässt, nur „auf eigene Hand" nennt sie die Beziehung so (VI, 417). Sie drängt sich also ein, hat das „leidvoll-unverschämte[] Wesen", das Thomas Mann 1907 zu den traditionellen jüdischen Charakteristika zählte (14.1, 176 f.) und das auch zu der Figur Fitelberg gehört.[26]

Darmauns ausführliche Darstellung eines Berichtes von Hans Joachim Schoeps über eine Diskussion der Jugendbewegung, an der dieser im Zuge der deutsch-jüdischen Assimilation begeistert teilnahm, erläutert diese Quelle für die nationalistischen Studentengespräche in Kapitel XIV des *Doktor Faustus* (TMDJ, 251–259). Darmaun bemerkt dazu tadelnd: „...hätte es doch gerade in diesem Falle nahegelegen, auf die Spezifik jüdischer Tragik in ihrem verzweifelten Anspruch auf deutsch-jüdische Gemeinschaft einzugehen" (TMDJ, 258).

Wenn Darmaun Thomas Manns Moses-Darstellung in *Das Gesetz* in eine Parallele mit Hitler stellt (TMDJ, 224 ff.), war das zwar sicher nicht Thomas

---

[25] Siehe Egon Schwarz: Die jüdischen Gestalten in „Doktor Faustus", in: TM Jb 2, 1989, 79–101.

[26] Darmaun macht auch Meta Nackedey zur Jüdin. Das beruht auf dem Missverständnis einer Plannotiz Thomas Manns, die Lieselotte Voss zitiert, siehe Darmauns Anmerkung 150 auf S. 234. Darmaun tendiert dazu, Jüdisches zu entdecken, wo es nicht gemeint ist. Der Vorname Daniel in *Beim Propheten* beweist nicht, dass die Figur auf Jüdisches zu beziehen ist (TMDJ, 35), das Vorbild, Derleth, war katholisch.

Manns Absicht, weist aber auf die Affinität von Thomas Manns politischen Träumen von der „geistigen" Führung der Nation durch kreative Intellektuelle hin, die von Nietzsche herkommt und die mit Bruder Heinrichs Idee des Künstler-Führers verwandt ist. Jedoch darf man sich diese Träume nicht als Moralpredigt vorstellen, denn sie sind von Nietzsches widersprüchlichem Denken inspiriert und zielen eher auf Lockerung der Denk- und Anschauungsweise der Leser. Wenn Thomas Mann von „Synthesen" spricht, wie „Geist und Fleisch", „Geist und Macht", „Geist und Kunst", „Intellektualismus und Einfalt", „Vernunft und Dämonie", „Askese und Schönheit", dann klingt das so, als habe er eine hegelsche Synthese als kulturelles *Panacea* anzubieten. Einmal, 1912, meint er, der Dichter selbst sei diese Synthese (14.1, 349), ein andermal, 1921, sie sei die von „‚Gott' und ‚Welt'" (15.1, 341). Es handelt sich jedoch nur um Denkspiele.

✳ ✳ ✳

Heinrich Deterings Essay „*Juden, Frauen und Litteraten*" nimmt Gedanken auf, die er in seinem Buch über die Maskierung des Homosexuellen in der Literatur entwickelt hatte: *Das offene Geheimnis. Zur literarischen Produktivität eines Tabus von Winckelmann bis zu Thomas Mann.*[27] Er stellt dazu Einsichten aus seiner Kommentierung der frühen Essays und *Königliche Hoheit*. Karl Werner Böhms Buch *Zwischen Selbstzucht und Verlangen*,[28] das 1991 das homosexuelle Stigma als treibende Kraft von Thomas Manns Produktion vorstellte, erkennt Detering als „grundlegend" an, unter Vorbehalt kritischer Abweichungen.

Detering gewinnt aus Thomas Manns Frühwerk eine widersprüchliche „Denkfigur": Außenseiter leiden unter dem „Stigma" ihrer Außerordentlichkeit, aber das Ausgeschlossensein kann zum Ansporn für Leistung und Auszeichnung werden. Das Selbst-Bewusstsein des Anderen, das „Stigma", kann negativ, tragisch, depressiv ausschlagen wie in *Der kleine Herr Friedemann* und *Luischen*, einem Text, dem Detering mit Recht mehr Beachtung schenkt als bisher üblich, es kann aber auch den Träger erhöhen. Ein herausragendes Beispiel dafür ist *Königliche Hoheit*, Thomas Manns zweiter Roman, den Detering in der *Großen Kommentierten Frankfurter Ausgabe* herausgegeben hat und dem er mit Recht eine weit größere Bedeutung zubilligt, als er gewöhnlich genießt. Über Entstehungsgeschichte und Quellen hervorragend informiert, widmet Detering diesem Roman ein Kapitel, das uns den

---

[27] Göttingen: Wallstein 1994.
[28] Würzburg: Königshausen & Neumann 1991.

Text neu lesen lehrt. Auch Imma Spoelmann sollte ursprünglich jüdischer Abstammung sein, und ein Münchener jüdischer Arzt lieferte das Vorbild für die Figur Überbein. In den fertigen Roman ging jedoch nur Sammet als ausnahmsweise positive jüdische Figur ein.

Natürlich liegt Thomas Manns Unterdrückung seiner dominant homoerotisch inklinierten Sexualität der Denkfigur zu Grunde, die aus dem „Stigma" abgeleitet wird. Das „Stigma" entstehe durch „kulturelle[] Zuschreibung" (JFL, 17) einer von der Majorität als negativ empfundenen Eigenschaft, die ihren Träger aus der Gemeinschaft ausschließt. Figuren in Thomas Manns Werk, die mit Stigmata belastet sind, sind nicht nur solche mit einem Buckel wie der kleine Herr Friedemann, sondern Detering rechnet jede Außerordentlichkeit dazu, auch die Hoheit des Prinzen und den Reichtum des Herrn Spoelmann in *Königliche Hoheit* (JFL, 130). Kontraste und Widersprüche in Thomas Manns Werk seien aus der Ambivalenz der Stigma-Psychologie zu verstehen. Dem Selbsthass des von der Sexualität Ausgeschlossenen, in der Erzählung *Luischen* dargestellt durch den grotesken Tanz des Rechtsanwalts Jacoby als Frau, stehe die Idee einer transsexuellen Liebe gegenüber, die Thomas Mann in Buchbesprechungen entwickelte.

Eine Poetik des Stigmas findet Detering in einer Stelle des *Versuchs über das Theater* (14.1, 155 f.; JFL, 7–15). Sie findet sich in einem Kapitel, das Thomas Mann 1907 selbständig unter dem Titel *Das Theater als Tempel* veröffentlicht hatte. Das Datum rückt diesen Text näher an Thomas Manns Heirat (1905) heran, eine Verbindung, an der Detering liegt. Thomas Mann erzählt die Handlung von Shakespeares *Othello* als Beispiel für die Darstellung eines Stigmatisierten. Othellos Außenseiterstellung wird auf der Bühne durch dessen dunkle Hautfarbe dargestellt. Im Gedankengang des Essays ist das ein grobes Mittel, das auf dem Theater zwar notwendig ist, auf das der epische Schriftsteller jedoch verzichten kann; er hat feinere. Der *Versuch über das Theater* will den Roman zur höheren Dichtungsart gegenüber dem primär „sinnlichen" Theater erklären. Detering schiebt diese Intention beiseite mit dem Hinweis, Thomas Mann habe seit dem *Kleinen Herrn Friedemann* oft seinen Figuren die Merkzeichen „ihrer Wesensart" mit derben Strichen ins Gesicht gemalt, also Zeichen für Stigmata wie im Theater angebracht (JFL, 14).

Aber bezeichnen solche „Merkzeichen" in den Texten immer die „Wesensart"? Friedemanns Buckel ist ein Zeichen für die Aussichtslosigkeit, seinen Sexualtrieb zu befriedigen. Seine „Wesensart" ist nicht, was ihn ins Anderssein zwingt, sondern sein Bedürfnis nach Liebe, das er vergeblich durch Kunstgenuss zu ersetzen sucht. Die „Merkzeichen" des Juden dagegen sollen in *Wälsungenblut* seine „Wesensart" repräsentieren. Sie treten hervor, während er

trotzig auf seine Art pocht. Wer in Darstellungen fiktionaler Außerordentlichkeit nach deren biographischen Ursprüngen sucht, muss genau auf den Kontext achten. Friedemann repräsentiert die Vergeblichkeit des Verzichts auf das
sexuelle Begehren, das Thomas Mann quälte. Siegmund Aarenhold trägt auch
autobiographische Züge seines Autors, aber sie sind ungleich geringwertiger:
Er ist Wagnerianer und als Künstler-Dilettant hat er Ähnlichkeiten mit der
Figur des Bajazzo, einer halb-autobiographischen Selbstverspottung.

Detering behandelt die Othello-Passage aus dem *Versuch über das Theater*, als sei sie primär eine autobiographische Mitteilung in der Form einer
Camouflage. Sie gebe „ihren autobiographischen Hinter- und Untergrund"
durch „vielsagende[] Punkte am Ende" zu erkennen (JFL, 11). Der mit Thomas Manns Leben bekannte zeitgenössische Leser des Textes habe an Thomas
Manns Heirat denken müssen, die ihm eine „bürgerlich respektable Existenz"
gesichert habe (JFL, 9), ähnlich wie Othello die seine. Wie Othello sei auch
Thomas Mann unsicher darüber gewesen, ob ihm als Außenseiter die Rolle
des Ehemannes zustehe. An anderer Stelle spricht Detering sehr direkt über
die Parallele zwischen Othellos und Thomas Manns Ehe: Wie Othello treibe
Thomas Mann die „Angst des mühsam und instabil Assimilierten vor dem
Zusammenbruch der Assimilation" (JFL, 82), an einer wieder anderen ist von
dem „nach seiner ehelichen Verbürgerlichung richtungs- und ratlosen Thomas Mann" die Rede (JFL, 98).[29] In seiner Diskussion der Othello-Passage
setzt Detering die „womöglich unkluge[] Eheschließung" in *Othello* (JFL, 9)
in Parallele mit einer Stelle aus Thomas Manns Schiller-Erzählung *Schwere
Stunde*, von der wir wissen, dass sie gleich nach der Hochzeitsreise entstanden
ist: „nun, [...] da er aus dem Freibeutertum des Geistes in einige Rechtlich-
keit und bürgerliche Verbindung eingetreten war, [...] nun war er erschöpft
und fertig" (2.1, 422). Thomas Manns halb-fiktionale Geschichtsdarstellung
meint die verzweifelte Mühe, die Schiller mit seinem *Wallenstein* hatte. Thomas Mann kannte ähnliche Mühen. Schillers Ehe erscheint einen Augenblick
lang in dem inneren Monolog der *Schweren Stunde* als möglicherweise der
„Freiheit" Schillers hinderlich, gleich danach bestätigt Thomas Manns Schiller seiner schlafenden Frau, sie sei sein „Glück" (2.1, 427). Wenn die Ehe-
Problematik des Außenseiter-Künstlers kurz auftaucht, wird sie wieder ausgeglichen. Am Ende lässt sich der fiktive Schiller nicht durch die Konkurrenz
mit Goethe niederdrücken, sondern bestätigt sich: „Wer war ein Künstler, ein
Dichter gleich ihm [...]?" (2.1, 426 f.) Und der Erzähler versichert den Lesern,
was sie ohnehin wissen: Das *Wallenstein*-Drama wurde fertig (2.1, 428).

---

[29] Dafür finde ich keine Belege. Eine Bemerkung im Brief an Heinrich Mann vom 17. Oktober
1905 sagt eher das Gegenteil: Die Verlobungszeit sei quälend unproduktiv gewesen, „[n]un bin ich
eingelebt und arbeite regelmäßig" (21, 329).

Ich finde die Kombination der Othello-Stelle aus dem *Versuch über das Theater* mit *Schwere Stunde* als getarnte Stigma-Bekenntnisse wenig überzeugend und überdies einseitig. Denn die Kontexte sowohl der Schiller-Erzählung als des *Versuchs über das Theater* verweisen eher auf die andere Seite der Außenseiter-Konstellation: Stolz und der Ehrgeiz nach Größe treiben Thomas Mann wie Othello an. Der *Versuch* als Ganzer soll Thomas Manns schriftstellerischem Ehrgeiz dienen, den er in Konkurrenz zu seinem Bruder Heinrich verfolgte. Dieses Ziel sollten auch die Pläne zu dem großen Literatur-Essay „Geist und Kunst" verfolgen. Besonders nach dem Misslingen des Dramas *Fiorenza* war Thomas Mann der traditionelle Vorrang des Dramas vor der Epik unerträglich. Die „geistige" Führung der Nation stand eher dem Romanschreiber zu. Das persönliche ehrgeizige Ziel sollte das Außenseiter-Bewusstsein kompensieren, den Weg vollenden, den er mit seiner Wieder-Verbürgerlichung angetreten hatte.

Wenn Detering Texte auf ihre Genese aus „Stigma", „Stigma-Management" und „Selbsthass" untersucht, auch wenn es sich um die Umdeutung der Außenseiter-Motive als „Zeichen heimlicher Erwählung" (JFL, 69) handelt, konzentriert er sich auf die negative Seite dieser „konstitutive[n] Ambivalenz" (JFL, 95). Solche Konzentration belastet jedoch den Wert der Interpretation. Einem Text, der *nur* Ausdruck von Selbsthass ist, wäre ein vernichtendes Urteil gesprochen.

Ein Beispiel, wohin solche Einseitigkeit führen kann: Liest man das erotische Abenteuer Krulls mit Madame Houpflé als aus Thomas Manns Liebesverzicht, dem „Stigma", gespeist, dann muss man Houpflés Masochismus einbeziehen. Gehört er dem Stigma ihres Autors zu oder ganz der Figur? Mir scheint das letztere wahrscheinlicher. Der Text ist eine freie und hohe schriftstellerische Leistung, gerade dann, wenn der Autor ein wenig Selbstspott verwandelnd einbrachte. Der Masochismus der Frau ist Unterwerfung unter ihre Liebe und gehört in die Thematik des *Krull*, die zwischen bürgerlicher Legitimität und Illegitimität, zwischen Kultur und Subkultur oszilliert.

Einen Hauptbeleg für den Selbsthass Thomas Manns findet Detering in dem fragmentarischen Entwurf zu einem ausgeführten Teil des Essay-Planes „Geist und Kunst", dem Fragment *Der Literat*, das 1913 erschien. Die Gedanken dieses Entwurfs verraten Ähnlichkeit mit Notizen aus den Plänen für „Geist und Kunst", die ich oben erwähnt habe. In dem Entwurf zu *Der Literat*, den Detering zuerst veröffentlichte, spricht Thomas Mann von Schriftstellern, die das Wort „Literat" als Schimpfwort, als Brandmarkung, gebrauchen (14.2, 502). Ein solcher Literat benehme sich „völlig nach Art jener antisemitischen Juden", wie auch nach der „unserer antifeministischen Weiber" (ebd.). Ein gestrichener Satz erklärt den „Ekel, vor dem, was man ist, diese Untreue und seltsame Unsicherheit des Ichs" für eine „gemeinsame Eigenschaft der Juden, Frauen und Litteraten" (ebd.). Detering nimmt diesen Satz als Ausdruck des Selbsthasses Thomas Manns, seines Stigmas.

Ich schlage vor, nicht „Ekel", sondern „Unsicherheit" als den dominierenden Begriff des gestrichenen Satzes zu nehmen, Unsicherheit des Literaten-Berufs, dessen, der mit Begriffen spielt, fiktionale Welten schafft. Sehen wir uns den Text an: Einige „Berufsgenossen" wollen nicht zu dem üblichen Typus des Literaten gehören. Schon damals gab es die Unterscheidung von „Dichter" und „Schriftsteller". Diese Anti-Literaten benehmen sich wie Juden, die antisemitische Argumente übernehmen (wie Otto Weiniger) und so den belasteten Begriff „Jude" weiter belasten. Frauen, die gegen ihre feministischen Schwestern schreiben, haben einen anderen Typenbegriff von „Frau" als die Feministinnen. Typen lösen sich auf in der allgemeinen Begriffsunsicherheit der modernen Welt, und das hat „Unsicherheit des Ichs" zur Folge. Zu ihr gehört die Untreue zum eigenen Beruf, der „Ekel vor dem, was man ist", der Zweifel an der mangelnden Solidität des Künstlers, an der Wahrhaftigkeit des imaginativen Schriftstellers.

Mit Recht sieht Detering diesen „Ekel vor dem, was man ist" als Kehrseite der distanzierten Überlegenheit, die Nietzsche „Vornehmheit" nannte, nur, scheint mir, wird die negative emotionale Intensität reduziert durch die permanente Nähe des Ausdrucks von Stolz auf die eigene kreative Fähigkeit in diesem Text. Dieser Stolz ist in den Texten, die Detering anführt, mindestens ebenso stark vorhanden, spürbar zum Beispiel in der unemotionalen Distanz, mit der die schlechte Mann-Weiblichkeit des Ausgeschlossenen in *Luischen* erzählt wird. Solche Distanz ist stärker in den Essays, die auf nationale „geistige" Führung zielen. Dass Thomas Mann das begriffsklärende Essay seiner Epoche, „Geist und Kunst", nicht gelang, dass er den Plan ehrlich aufgab, statt einen Text hinzulegen, mit dem sein Talent die Mitwelt sehr wohl hätte beeindrucken können, erweist ihn als genuinen Schriftsteller der Moderne, die keine feste Ordnungen sichern kann und das dann auch nicht will.

In der Antwort auf die Rundfrage von 1907 findet auch Detering eine Diskrepanz zwischen dem philosemitischen Bekenntnis am Eingang des Textes und den Klischees, die darauf folgen, der Beschreibung des Ghetto-Juden (JFL, 65f.). Einen „befremdliche[n] Beigeschmack" hinterlässt Thomas Manns Brief an die antisemitische Staatsbürger-Zeitung von 1912, worin er erklärt, es sei „eine wirkliche Fälschung" seines Wesens, als Jude zu gelten; *Buddenbrooks* wären dann „ein Snob-Buch" (14.1, 347; JFL, 89). Das werte ich als direkten Ausdruck des ausgrenzenden Antisemitismus. Ein Jude hätte keinen Roman über eine deutsche nichtjüdische Familie schreiben dürfen. Siegmund und Sieglinde in *Wälsungenblut*, schreibt Detering mit Recht, sähe man ihre ostjüdische Herkunft „auf den ersten antisemitischen Blick an" (JFL, 96), aber sie seien als Außenseiter auch wieder Brüder des Literaten-Typus, mit dem sich Thomas Mann geistesverwandt fühle.

In der Polemik gegen Theodor Lessing taucht das Wort „espritjüdisch" auf. Wenn Thomas Mann Literaten der Moderne Sympathie entgegenbrachte, dann war das auch Sympathie mit Juden. Thomas Manns Künstler-Eigenschaft lässt ihn in der Antwort auf die Rundfrage zur *Lösung der Judenfrage* seine Brüder in denen sehen, „von welchen das Volk betonen zu müssen glaubt, daß es ‚schließlich – auch' Menschen sind" (14.1, 175; JFL, 87). Fremdheit werde allen Literaten in Deutschland entgegengebracht, besonders in München. Berlin sei ein wenig besser daran, weil „der jüdische Geist, den Gott erhalte", dort dem Ansehen der Literatur entgegenkomme (14.1, 225 f.; JFL, 93). Das reicht nicht aus, den „höheren Antisemitismus" auszugleichen. Sympathie kann man auch für Fremde haben, besonders dann, wenn man Ähnlichkeiten mit seiner eigenen Lage findet. Weil Detering die manifesten antisemitischen Klischees der Zeichnung der Aarenhold-Familie mit einer existenziellen, durch das Stigma vermittelten philosemitischen Sympathie Thomas Manns ausgleicht, hält er die Frage, ob *Wälsungenblut* die Assimilation bejaht oder nicht, für unaufgelöst (JFL, 97 f.). Der Text beantwortet diese Frage jedoch eindeutig im Sinne der Verneinung der Assimilation: Jude bleibt Jude. Diese Überzeugung entspricht Thomas Manns lebenslanger Sicht, die durch eine überwältigende Fülle von direkten Zeugnissen bestätigt wird. Auch wenn Detering Recht hat, „markant autobiographische Züge" in den Aarenhold-Zwillingen zu finden, auch wenn diese eine gewisse Sympathie des Autors enthalten, diese Teil-Sympathie ist weder identifizierende Gleichstellung, noch hebt sie die Verneinung der Assimilation auf. Detering ist diese Teil-Sympathie so wichtig, dass er, „*horribile dictu*", Adolf Bartels Recht gibt: „„literarisch gehört er […] zu den Juden'" (JFL, 101). Insofern Bartels das „zersetzende" moderne Schreiben für jüdisch hält, hat Detering Recht. Es gab viele Ebenen, auf denen Thomas Mann mit Juden von gleich zu gleich kommunizieren konnte. Nur die nationale gehörte nicht dazu.

In einem Schlusskapitel stellt Detering gegen die übliche Meinung fest, dass Thomas Manns Kriegsschriften eigentlich überraschend seien, denn vor dem Krieg hatte er sich liberal ausgesprochen. Obwohl Detering mit Recht von der „Peinlichkeit" dieser konservativen Texte (JFL, 170) spricht, haben die Essays aus dem Ersten Weltkrieg auch eine freiheitliche Tendenz: Sie wollen den Bildungsbürgern eine dem Kreativen zugeneigte Denkweise bewahren, es von dem politischen Engagement freihalten, das Heinrich Mann gefordert hatte. Auch Thomas Mann sah die Chance, sich an die Spitze des „unpoliti-schen" Bildungsbürgertums zu stellen. Dem stellte er den Sinn des Krieges als

Bewahrung der ungelenkten „geistigen" Freiheit dar, die von demokratisch gesteuerten Ideologien bedroht sei. Auch das hat mit dem „Stigma" zu tun: Der Außenseiter will sich in die Nation einordnen. Die *Betrachtungen* nannte Thomas Mann für sich im Tagebuch den Ausdruck seiner „sexuellen Invertiertheit" (Tb, 17.9.1919).

Deterings Verdienst ist es, in die Gründe von Thomas Manns Widersprüchlichkeit geleuchtet zu haben. Dabei schließt er meiner Ansicht nach die Beziehung von Biographie und Fiktion eng. Er erwähnt zweimal, dass Thomas Mann selbst gelegentlich die Grenze von Fiktion und erlebter Wirklichkeit überschritten habe, indem er einen Brief mit „Tonio Kröger" unterschrieb (JFL, 9, 105). Thomas Mann durfte sich bekennen zu dem Teil seiner selbst, den er in *Tonio Kröger* eingebracht hatte. Aber nur er durfte das. Erkenntnisse aus der Biographie können zum Verständnis fiktionaler Texte beitragen, indem sie die Motive erläutern, die bei seiner Entstehung gewirkt haben, aber, was dabei auf der fiktionalen Ebene entsteht, ist ein anderer Text.

(Herbert Lehnert, Irvine)

Gregor Ackermann und Walter Delabar

5. Nachtrag zur Thomas-Mann-Bibliographie

Die nachfolgende Mitteilung von Drucken zu Lebzeiten schließt an die in Band 13 des *Thomas Mann Jahrbuchs 2000* begonnene Berichterstattung an. Drucke bekannter Texte werden nach den einschlägigen bibliographischen Arbeiten ausgewiesen. Hierbei benutzen wir folgende Siglen:

Potempa (= Georg Potempa. Thomas Mann-Bibliographie. Mitarbeit Gert Heine. 2 Bde. Morsum/Sylt 1992–1997.)

Potempa, Aufrufe (= Georg Potempa. Thomas Mann. Beteiligung an politischen Aufrufen und anderen kollektiven Publikationen. Eine Bibliographie. Morsum/Sylt 1988.)

Regesten (= Die Briefe Thomas Manns. Regesten und Register. Bd. 1–5. Hrsg. von Hans Bürgin u. Hans-Otto Mayer. Frankfurt/Main 1976–1987.)

I. Texte

Ein Brief Thomas Manns. – In: Frankfurter Nachrichten (Frankfurt/Main), Jg. 206, Nr. 314 vom 13.11.1927, 5. Beibl., S. [1]
Thomas Manns Beitrag steht hier neben solchen von Max Alsberg, Gustav Radbruch u.a. unter dem redakt. Sammeltitel „Um die Todesstrafe. Für und Wider. Unsere Sonntags-Umfrage."
Nicht bei Potempa

[o.T.] – In: Deutsche Dichter für den Deutschen Hilfsverein in Paris. Eine Gabe zum ersten Deutschen Wohltätigkeitsfest in Paris nach dem Kriege. [10.2.1929] [Paris]: Friedrich 1929, Bl. [9]
Faks. der Handschrift und Druck der Widmung. Weitere Beiträge von Herbert Eulenberg, Ludwig Fulda, Bruno Frank, Heinrich Mann, Walter Mehring, Peter Panter, Arnold Zweig u.a.
Nicht bei Potempa

Protest gegen die Verhaftung des Schriftstellers Dr. Ujhelyi. – In: Berliner Tageblatt (Berlin), Jg. 59, Nr. 226 vom 15.5.1930, Morgenausg., S. [3]
Telegramm – gemeinsam mit Bruno Frank – im Namen des Schutzverban-

des deutscher Schriftsteller in Bayern gegen die Auslieferung von Ferdinand Ujhelyi aus Österreich nach Ungarn.
Zum Kontext vgl.: Wegen Gotteslästerung und Unsittlichkeit. – In: Berliner Tageblatt Nr. 223 vom 13.5.1930, Abendausg., S. [2]; Neue Aktion für Ferdinand Ujhelyi. – In: Berliner Tageblatt Nr. 281 vom 17.6.1930, Abendausg., S. [4]
Nicht bei Potempa

[Gruß an das Kabarett Litfaßsäule.] – In: Lifaßsäule (Leipzig), [Jg. 1, H. 1 vom] September 1930, S. [4]
Nicht bei Potempa. Vgl. Regesten 1, Nr. 30/129

Apathie oder Sympathie? – In: Tempo (Berlin), Jg. 4, Nr. 16 vom 20.1.1931, S. 6
Thomas Manns Text steht hier neben solchen von Edwin Redslob und Karl Heinz Martin unter dem redakt. Sammeltitel „Angst vor der Zeit?"
Nicht bei Potempa

Eine Osterbotschaft Thomas Manns. – In: Radiowelt. Illustrierte Wochenschrift für Jedermann (Wien), Jg. 9, H. 13 vom 26.3.1932, S. 389
Faksimile der Handschrift. Datiert: Wien den 17.III.32
Nicht bei Potempa

Ein liebes Wort vom lieben alten Mann. – In: Die Tribüne. Wochenschrift für politisches und geistiges Leben (Luxemburg), Jg. 1, Nr. 16 vom 20.7.1935, S. [4]
Antwortschreiben Thomas Manns auf das Glückwunschtelegramm der Volksbildungsvereine zu seinem 60. Geburtstag.
Nicht bei Potempa

Ueber den Vortragskünstler Ludwig Hardt. [Mit e. redakt. Einl.] – In: Stuttgarter Neues Tagblatt (Stuttgart), Jg. 79, Nr. 36 vom 24.1.1922, Morgenausg., S. 2
Potempa G 135

Thomas Mann a német köztársaságról. [Mit e. redakt. Einl.] – In: Bécsi Magyar Ujság (Wien), Jg. 4, Nr. 258 vom 12.11.1922, S. 3
Potempa G 174

„Die Forderung des Tages." [Mit e. redakt. Einl.] – In: General-Anzeiger (Frankfurt/Main), Jg. 54, Nr. 267 vom 13.11.1929, S. 2
Potempa G 247, Ausz.

Auch Thomas Mann stellt sich neben Heinrich Vogeler. – In: Arbeiterstimme (Dresden), Jg. 3, Nr. 42 vom 19.2.1927, o. Pag.
Abdruck innerhalb des Beitrags „Kampf gegen Kind und Kunst. Anschlag des Regierungspräsidenten Dr. Rose gegen Kinderheim ‚Barkenhof‘“ [Mit 2 Abb.: Wandgemälde Vogelers im Barkenhof]
Potempa G 305

Thomas Mann an die literarische Jugend. – In: Stuttgarter Neues Tagblatt (Stuttgart), Jg. 84, Nr. 12 vom 10.1.1927, Abendausg., S. 2
Potempa G 306

[o.T.] – In: Darmstädter Zeitung (Darmstadt), Jg. 152, Nr. 17 vom 20.1.1928, S. [2]
Thomas Manns Beitrag steht hier neben solchen von Herbert Eulenberg und Wilhelm Schmidtbonn unter dem redakt. Sammeltitel „Wilhelm Schäfer. Zu seinem 60. Geburtstag (20. Januar).“
Potempa G 341

Glattes Papier und Linienblatt. – In: General-Anzeiger (Frankfurt/Main), Jg. 54, Nr. 156 vom 6.7.1929, S. 3
Thomas Manns Beitrag steht hier neben anderen unter dem redakt. Sammeltitel „Das Geheimnis ihres Schaffens erzählen im Frankfurter General-Anzeiger die Dichter Jakob Wassermann, Stefan Zweig, Emil Ludwig, Thomas Mann, Georg Kaiser, Herbert Eulenberg, Walter v. Molo.“ [Mit e. redakt. Einl.]
Potempa G 377

J. A. Flach: Des Dichterpräsidenten Glück und Ende. Walter von Molo und die „Grüne Post“. – In: Frankfurter Nachrichten (Frankfurt/Main), Jg. 208, Nr. 298 vom 27.10.1929, 2. Beibl., S. [2]
Hierin Abdruck der Äußerungen von Graf von Arco, Bruno H. Bürgel, Wilhelm Bölsche, Thomas Mann und Walter von Molo über „Die Grüne Post“.
Potempa G 402

Vor dem Jahresende. – In: General-Anzeiger (Frankfurt/Main), Jg. 54, Nr. 304 vom 30.12.1929, S. 2
Potempa G 437

Thomas Manns Bekenntnis zum Sozialismus. – In: Der Republikaner (Mulhouse), Jg. 32, Nr. 45 vom 22.2.1933, 2. Bl., S. [1]
Potempa G 549

[o.T.] – In: Der Republikaner (Mulhouse), Jg. 33, Nr. 87 vom 16.4.1934, 2. Bl.,
S. [2]
Thomas Manns Beitrag steht hier neben solchen von Friedrich Sieburg, Heinrich Mann, Stefan Zweig u.a. unter dem redakt. Sammeltitel „Was denken Sie
über Frankreich?"
Potempa G 560

Dichter und Politik. – In: Büchergilde. Zeitschrift der Büchergilde Gutenberg
(Zürich), Jg. 1937, H. 5 vom Mai 1937, S. 73
Potempa G 636

Die Demokratie der Zukunft. – In: Die neue Zeit. Halbmonatsschrift für
Demokratie, Geistesfreiheit und Kultur (Luxemburg), Jg. 3, Nr. 44 vom
1.11.1939, S. 2
Potempa G 662

[o.T.] – In: Die neue Zeit. Monatsschrift für Demokratie, Geistesfreiheit und
Kultur (Luxemburg), Jg. 2, Nr. 26 vom 1.11.1938, S. 3
Thomas Manns Beitrag steht hier neben Jean-Richard Blochs „Qui veut la
paix" unter dem redakt. Sammeltitel „Der Münchener ‚Friede' vor dem Tribunal des Geistes".
Potempa G 693

Zu diesem Frieden. [Mit e. redakt. Einl.] – In: Republikaner (Mulhouse),
Jg. 37, Nr. 272 vom 24.11.1938, S. [3]
Potempa G 697

Die Dichtung muß frei sein. – In: Büchergilde. Monatsschrift der Büchergilde
Gutenberg (Zürich), Jg. 1939, H. 4 vom April 1939, S. 72
Potempa G 698

Wir sprechen dem Reiche Hitlers das Deutschtum ab. – In: Die neue Zeit.
Monatsschrift für Demokratie, Geistesfreiheit und Kultur (Luxemburg), Jg.
3, Nr. 30 vom 1.2.1939, S. 6
Potempa G 702

Zwang zur Politik. – In: Republikaner (Mulhouse), Jg. 38, Nr. 175 vom
31.7.1939, S. [3]
Potempa G 703

II. Interviews

[Gespräch über seine innere Beziehung zum Rundfunk.] – In: Radiowelt.
Illustrierte Wochenschrift für Jedermann (Wien), Jg. 9 (1932), H. 13 vom
26.3.1932, S. 389–390
Nicht bei Potempa

Bekenntnisse eines Dichters. – In: Dresdner Anzeiger (Dresden), Jg. 184,
Nr. 254 vom 14.9.1913, S. 7
Potempa K 3

Thomas Mann und Max Hölz. Eine Unterredung mit unserem München-
ner Vertreter. – In: Hannoverscher Kurier (Hannover), Jg. 79, Nr. 205 vom
4.5.1927, Morgenausg., S. [3]
Potempa K 66

Thomas Mann über den Nobelpreis. Gespräch mit dem Dichter. – In: General-Anzeiger (Frankfurt/Main), Jg. 54, Nr. 267 vom 13.11.1929, S. 3
Potempa K 88

Andreas Vinding: Thomas Mann plaudert ... ... über Titel, über Politik, Stre-
semann und Paneuropa, über die Forderung des Tages, über den deutschen
Roman und Kriegsbücher! [Mit e. redakt. Einl.] – In: General-Anzeiger
(Frankfurt/Main), Jg. 54, Nr. 289 vom 11.12.1929, S. 2
Potempa K 95

III. Aufrufe

Das intellektuelle Deutschland gegen die Schulvorlage. – In: Frankfurter Zei-
tung (Frankfurt/Main), Jg. 50, Nr. 81 vom 23.3.1906, 2. Morgenblatt, S. 1
Fortgesetzt unter dem Titel „Der Kampf um die Schule. Die Professoren-
Kundgebung" in Nr. 88 vom 30.3.1906, 1. Morgenblatt, S. 4 und Nr. 91 vom
2.4.1906, Morgenblatt, S. 2.
Unterzeichner: Lujo Brentano, Rudolf Eucken, Otto Harnack, Karl Lamp-
recht, Werner Sombart, Max Weber, Edmund Husserl, Thomas Mann u.v.a.
Thomas Manns Unterschrift in der Ausgabe vom 2.4.1906
Nicht bei Potempa, Aufrufe

Aufruf für Arno Holz. – In: Dresdner Anzeiger (Dresden), Jg. 183, Nr. 111 vom 23.4.1913, S. 7
Unterzeichner: Hermann Bahr, Hans Baluschek, Prof. Peter Behrens, Dr. Georg Brandes, Dr. Richard Dehmel, Dr. Ludwig Fulda, Maximilian Harden, Prof. Dr. h.c. Max Liebermann, Prof. Dr. Ernst Mach (Wien), Heinrich Mann, Thomas Mann, Dr. Arthur Schnitzler, Franz Servaes, Hermann Sudermann u.a.
Nicht bei Potempa, Aufrufe

Aufruf zur Errichtung eines Kantmausoleums. – In: Königsberger Hartungsche Zeitung (Königsberg), Nr. 171 vom 12.4.1914, Morgenausg., 4. Blatt, S. [3]
Unterzeichner: Hermann Bahr, Bruno Cassirer, Lovis Corinth, Richard Dehmel, Herbert Eulenberg, Ludwig Fulda, Max Liebermann, Thomas Mann u.v.a.
Wiederabdruck – mit geringfügig geändertem Aufruftext – in Nr. 235 vom 21.5.1914, Morgenausg., 3. Blatt, S. [2]
Nicht bei Potempa, Aufrufe

Aufruf! [zur Begründung einer „Deutsch-Armenischen Gesellschaft"] – In: Die Christliche Welt. Evangelisches Gemeindeblatt für Gebildete aller Stände (Marburg), Jg. 28, Nr. 23 vom 4.6.1914, Sp. [551–552]
Unterzeichner: Ludwig Darmstädter, Richard Dehmel, Hans Delbrück, Rudolf Eucken, Thomas Mann, Hermann Oncken, Georg Simmel, Eduard Stucken u.v.a.
Wiederabdruck unter dem Titel „Aufruf zur Begründung der ‚Deutsch-Armenischen Gesellschaft'" in: Der Christliche Orient und die Muhammedaner-Mission (Potsdam), Jg. 15, H. 6 vom Juni 1914, S. 101–104
Nicht bei Potempa, Aufrufe

Aufruf gegen das Hugenbergsche Volksbegehren. An das deutsche Volk! – In: Darmstädter Zeitung (Darmstadt), Jg. 153, Nr. 241 vom 15.10.1929, S. [1]
Potempa, Aufrufe Nr. 41

Aufruf zu Menschlichkeit und Frieden. – In: Der sozialistische Freidenker (Leipzig), Jg. 6, Nr. 8 vom August 1931, S. 124
Potempa, Aufrufe Nr. 48

Das Goethe-Jahr ein Weckruf an das Deutschtum der ganzen Welt. – In: Frankfurter Nachrichten (Frankfurt/Main), Jg. 211, Nr. 76 vom 16.3.1932, S. [1]
Potempa, Aufrufe Nr. 57

Thomas Mann für den Antikriegskongreß. – In: Basler Vorwärts (Basel), Jg. 35, Nr. 198 vom 24.8.1932, 2. Bl., S. [2]
Potempa, Aufrufe Nr. 60

Ein Thomas Mann-Fonds. – In: Büchergilde. Zeitschrift der Büchergilde Gutenberg (Zürich), Jg. 1937, H. 4 vom April 1937, S. 62
Potempa, Aufrufe Nr. 69

Siglenverzeichnis

[Band arabisch, Seite]	Thomas Mann: Grosse kommentierte Frankfurter Ausgabe. Werke – Briefe – Tagebücher, hrsg. von Heinrich Detering, Eckhard Heftrich, Hermann Kurzke, Terence J. Reed, Thomas Sprecher, Hans R. Vaget und Ruprecht Wimmer in Zusammenarbeit mit dem Thomas-Mann-Archiv der ETH Zürich, Frankfurt/Main: S. Fischer 2002 ff.
[Band römisch, Seite]	Thomas Mann: Gesammelte Werke in dreizehn Bänden, 2. Aufl., Frankfurt/Main: S. Fischer 1974.
Ess I–VI	Thomas Mann: Essays, Bd. 1–6, hrsg. von Hermann Kurzke und Stephan Stachorski, Frankfurt/Main: S. Fischer 1993–1997.
Notb I–II	Thomas Mann: Notizbücher 1–6 und 7–14, hrsg. von Hans Wysling und Yvonne Schmidlin, Frankfurt/Main: S. Fischer 1991–1992.
Tb, [Datum]	Thomas Mann: Tagebücher. 1918–1921, 1933–1934, 1935–1936, 1937–1939, 1940–1943, hrsg. von Peter de Mendelssohn, 1944–1.4.1946, 28.5.1946–31.12.1948, 1949–1950, 1951–1952, 1953–1955, hrsg. von Inge Jens, Frankfurt/Main: S. Fischer 1977–1995.
Reg I–V	Die Briefe Thomas Manns. Regesten und Register, Bd. 1–5, hrsg. von Hans Bürgin und Hans-Otto Mayer, Frankfurt/Main: S. Fischer 1976–1987.
Br I–III	Thomas Mann: Briefe 1889–1936, 1937–1947, 1948–1955 und Nachlese, hrsg. von Erika Mann, Frankfurt/Main: S. Fischer 1962–1965.
BrAM	Thomas Mann – Agnes E. Meyer. Briefwechsel 1937–1955, hrsg. von Hans Rudolf Vaget, Frankfurt/Main: S. Fischer 1992.
BrAu	Thomas Mann: Briefwechsel mit Autoren, hrsg. von Hans Wysling, Frankfurt/Main: S. Fischer 1988.
BrBF	Thomas Mann: Briefwechsel mit seinem Verleger Gottfried Bermann Fischer 1932–1955, hrsg. von Peter de Mendelssohn, Frankfurt/Main: S. Fischer 1973.
BrHM	Thomas Mann – Heinrich Mann. Briefwechsel 1900–1949, hrsg. von Hans Wysling, 3., erweiterte Ausg., Frankfurt/Main: S. Fischer 1995 (= Fischer Taschenbücher, Bd. 12297).
DüD I–III	Dichter über ihre Dichtungen, Bd. 14/I–III: Thomas Mann, hrsg. von Hans Wysling unter Mitwirkung von Marianne Fischer, München: Heimeran; Frankfurt/Main: S. Fischer 1975–1981.
Mat	Materialien des Thomas-Mann-Archivs der ETH Zürich.
TMA	Thomas-Mann-Archiv der ETH Zürich.
TM Jb	Thomas Mann Jahrbuch 1 (1988) ff., begründet von Eckhard Heftrich

und Hans Wysling, hrsg. von Thomas Sprecher und Ruprecht Wimmer, Frankfurt/Main: Klostermann.

TMS   Thomas-Mann-Studien 1 (1967) ff., hrsg. vom Thomas-Mann-Archiv der ETH Zürich, Bern/München: Francke, ab 9 (1991) Frankfurt/Main: Klostermann.

Thomas Mann: Werkregister

Kursive Seitenzahlen verweisen auf die Anmerkungen.

Adel des Geistes 9
Altes und Neues 9
Amphitryon 136
[An Jakob Wassermann über „Mein Weg
    als Deutscher und Jude"] *207*
[Ansprache an die Zürcher Studenten-
    schaft] 16
Ansprache im Goethejahr 1949 15

Der Bajazzo 215, 226
Beim Propheten *223*
Bekenntnisse des Hochstaplers Felix
    Krull 19, 21, 42, 171, 227
[Bekenntnis zum Sozialismus] *114*
Betrachtungen eines Unpolitischen 45,
    47, 86, 109, 126, 137, 159, 161 f., 169,
    230
Bilse und ich 170
Briefe *220*
Briefwechsel und Briefadressaten
– Amoroso, Ferruccio *23*
– Bertram, Ernst *137,* 160
– Devescovi, Guido *23*
– Ehrenberg, Paul 22
– Grautoff, Otto 22, 203
– Helbling, Carl 159 f.
– Herz, Ida 28
– Horovitz, Jakob 135
– Loeb, Lotta *31*
– Mann, Erika *137*
– Mann, Heinrich 22, *33,* 192, 204 f.,
    226
– Mann, Klaus *23*

– Mann-Borgese, Elisabeth 34
– Martens, Kurt 193
– Meyer, Agnes E. *23, 33*
– Newton, Caroline 23
– Nicolson, Harold 28 ff.
– Opitz, Walter *172*
– Oprecht, Emil 30
– Ponten, Josef *160*
– Schiffer, Eva *194*
– Schillings, Max von 105
– Wassermann, Jakob 207
– Witkop, Philipp *160*
– Wooley, Elmer Otto *73*
– Zweig, Stefan 29
Briefwechsel mit Bonn 37
Bruno Frank 95
Bruno Franks ‚Requiem' 95
Buddenbrooks 11 ff., 36, 38 f., 41, 44,
    47, 53, 71–76, 85, 96, 100, 126, 192,
    228 f.

Chamisso 15

Dankesrede anlässlich der Club-Feier
    zur Nobelpreisverleihung *93*
Deutsche Ansprache 104 f.
Deutsche Hörer! *35,* 208
Deutschland und die Demokratie 89
Deutschland und die Deutschen 32
Dieser Friede 27
Doktor Faustus 17 ff., 46 ff., 143, 165,
    216, 219, 222 f.

Der Erwählte   19 ff., 70
Ein nationaler Dichter   216 f.
Erwiderung [auf den „Protest
    der Richard-Wagner-Stadt
    München"]   *109 f.*

Fiorenza   227
Die Forderung des Tages   9
Fragment über das Religiöse   9
Freud und die Zukunft   15, 126, 131,
    136, 141, 148, *153 f.*, 218

Geist und Kunst   203, 227 f.
Die geistige Situation des heutigen
    europäischen Schriftstellers   97 f.
Die geistige Situation des Schriftstellers
    in unserer Zeit   15, *97*
Gesang vom Kindchen   159–174, 207,
    210
Das Gesetz   121, 223 f.
Goethe als Erzieher   103
Goethe als Repräsentant des bürgerli-
    chen Zeitalters   15, 100, 102 f.
Goethe und die Demokratie   15
Goethe und Tolstoi   15
Goethes Laufbahn als Schriftsteller   15,
    101

Heinrich Heine, der „Gute"   217
Herr und Hund   159, 169 f., 174
How to win the Peace   119
[Humor und Ironie]   21

Joseph und seine Brüder   13, 90, 96,
    125–157, 165, 171, 207 f., 218 f., 222
Joseph und seine Brüder. Die Geschich-
    ten Jaakobs   108, 136
Joseph und seine Brüder. Joseph in
    Ägypten   14, 146
Joseph und seine Brüder. Ein
    Vortrag   131, 139 f., 143

Der Kleiderschrank   11 f.
Der kleine Herr Friedemann   51, 66,
    68 f., 224 ff.
Königliche Hoheit   86, 192, 198 f., 206,
    220, 224 f.

Lebensabriss   194 f.

Leiden und Grösse Richard Wag-
    ners   15, 104, 107 ff., 116
Lessing und der Pastor   91
Der Literat   203, 227 f.
Lob der Vergänglichkeit   21, 142
[Die Lösung der Judenfrage]   205 f.,
    212, 220, 228 f.
Lotte in Weimar   16 f., 19, 46
Lübeck als geistige Lebensform   89, 126
Luischen   51, 57–60, 63, 224 f., 228

Mario und der Zauberer   42, 47
Meerfahrt mit ‚Don Quijote'   15
Mein Sommerhaus   99
Meine Goethereise   15, 99–102, 108
Meine Zeit   34, 43
Musik in München   206

Notizbücher   202 f., *204*
Notizen   193, 195 f., 199, 203, *223, 227*

Rede über Lessing   15, 91

Schwere Stunde   226 f.

Tagebücher   21 ff., 28 f., 31–34, 105–109,
    117, 119 f., 124, *129*, 164 f., 170 f.,
    206–209, 211, 218, 220 f., 230
Das Theater als Tempel   225
Theodor Storm   *71, 73*
Thomas Mann und der Sozialismus.
    Ein Bekenntnis vor den Wiener
    Arbeitern   114
Tobias Mindernickel   51 f., 54–57, 67
Der Tod in Venedig   42, 46 f., 86, 163
Tonio Kröger   41 f., 46 f., 67 f., *73*, 163,
    181, 192, 201 ff., 230
Tristan   51 f., 59–63, 67, 215 ff.

Über die Ehe   170
Unordnung und frühes Leid   *159*, 169 f.

Versuch über das Theater   214, 225 ff.
Die vertauschten Köpfe   165
Vom schönen Zimmer   85
Vom zukünftigen Sieg der Demo-
    kratie   121
Von deutscher Republik   86, 104

Wälsungenblut   51, 63 ff., 69 f., 212–217,
    221, 225 f., 228 f.
Was wir verlangen müssen   105
Der Weg zum Friedhof   51 f., 54–57,
    67
Der Wille zum Glück   51, 66 ff.
[World for the people]   124

Der Zauberberg   12 ff., 17, 19, 39, 48,
    87–90, 95, 100, 126 f., 159, 168, 173 f.,
    199, 204, 221 f.
Die Zukunft der Literatur   174
Zum Problem des Antisemitismus   207 f.
Zur jüdischen Frage   206 f., 211
Zu Wagners Verteidigung. Brief an den
    Herausgeber des ‚Common Sense‘   29

Personenregister

Kursive Seitenzahlen verweisen auf die Anmerkungen.

Adorno, Theodor W.
– Dialektik der Aufklärung 150 f.
Andersen, Hans Christian
– Des Kaisers neue Kleider *183*
Anderson, Mark M.
– „Jewish" Mimesis? *214*
Angress, Werner T.
– Immer etwas abseits *204*
Arendts, Wilhelm 106 f., *111*, 112 f.
Aretino, Pietro 191
Assmann, Heinz-Dieter 77
Assmann, Jan
– Zitathaftes Leben *125, 131*

Banuls, André
– Die ironische Neutralität des gelben
  Hündchens *56*
Barrows, John Henry 81
Bartels, Adolf 203, 229
Bauckner, Arthur 108
Baudelaire, Charles 191
Beaverbrook, Max 25
Becker, Peter
– Verderbnis und Entartung *176*
Beheim-Schwarzbach, Martin 48
Beissel, Rudolf
– „Und ich halte Herrn May für einen
  Dichter..." *179 f.*
Belfrage, Kurt
– Rede auf Thomas Mann am 11.
  Dezember 1929 95 f.
Benn, Gottfried 105

Berger, Elmer
– The Jewish Dilemma 208 f.
Berger, Willy
– Die mythologischen Motive in
  Thomas Manns Roman „Joseph und
  seine Brüder" *125 f., 129, 135 ff.,
  139*
Bermann Fischer, Gottfried 32
Bernini, Cornelia
– Briefe I (GKFA) *204*
Bertram, Ernst 160, 168 f.
– Nietzsche 168
Bibel *141*
Blixen, Tania
– Briefe aus Afrika 125
Blöcker, Karsten *217*
Blüher, Hans
– Deutsches Reich, Judentum und
  Sozialismus 221
Böcklin, Arnold 40
Boehm, Gottfried 108
Böhm, Karl Werner
– Zwischen Selbstzucht und
  Verlangen *52, 224*
Bolt, Rolf 160
Bonney, Charles Carroll 81
Borchmeyer, Dieter
– Das Theater Richard Wagners 213
– „Zurück zum Anfang aller
  Dinge" *14, 126, 131*
Borgese, Giuseppe Antonio 34
Brecht, Bertolt

- Die heilige Johanna der
  Schlachthöfe 79
- Joe Fleischhacker in Chicago 78
Breuer, Stefan
- Das „Zwanzigste Jahrhundert" und
  die Brüder Mann 216, 221
Brod, Max 101
Burckhardt, Jacob 48
Busse, Carl 203
Byron, George Gordon Noel (Lord)
- Manfred 191

Cagliostro, Alessandro Graf von 182
Casanova, Giacomo 186
Chaplin, Charles 48
Chopin, Frédéric
- Nocturnes 60
Church, Richard 31
Churchill, Winston 28
Clemenceau, Georges 27
Cleugh, James 27
Cocteau, Jean 48
Cooper, Duff 25, 30, 34
Csokor, Franz Theodor 48
Cuno, Wilhelm
- Erster Monatsbrief vom 1. Juli
  1929 84

Darmaun, Jacques
- Thomas Mann, Deutschland und die
  Juden 201, 206, 220–224
- Thomas Mann et le problème
  juif 220
- Thomas Mann et les juifs 220
Day Lewis, Cecil 31
Demoll, Reinhard 108
Detering, Heinrich
- Juden, Frauen, Literaten. Stigma und
  Stigma-Bearbeitung 211 f.
- „Juden, Frauen und Litteraten" 201,
  212, 224–230
- Kommentar zu Essays I
  (GKFA) 203, 216 f., 224
- Kommentar zu Königliche Hoheit
  (GKFA) 224
- Das offene Geheimnis 224
Dierks, Manfred

- Studien zu Mythos und Psychologie
  bei Thomas Mann 125, 128 f., 131,
  135, 137, 139, 146, 148
- Thomas Mann und das Juden-
  tum 201, 211
- Thomas Mann und die jüdische
  Psychoanalyse 218 f.
- Thomas Mann und die
  Mythologie 139
Dingeldey, Oberstudienrat [o.A.]
- Erich Wulffen. Lebensgeschichte des
  Jubilars 179
Dürer, Albrecht 47

Eckermann, Johann Peter 40
- Gespräche mit Goethe 174
Eggebrecht, Jürgen 48
Ehrenberg, Paul 203 f.
Eichendorff, Joseph Freiherr von 208
Eich-Fischer, Marianne
- Thomas Mann: Selbstkommen-
  tare. „Königliche Hoheit" und
  „Krull" 193
Eicken, Heinrich von
- Geschichte und System der mittelal-
  terlichen Weltanschauung 220 f.
Elizabeth II. (Königin) 26
Elsaghe, Yahya
- Die imaginäre Nation 52, 216
- Judentum und Schrift bei Thomas
  Mann 215
- Der Mythos von Orient und
  Occident 165
- Thomas Mann und die kleinen
  Unterschiede 216
Encyclopaedia Britannica 25, 26
England, George 31
Erasmus von Rotterdam 93
Erdmann, Paul 106
- 75 Jahre Rotary Club Stuttgart 77
- Widerspruch und Widerstand
  Stuttgarter Rotarier gegen das Nazi-
  Regime 111 f., 113 f.
- Zur Geschichte des Rotary Club
  Stuttgart 111

Fabricius, Johan 31

Farjeon, Eleanor *31*
Ferrero, Guglielmo
– Das Weib als Verbrecherin und
  Prostituierte *176*
Feuchtwanger, Lion 31
Fischer, Bernd-Jürgen
– Handbuch zu Thomas Manns
  „Josephsromanen" *125, 153*
Fischer, Otto 113
Flaubert, Gustave 44
Flinker, Martin 30 f.
Fontane, Theodor 163, 203
– Die Poggenpuhls 212
Franckenstein, Clemens von 108
Frank, Bruno 77, 106 f., 109, 113, 116
– Glückwunsch an Thomas Mann 95
– Tage des Königs 94
– Trenck 94
– Zwölftausend 94
Frank, Liesl 106
Freud, Sigmund 150, 218, 221
Frick, Wilhelm 118
Frizen, Werner
– Thomas Mann. Bekenntnisse des
  Hochstaplers Felix Krull 175, *195*

Gelber, Mark H. 213
Georg V. (König) 26
George, Stefan 95, 203
Germann, Urs
– Review of Peter Becker *176*
Glendinning, Victoria
– Vita Sackville-West *24*
Goebbels, Joseph 105, 116
Görner, Rüdiger
– Thomas Mann. Der Zauber des
  Letzten *172*
Goethe, Johann Wolfgang von 16, 40,
  47 f., 91, 93, 95, 100–103, 165, 171,
  178, 182, 191
– Campagne in Frankreich 162
– Dichtung und Wahrheit 51
– Faust 191
– Faust I *72*
– Hermann und Dorothea 160
– Iphigenie auf Tauris 102, 191

– Reineke Fuchs 160
– West-östlicher Divan 166
Gold, Alfred
– George Manolescu. Psychologie des
  Hoteldiebs 193 f.
Goldberg, Oskar 208
Grautoff, Otto 204
Grey, Edward 27
Grille, Hugo 118
Grote, L.R.
– Rotarys internationaler
  Gedanke 84 f.
Gundolf, Friedrich 221

Hagelstange, Rudolf
– Der General und das Kind *159*
Hamburger, Käte
– Der Humor bei Thomas Mann *135*
Harden, Maximilian 208
Harpprecht, Klaus
– Thomas Mann. Eine Biographie 92
Harris, Paul
– My Road to Rotary 78–82
Hartmann, Walter 218
Hauptmann, Gerhart 39, 86, 178
– Die versunkene Glocke 191
Haussmann, Robert 112
Heftrich, Eckhard
– Geträumte Taten *135*
Hegel, Georg Wilhelm Friedrich 224
– Phänomenologie des Geistes 10
Heidegger, Martin 149
Heine, Gert
– Thomas Mann Chronik *26, 96, 181*
Heine, Heinrich 208, 217
Helbling, Carl 159 ff.
Herder, Johann Gottfried von 85
Hermsdorf, Klaus
– Thomas Manns Schelme *193*
Herwig, Franz
– Der Idylliker Thomas Mann *163*
Herwig, Malte
– Thomas Mann. Frühe Erzählungen
  (GKFA) *181*
Herz, Ida 28, 32, 108
Herzl, Theodor 208

Hesse, Hermann   101, 181
Heydrich, Reinhard   24, 35, 105, 114
Himmler, Heinrich   105
Hindenburg, Paul von   101
Hirano, Yoshihiko   *159*
Hitler, Adolf   *35,* 36 ff., 40, 101, 103 f.,
   113, 117 ff., *223*
Höbusch, Harald   216
Hölderlin, Friedrich   161, 163, 208
Hoelzel, Alfred
– Thomas Mann's Attitudes toward
   Jews and Judaism   *220*
Hofmannsthal, Christiane von   *161*
Hofmannsthal, Hugo von   160 f.
– Die Frau ohne Schatten   161
Homer   163
Honneth, Axel
– Dezentrierte Autonomie   150
Hooks, John   *31*
Horkheimer, Max
– Dialektik der Aufklärung   150 f.
Hornung, Ernest William
– Raffles-Romane   183
Hülshörster, Christian
– Thomas Mann und Oskar Goldbergs
   „Wirklichkeit der Hebräer"   *139 f.*
Hutter, Theodor   221
Hyan, Hans   183

Ibsen, Henrik   178, 191
Ivanovic, Christine   *159*

Jäger, Christoph
– Humanisierung des Mythos   *125*
Jens, Walter
– Sinngebung des Vergänglichen   *11*
Jung, Carl Gustav   218

Kafka, Franz   101
Kahler, Erich von   223
Kant, Immanuel   127 ff.
Karthaus, Ulrich
– Der „Zauberberg" – ein
   Zeitroman   *12*
Keller, Gottfried   191
– Kleider machen Leute   *183*
Kerr, Alfred   208

Khittel, Eduard   185
Kierkegaard, Søren
– Wie man Kindern Geschichten
   erzählt   171
Klüger, Ruth
– Thomas Manns jüdische
   Gestalten   *63,* 211
Klugkist, Thomas
– Der pessimistische Humanismus   *11*
– Thomas Mann und das Juden-
   tum   211, 219
Klussmann, Paul Gerhard
– Thomas Manns „Doktor Faustus" als
   Zeitroman   *17*
Klussmeier, Gerhard
– Die Gerichtsakten zu Prozessen Karl
   Mays   *179 f.*
Knappertsbusch, Hans   *77,* 101, 108,
   117
Kolbenheyer, Erwin Guido   101 f.
Koopmann, Helmut
– Nachwort zu Forderungen des
   Tages   9
– Thomas Mann. „Joseph und seine
   Brüder"   *14*
Koslowski, Alexander
– In Morpheus' Armen   174
Kraus, Karl   208
Kris, Ernst   136
Kruse, Rolf
– Thomas Mann und Rotary   *77*
Küng, Hans
– Die Deklaration des Parlamentes der
   Weltreligionen   *122,* 124
– Dokumentation zum Weltethos   *122*
– Gefeiert – und auch gerechtfertigt?
   Thomas Mann und die Frage der
   Religion   *11*
Kuncewiczowa, Maria   *31*
Kundera, Milan
– Verratene Vermächtnisse   *125,* 153
Kurzke, Hermann   *29*
– Kommentar zu Essays II
   (GKFA)   *207*
– Thomas Mann. Epoche – Werk –
   Wirkung   108
Kuschel, Karl-Josef

– Die Deklaration des Parlamentes der Weltreligionen *122, 124*
– Das Parlament der Weltreligionen 1893/1993 *81*
– Thomas Mann und die Suche nach einem „Grundgesetz des Menschenanstandes" *121*
– Das Weihnachten der Dichter *79*

Laage, Karl Ernst
– Theodor Storm – Ein literarischer Vorfahre von Thomas Mann *71*
– Theodor Storm. Studien zu seinem Leben und Werk *71*
– Thomas Mann: Theodor Storm *73*
– Thomas Manns Verhältnis zu Theodor Storm und Ivan Turgenjew *71*
Landauer, Gustav *221*
– Aufruf zum Sozialismus *221*
Langenscheidt, Paul 180, 185–189, 193
– Arme kleine Eva! *189*
– Im Blütenschnee *189*
Lányi, Jenö 28 f.
Larsen, Viggo *181*
Lavater, Johann Caspar 177, 182
Laxness, Halldór *31*
Lebius, Rudolf 179
Leblanc, Maurice
– Arsène Lupin *183*
Lees-Milne, James
– Harold Nicolson. A Biography *24*
Lehnert, Herbert
– Buddenbrooks und der Senator Mann *217*
– Thomas Manns Vorstudien zur Josephstetralogie *129*
– Zur Biographie Thomas Manns *205, 211*
Leibrich, Louis
– Thomas Mann. Gesang vom Kindchen *159*
Leopold, Keith
– The time levels in Thomas Mann's „Joseph the provider" *13*
Le Sage, Alain-René
– Gil Blas *186*

Leslie, Henrietta *31*
Lessing, Gotthold Ephraim 15, 85, 91, 208 f.
Lessing, Theodor 229
Leupold, Wilhelm 108, 115 f.
Lindley, Denver 108
Lindsay, James Martin 34
– Thomas Mann 46
Löschburg, Winfried
– Ohne Glanz und Gloria *183*
Lombroso, Cesare 176 f., 179, 182, 188, 221
– Genie und Irrsinn *176*
– Neue Fortschritte in den Verbrecherstudien *176*
– Der Verbrecher *176*
– Das Weib als Verbrecherin und Prostituierte *176*
Lorenz, Matthias N.
– „Auschwitz drängt uns auf einen Fleck" *210*
Lubitsch, Ernst 189
Ludendorff, Erich 36
Luther, Martin 37, 40, 47
Lynx, Joachim Joe
– The Future of the Jews *189 f.*
– The Prince of Thieves *189 f.*, 198

Madariaga, Salvador de *31*
Mahler, Gustav 101
Mahler-Werfel, Alma 101
Mann, Erika 205, 207
– Briefe und Antworten 33
Mann, Familie 106, 110
Mann, Golo 207
Mann, Heinrich 37, 104, 202, 216 ff., 224, 227, 229
– Geist und Tat *218*
– Im Schlaraffenland *192*
Mann, Katia 39, 108, 119 f., *164*, 170, 202, 204, 207, 210 f.
Mann, Klaus 207
Mann, Michael 207, 211
Mann, Monika 28 f., 207
Mann, Thomas Johann Heinrich 217
Mann-Borgese, Elisabeth 160, *164*, 181, 207, 211

Mannesmann, Sigrid
- Thomas Manns Roman-Tetralogie
  „Joseph und seine Brüder"   153
Manolescu, Georges   175–200
- Ein Fürst der Diebe   175, 181,
  184–190, 193 ff., 197–200
- Gescheitert   175, 181, 184, 187 ff.,
  193 ff., 197 f.
Marquardt, Franka
- Der Manager als Sündenbock   222
Martens, Kurt
- Das Ehepaar Kuminsky   193
- Katastrophen   193
- Schonungslose Lebenschronik   193
Martin, Ariane
- Schwiegersohn und Schriftstel-
  ler   212
Massary, Fritzi   106
Matussek, Hans   31
May, Karl   178–181
McDonald, William
- Thomas Mann's „Joseph and his
  Brothers"   129, 135, 139
Melville, Herman
- The confidence-man   183
Mendelssohn, Moses   208 f.
Mendelssohn, Peter de
- Der Zauberer   195
Mendelssohn Bartholdy, Felix
- Lieder ohne Worte   172
Menge, August   113, 115
Menninghaus, Winfried
- Hälfte des Lebens   165
Mereschkowski, Dimitri   127
- Die Geheimnisse des Ostens   128
Meuschel, Walther   108
- Gründung, Auflösung, Wiederbe-
  gründung des RC München   111
Mieth, Dietmar
- Epik und Ethik   14, 125
Millay, Edna St. Vincent   31
Mörike, Eduard
- Märchen vom sichern Mann   160,
  171 f.
Montaigne, Michel de   52
Mosjoukin, Ivan   189
Müller, Joachim

- Thomas Manns Sinfonia
  domestica   159, 169
Müller-Rastatt, Carl
- Bauschan und das Kindchen   163
Murray, Gilbert   28
Musil, Robert   150, 152
- Das hilflose Europa   145

Neumann, Michael
- Der Reiz des Verwechselbaren   183
Nicolson, Harold   23–50
- [Behandlung Hitlers]   27
- Congress of Vienna   28
- [Geburtstagswünsche für] Thomas
  Mann   48 ff.
- Georg V.   26
- Germany's Real War Aims   28
- Is war inevitable?   27
- Lidice   31
- London Diary   25
- Marginal Comment   25, 32 f., 36–39
- Peacemaking 1918   27
- Small Talk   28
- Tagebücher und Briefe   24, 26,
  27–30, 32 f.
- Thomas Manns Selbstbekenntnis
  34, 43–46
- Tonio Kröger   34, 46 ff.
- Tribute to Thomas Mann   33 f.,
  39–42
Nicolson, Nigel
- Portrait einer Ehe. Harold Nicolson
  und Vita Sackville-West   24
Nicolson, Sir Arthur   24
Nietzsche, Friedrich   17 ff., 22, 36, 44,
  47, 86 f., 95, 128 f., 137, 146, 160, 163,
  168, 201 f., 204 f., 210, 215, 217 f., 224,
  228
- Die Geburt der Tragödie aus dem
  Geist der Musik   128
- Jenseits von Gut und Böse   10, 205
- Morgenröte   205
Novalis   165

Odry, Anneliese
- Hagelstanges General   159
Oprecht, Emil   30

Orwell, George
– Raffles and Miss Blandish 183

Papst, Manfred 9
Petrovich, Ivan 189
Pfitzner, Hans 108
Platen, August von
– Antwort 22
– Tristan 170
Platon 131
Poliakov, Léon
– Histoire de l'antisemitisme 220
Pollet, Pauline 189
Preetorius, Emil 77, 117
– Festrede im Münchner Rotary-
Club 92
Pringsheim, Alfred 204, 212, *215*
Pringsheim, Erik 204, 212
Pringsheim, Hedwig 108, 204, 212
Pringsheim, Heinz 204, 212
Pringsheim, Klaus 204, 212
Pringsheim, Peter 204, 212
Prinzhorn, Ernst 112
Protest der Richard-Wagner-Stadt
München 108 ff., 115 f.
Pütz, Peter
– Kunst und Künstlerexistenz bei
Nietzsche und Thomas Mann *52*

Rathenau, Walther 86
Raven, Simon *190*
Redman, Frederick 120
Reed, Terence James
– Thomas Mann. Frühe Erzählungen
(GKFA) 181
– Das Tier in der Gesellschaft *52, 159*
Reents, Edo
– Zur Schopenhauer-Rezeption
Thomas Manns *125*
Reisiger, Hans 108
Rilke, Rainer Maria
– Neue Gedichte 167
– Rosenschale 167
Robles, Ingeborg
– Unbewältigte Wirklichkeit *53*
Roche, Mazo de la *31*

Roggenkamp, Viola
– Erika Mann. Eine jüdische
Tochter 201, 205, 209 ff.
Roosevelt, Franklin Delano 124
Rosenzweig, Franz 223
Roxin, Claus
– Karl May, das Strafrecht und die
Literatur *179 f.*
Runge, Doris
– Welch ein Weib! *51*
Russel, Bertrand 28

Sacher-Masoch, Leopold von 191
Sackville-West, Vita 24 ff.
Sauer, Paul
– Der allerletzte Homeride? *159*
Saurat, Denis 32
Schiffer, Eva
– Manolescu's Memoirs 175, *184*
Schiller, Friedrich von 85, 178, 182, 191
– Don Carlos 41
– Der Geisterseher 182 f.
– Die Räuber 191
Schirnding, Albert von
– Thomas Mann. Gesang vom
Kindchen *161*
Schlegel, Friedrich 165
Schmid, Wilhelm
– Mit sich selbst befreundet sein *149*
– Philosophie der Lebenskunst 148,
149
– Schönes Leben? *149*
Schmidlin, Yvonne
– Thomas Mann. Ein Leben in
Bildern 114 f.
Schneider, Wolfgang 127
– Lebensfreundlichkeit und
Pessimismus 11, *125 ff., 129, 137*
Schoeps, Hans Joachim 223
Schommer, Paul 26
– Thomas Mann Chronik *26, 96, 181*
Schopenhauer, Arthur 44, 47, 86, 121,
126–129, 131, 136 f., 142, 146, *166,*
210, 218
– Parerga und Paralipomena *127,* 128
– Die Welt als Wille und Vorstel-
lung *126,* 128, 131
Schröder, Rudolf Alexander 48

Schubert, Franz
- Der Lindenbaum   170
Schulz, Kerstin
- Identitätsfindung und Rollen-
  spiel   *125, 135, 139*
Schwarz, Egon
- Die jüdischen Gestalten in Doktor
  Faustus   211, *223*
Shakespeare, William   178, 191
- Othello   225 ff.
Shane, Maxwell   *31*
Simmel, Georg
- Die Frau und die Mode   152, *153*
- Philosophie der Mode   152 f.
Sinclair, Upton
- The Jungle   79
Smith, Patrick   33
Sobotka, Felix
- Ansprache des Präsidenten des
  Rotary-Clubs München   92
Sombart, Werner   220
Sophokles   40
Sprecher, Thomas
- „Alles ist weglos". Thomas Mann in
  Nidden   *100*
- Auf dem Weg zum „Zauberberg".
  Die Davoser Literaturtage 1996   *12*
- Briefe I (GKFA)   204
- Thomas Manns Lob der Vergänglich-
  keit   *9*
Stachorski, Stephan   *29*
Stapledon, Olaf   *31*
Stendhal   49
Stern, Martin
- Das Märchen vom sichern
  Mann   *171*
Storm, Theodor
- Carsten Curator   71–76
Storm Jameson, Margaret   *31*
Strauss, Richard   172 f.
- Sinfonia domestica   *159*, 172 f.
Stresemann, Gustav   36

Tenckhoff, Jörg
- Das Prinzip der Verantwortlich-
  keit in Thomas Manns „Doktor
  Faustus"   *17*
Thiele, A.F.   177

Thomä, Dieter
- Vom Glück der Moderne   *145, 148,
  150 ff., 155*
Timpe, Williram   204
Toynbee, Philip   48
Troeltsch, Ernst
- Naturrecht und Humanität in der
  Weltpolitik   89

Unschuld, Paul U.
- Chronik des Rotary-Clubs
  München   *77*, 102, *111 f.*, 115 f., *117*
- Nach der Rückkehr der Akten   106,
  111
Die Upanishaden   *166*

Vaget, Hans Rudolf
- Briefe I (GKFA)   204
- „Sang réservé" in Deutschland   214
- „Von hoffnungslos anderer
  Art"   212–215
Vansittart, Robert   32
Veidt, Conrad   189
Voigt, Wilhelm
- Wie ich Hauptmann von Köpenick
  wurde   183
Voss, Johann Heinrich   160, 171
Voss, Lieselotte   *223*

Wagner, Richard   47, 58, 86, 108, 212,
  226
- Die Meistersinger von
  Nürnberg   10, 19
- Parsifal   172
- Der Ring des Nibelungen   201
- Tristan und Isolde   60 f.
- Die Walküre   204, 213 f.
Wahl, Volker
- Der Dresdener Kriminalpsy-
  chologe und Schriftsteller Erich
  Wulffen   *180*
Walser, Martin   210
Walter, Bruno   48, 206
Walter, Lotte   33
Warburg, Fredric J.   32
Ward, David   *190*

Wassermann, Jakob
- Mein Weg als Deutscher und
  Jude *207*
Weber, Max   126
Wedekind, Frank
- Marquis von Keith   192
Wedemeyer, Manfred
- Den Menschen verpflichtet. 75 Jahre
  Rotary in Deutschland   83
- Thomas Mann als Rotarier   *77, 79,*
  105 f., 117 f.
Weiniger, Otto   228
Werfel, Franz   31, 101
Wiegand, Heinrich   *181*
Wiegand, Helmut
- Thomas Manns „Doktor Faustus" als
  zeitgeschichtlicher Roman   *17*
Wieland, Christoph Martin   162
Wienand, Werner
- Grösse und Gnade   *135, 139*
Wilhelm II. (Kaiser)   198
Wimmer, Ruprecht
- Doktor Faustus und die Juden   219
- Thomas Mann und das Juden-
  tum   201, 211
Wißkirchen, Hans
- Hauptsache Unterhaltung   *135, 154*
Wittgenstein, Ludwig   145
Wolfskehl, Karl   77, 85, 103, 106, 113
Wolters, Dirk
- Zwischen Metaphysik und Poli-
  tik   *139*
Wulffen, Erich   177–181, 188
- Fritz Ulbrichs lebender Mar-
  mor. Eine sexualpsychologische
  Untersuchung   *178*
- Gauner- und Verbrecher-
  Typen   *178,* 179
- Georges Manolescu und seine
  Memoiren. Kriminalpsychologische
  Studie   *178,* 181, 184, *186–191,* 199
- Gerhart Hauptmanns Dramen. Kri-
  minalpsychologische und patholo-
  gische Studien   *178*
- Gerhart Hauptmann vor dem
  Forum der Kriminalpsychologie und
  Psychiatrie   *178*

- Handbuch für den exekutiven
  Polizei- und Kriminalbeamten   *178*
- Ibsens Nora vor dem Strafrichter und
  Psychiater   *178*
- Irrwege des Eros   *178*
- Das Kind. Sein Wesen und seine
  Entartung   *178*
- Kriminalpädagogik. Ein Erziehungs-
  buch   *178*
- Kriminalpsychologie. Psychologie
  des Täters   *178*
- Kriminalpsychologie und Psychopa-
  thologie in Schillers Räubern   *178*
- Das Kriminelle im Volksmär-
  chen   *178*
- Der Mann mit den sieben Mas-
  ken   181
- Psychologie des Giftmordes   *178*
- Die Psychologie des Hochstap-
  lers   *178,* 181, *191 f.*
- Psychologie des Verbrechers. Ein
  Handbuch   *178,* 179
- Rechtsunterricht in der Schule   *178*
- Reformbestrebungen auf dem
  Gebiete des Strafvollzugs   *178*
- Sexualspiegel. Von Kunst und Ver-
  brechen   *178*
- Der Sexualverbrecher. Ein Hand-
  buch   *178*
- Der Sexualverbrecher. Enzy-
  klopädie   *178*
- Shakespeares grosse Verbrecher   *178*
- Shakespeares Hamlet. Ein Sexual-
  problem   *178*
- Sittengeschichte der Revolution   *178*
- Strafgesetzbuch für das Deutsche
  Reich mit Erläuterungen   *178*
- Verbrechen und Verbrecher   *178*
- Das Weib als Sexualverbreche-
  rin   *178*
Wysling, Hans
- Dokumente zur Entstehung des
  „Tonio Kröger"   73
- „Geist und Kunst"   203
- „Mythus und Psychologie" bei
  Thomas Mann   135
- Narzissmus und illusionäre
  Existenzform   *52,* 175, *193,* 195

- Schopenhauer-Leser Thomas
  Mann   *126, 143*
- Thomas Mann. Ein Leben in
  Bildern   114f.
- Thomas Mann: Selbstkommentare.
  „Joseph und seine Brüder"   *90*
- Thomas Mann: Selbstkommen-
  tare. „Königliche Hoheit" und
  „Krull"   *193*
- Thomas Manns Pläne zur Fortset-
  zung des „Krull"   175
Zuckmayer, Carl
- Der Hauptmann von Köpenick   183
Zweig, Stefan   27

Die Autorinnen und Autoren

Gregor Ackermann, Augustastr. 60, 52070 Aachen.

Priv. Doz. Dr. Walter Delabar, Ferdinand-Walbrecht-Str. 57, 30163 Hannover.

M.A. Thomas Dürr, Albert-Ludwigs-Universität Freiburg, Husserl-Archiv, Werthmannplatz, 79085 Freiburg.

Prof. Dr. Rüdiger Görner, School of Modern Languages, Queen Mary, University of London, Mile End Road, GB-E1 4NS London.

Prof. Dr. Dr. h.c. Karl-Josef Kuschel, Eberhard-Karls-Universität Tübingen, Katholisch-Theologische Fakultät, Liebermeisterstr. 12, 72076 Tübingen.

Prof. Dr. Karl Ernst Laage, Theodor-Storm-Gesellschaft, Wasserreihe 31, 25813 Husum.

Prof. Dr. Herbert Lehnert, 8 Harvey Court, Irvine, CA 92617–4033, USA.

Joachim Lilla, Stadtarchiv Krefeld, 47792 Krefeld.

Prof. Dr. Mathias Mayer, Universität Augsburg, Philologisch-Historische Fakultät, Ethik der Textkulturen, Universitätsstr. 10, 86135 Augsburg.

Dr. Ingeborg Robles, 26 Butler Close, GB-OX2 6JG Oxford.

Dr. Dr. Thomas Sprecher, Thomas-Mann-Archiv der ETH Zürich, Schönberggasse 15, CH-8001 Zürich.

Auswahlbibliographie 2004 – 2005

zusammengestellt von Thomas Sprecher und Gabi Hollender

1. Primärliteratur

Mann, Thomas: Fragile Republik: Thomas Mann und Nachkriegsdeutschland, hrsg. von Stephan Stachorski, Frankfurt/Main: Fischer Taschenbuch 2005, 249 S.

Mann, Thomas: Thomas Mann, Katia Mann – Anna Jacobson: ein Briefwechsel, hrsg. von Werner Frizen und Friedhelm Marx, Frankfurt/Main: Klostermann 2005 (= Thomas-Mann-Studien, Bd. XXXIV), 182 S.

2. Sekundärliteratur

Bade, James N.: Thomas Mann, Yourcenar und Fontane: ein unveröffentlichter Brief Thomas Manns an Käthe Rosenberg vom 15. Dezember 1953, in: Fontane-Blätter, 79, 2005, S. 43–56.

Bättig, Joseph: Ärzte im Werk von Thomas Mann, in: Stulz, Literatur und Medizin, S. 93–101.

Barkhoff, Jürgen: „Eigentlich und bei Lichte besehen sei doch jeder Geschäftsmann ein Gauner": zur Intertextualität von „Soll und Haben" und „Buddenbrooks", in: Krobb, Florian (Hrsg.): 150 Jahre Soll und Haben: Studien zu Gustav Freytags kontroversem Roman, Würzburg: Königshausen & Neumann 2005, S. 187–208.

Baron, Frank: Der „Hexenhammer" und die Hexen-Novelle in Thomas Manns „Doktor Faustus", in: Solte-Gresser, Eros und Literatur, S. 231–241.

Belloni, Claudio: Thomas Mann e le origini de Eranos, in: Barone, Elisabetta (Hrsg.): Pioniere, Poeten, Professoren: Eranos und der Monte Verità in der Zivilisationsgeschichte des 20. Jahrhunderts, Würzburg: Königshausen & Neumann 2004, S. 45–55.

Benini, Arnaldo: Die Faszination des Todes bei Thomas Mann aus Sicht eines Arztes, in: Stulz, Literatur und Medizin, S. 117–125.

Benini, Arnaldo: Die skandalöse Parabel: Thomas Manns Erzählung „Die Betrogene", in: Sprecher, Liebe und Tod, S. 227–243.

Benne, Christian: „An die Freude"?: Miszelle zum „Felix Krull" oder Thomas Manns Schillervariationen, in: Thomas Mann Jahrbuch 2005, S. 277–293.

Besslich, Barbara: Musikalischer Untergang des Abendlandes: zur Intermedialität des Oratoriums „Apocalipsis cum figuris" in Thomas Manns „Doktor Faustus", in: Literaturwissenschaftliches Jahrbuch, Neue Folge, 46, 2005, S. 213–231.

Bitterli, Urs: Thomas Mann und sein Sohn Golo, in: Blätter der Thomas-Mann-Gesellschaft Zürich, Nr. 30, 2002–2003, S. 5–15.

Blechschmid, Hansgeorg: Der Schriftsteller und sein Anwalt – Thomas Mann und Valentin Heins, in: Neue juristische Wochenschrift, Jg. 58, H. 9, 2005, S. 536–539.

Blödorn, Andreas: „Diese nördliche Neigung" und „Meine Liebe zum Meer": zur Konstruktion imaginärer und realer Topographie im Frühwerk Thomas Manns, in: Arndt, Astrid (Hrsg.): Imagologie des Nordens: kulturelle Konstruktionen von Nördlichkeit in interdisziplinärer Perspektive, Frankfur/Main: Lang 2004, S. 177–199.

Blödorn, Andreas: „Vergessen ... ist das denn ein Trost?!": Verfall und Erinnerung in den „Buddenbrooks", in: Delabar, Thomas Mann, S. 11–28.

Boie, Bernhild: Erinnertes Erfinden, in: Plachta, Literatur als Erinnerung, S. 347–367.

Bongaerts, Ursula: Heinrich e Thomas Mann in Italia: eine Ausstellung des Buddenbrookhauses Lübeck und der Casa di Goethe Rom in Zusammenarbeit mit dem Thomas-Mann-Archiv der ETHZ, Rom: Casa di Goethe 2005, 127 S.

Borchmeyer, Dieter: Schwere Stunde: Thomas Mann und Schiller, in: Heisserer, Thomas Mann in München III, S. 59–111.

Braese, Stephan: Juris-Diktionen: eine Einführung, in: Braese, Stephan (Hrsg.): Rechenschaften: juristischer und literarischer Diskurs in der Auseinandersetzung mit den NS-Massenverbrechen, Göttingen: Wallenstein, S. 7–24.

Bronnen, Barbara: Die „erste Frau Europas": Thomas Mann und Ricarda Huch, in: Heisserer, Thomas Mann in München III, S. 223–259.

Bukowski, Evelyn: Jüdisches Erzählen und mythische Erinnerung in Thomas Manns Joseph-Romanen, in: Delabar, Thomas Mann, S. 169–180.

Butzlaff, Wolfgang: Erzählte Verlobungen als Spiegel der Gesellschaftsordnung, in: Butzlaff, Wolfgang: „Wir selber haben jahrelang gewartet", Hildesheim: Olms 2004, S. 191–233.

Cherry, Kelly: Thomas Mann's „Doctor Faustus": a dialogue volume, in: Meister, Peter (Ed.): German Literature between Faiths, Bern: Lang 2004, S. 129–140.

Chiarini, Paolo: Benedetto Croce, Thomas Mann e la Germania, in: Studi germanici, nuova serie, Jg. 43, H. 1–2, 2005, S. 49–65.

Chiarini, Paolo: Benedetto Croce, Thomas Mann e la „questione ebraica", in: Il veltro, rivista della civiltà italiana, Jg. 49, H. 4–5, 2005, S. 198–213.

Delabar, Walter: Mittelmässige Helden, wohin?: Hans Castorp, Clawdia Chauchat und andere Persönlichkeiten in Thomas Manns „Zauberberg", in: Delabar, Thomas Mann, S. 125–151.

Delabar, Walter und Plachta, Bodo (Hrsg.): Thomas Mann (1875–1955), Berlin: Weidler 2005 (= Memoria, Bd. 5), 364 S.

Delgado Mingocho, Maria Teresa (coord.): Heinrich e Thomas Mann: Três estudos, Coimbra: Centro Interuniv. de Estudos Germanisticos 2004 (= Cadernos do cieg, Bd. 12), 143 S.

Detering, Heinrich: „Juden, Frauen und Literaten": zu einer Denkfigur beim jungen Thomas Mann, Frankfurt/Main: S. Fischer 2005, 200 S.

Ebermayer, Erich: Thomas Mann, in: Ebermayer, Erich: Eh ich's vergesse: Erinnerungen an Gerhart Hauptmann, Thomas Mann, Klaus Mann, Gustaf Gründgens, Emil Jannings und Stefan Zweig, München: Langen-Müller 2005, S. 85–132.

Eigen, Manfred: „Was war das Leben?": Thomas Mann und die Evolution, in: Elsner, „Scientia poetica", S. 335–350.

Eigler, Jochen: Krankheit und Sterben: Aspekte der Medizin in Erzählungen, persönlichen Begegnungen und essayistischen Texten Thomas Manns, in: Sprecher, Liebe und Tod, S. 97–124.

Elsaghe, Yahya: „Donnersmarck" und „Blumenberg": Verschwinden und Wiederkehr jüdischer Charaktere in der Geschichte der Thomas Mann-Verfilmung, in: KulturPoetik, Zeitschrift für kulturgeschichtliche Literaturwissenschaft, Bd. 5, H. 1, 2005, S. 65–80.

Elsaghe, Yahya: Der Mythus von Orient und Occident in Thomas Manns „Doktor Faustus", in: Wirkendes Wort, Deutsche Sprache und Literatur in Forschung und Lehre, Jg. 55, H. 3, 2005, S. 427–445.

Elsaghe, Yahya: Racial Discourse and Graphology around 1900: Thomas Mann's „Tristan", in: The Germanic review, Jg. 80, H. 3, 2005, S. 213–227.

Elsner, Norbert (Hrsg.): „Scientia poetica": Literatur und Naturwissenschaft, Göttingen: Wallstein 2004, 404 S.

Engelhardt, Dietrich von: Krankheit und Heilung bei Thomas Mann, in: Stulz, Literatur und Medizin, S. 71–92.

Engelstein, Stefani: Sibling Incest and Cultural Voyeurism in Günderode's „Udohla" and Thomas Mann's „Wälsungenblut", in: The German quarterly, Jg. 77, H. 3, 2004, S. 278–299.

Ermisch, Maren: „So hält man sein Leben zusammen": Spuren des Autobiografischen in Thomas Manns „Felix Krull", in: Delabar, Thomas Mann, S. 265–283.

Eschweiler, Christian: Thomas Mann (1875–1955): Wirklichkeit und Kunstwelt, Natur und Geist in seinem Leben und Werk, in: Eschweiler, Christian: Die Sprachkunst grosser deutscher Dichter: dreizehn literarisch-pädagogische Beiträge zur Dichtung und Bildung, Weilerwist: Landpresse 2004, S. 163–181.

Euchner, Maria: Life, Longing, Liebestod: Richard Wagner in Thomas Mann's „Tristan" and „Tod in Venedig", in: The Germanic review, Jg. 80, H. 3, 2005, S. 187–212.

Figueira, Dorothy: The Illusion of Authorship: Thomas Mann's Indian Legend, in: Heinze, Helmut (Hrsg.): Die Lektüre der Welt: zur Theorie, Geschichte und Soziologie kultureller Praxis, Frankfurt/Main: Lang 2004, S. 415–424.

Foucart, Claude: La duplicité du poireau ou la vieillesse et la sexualité chez Thomas Mann et Marcel Jouhandeau, in: Montandon, Alain (Ed.): Ecrire le vieillir, Clermont-Ferrand: Presses universitaires Blaise Pascal 2005, S. 171–183.

Friedrich, Sven: Ambivalenz der Leidenschaft – Thomas Mann und Richard Wagner, in: Friedrich, Sven: Richard Wagner – Deutung und Wirkung, Würzburg: Könighausen & Neumann 2004, S. 143–158.

Frisch, Walter: Ironic Germans, in: Frisch, Walter: German modernism: music and the arts, Berkeley: University of California Press 2005 (= California studies in 20th century music, Bd. 3), S. 186–213.

Frühwald, Wolfgang: „Der christliche Jüngling im Kunstladen": Milieu- und Stilparodie in Thomas Manns Erzählung „Gladius Dei", in: Frühwald, Das Talent, Deutsch zu schreiben, S. 283–313.

Frühwald, Wolfgang: Katia Mann: Ungehaltene Rede an die Nachkommen, in: Frühwald, Das Talent, Deutsch zu schreiben, S. 394–415.

Frühwald, Wolfgang: Eine Kindheit in München: die Familie Mann und das Genre der Inflationsliteratur, in: Frühwald, Das Talent, Deutsch zu schreiben, S. 334–356.

Frühwald, Wolfgang: Das Talent, Deutsch zu schreiben: Goethe – Schiller – Thomas Mann, Köln: DuMont-Literatur-und-Kunst-Verlag 2005, 439 S.

Frühwald, Wolfgang: Thomas Mann, der Dichter des Sterbens: „Translatio educationis": „Lotte in Weimar" – das „deutscheste Buch der Gegenwart"?: Der „Bildungsreisende" in den USA, in: Frühwald, Das Talent, Deutsch zu schreiben, S. 369–393.

Frühwald, Wolfgang: Thomas Manns „Moses-Phantasie": zu der Erzählung „Das Gesetz", in: Frühwald, Das Talent, Deutsch zu schreiben, S. 315–333.

Frühwald, Wolfgang: Der Zahnschmerz und der Tod: Thomas Manns Roman „Buddenbrooks", in: Frühwald, Das Talent, Deutsch zu schreiben, S. 266–279.

Gaede, Friedrich: Gewinn und Verlust des „Selbst": Simplicius und Krull, in: Thomas Mann Jahrbuch 2005, S. 107–121.

García Adánez, Isabel: „Negro riguroso, honor y sangre...": la imagen de España en „La Montaña Mágica" de Thomas Mann, in: Estudios filológicos alemanes 8, 2005, S. 229–242.

Genz, Henning und Fischer, Ernst Peter (Hrsg.): Was Professor Kuckuck noch nicht wusste: Naturwissenschaftliches in den Romanen Thomas Manns, Reinbek bei Hamburg: Rowohlt 2004 (= rororo science, Bd. 61580), 317 S.

Gerigk, Horst-Jürgen: Liebe, Krankheit und Tod in Thomas Manns Erzählung „Die Betrogene" und Philip Roths Kurzroman „The Dying Animal", in: Jagow, Bettina von (Hrsg.): Repräsentationen: Medizin und Ethik in Literatur und Kunst der Moderne, Heidelberg: Universitätsverlag Winter 2004, S. 41–50.

Gerigk, Horst-Jürgen: „Die Reize des Inkognitos": Felix Krull in komparatistischer Sicht, in: Thomas Mann Jahrbuch 2005, S. 123–139.

Gerigk, Horst-Jürgen: Swifts „Bücherschlacht" und was damit zusammenhängt: zur Systematisierung literarischer Konflikte, in: Heidelberger Jahrbücher, 48, 2004, S. 291–309.

Giskes, Joël: Forschungsliteratur zu Thomas Mann: eine Arbeitsbibliographie 1980–2004, in: Delabar, Thomas Mann, S. 331–360.

Gockel, Heinz: ...den er mit einer sehnsüchtigen Feindschaft liebte: Thomas Manns Goethe, in: Gockel, Literaturgeschichte als Geistesgeschichte, S. 191–200.

Gockel, Heinz: Faust im Faustus, in: Gockel, Literaturgeschichte als Geistesgeschichte, S. 201–213.

Gockel, Heinz: Literaturgeschichte als Geistesgeschichte: Vorträge und Aufsätze, Würzburg: Könighausen & Neumann 2005, 269 S.

Gockel, Heinz: Die unzeit-zeitgemässen Brüder, in: Gockel, Literaturgeschichte als Geistesgeschichte, S. 179–189.

Gödicke, Stéphane: Thomas Mann et la „sainte littérature russe", in: Béhar, Pierre (Hrsg.): Frontières, transferts, échanges transfrontaliers et interculturels: actes du XXXVIe Congrès de l'Association des Germanistes de l'Enseignement Supérieur, Bern: Lang 2005 (= Convergences, Bd. 38), S. 473–486.

Görner, Rüdiger: Thomas Mann: der Zauber des Letzten, Düsseldorf: Artemis & Winkler 2005, 340 S.

Götze, Karl-Heinz: „Der Mutterschoss ist keine Einbahnstrasse": was die

Liebe ist in Thomas Manns „Doktor Faustus", in: Solte-Gresser, Eros und Literatur, S. 215–230.

Grommes, Wieland: „Der Nachbar hört das Gras der neuen Schöpfung wachsen": Alfred Neumann und Thomas Mann – eine Dichterfreundschaft, in: Heisserer, Thomas Mann in München III, S. 175–222.

Grothues, Silke: Thomas Manns Roman „Der Erwählte" als im Mittelalterbild vermittelte ironische Referenz zu seinem Lebenswerk, in: Delabar, Thomas Mann, S. 284–304.

Gut, Philipp: „Ein Geruch von Blut und Schande": die Kontroverse um Thomas Mann und die innere „Emigration", in: Delabar, Thomas Mann, S. 203–228.

Härle, Gerhard: „Que o mundo me conheça...": Encobrimento e desocultação como princípio poetológico dos diários e dà obra literária de Thomas Mann, in: Delgado Mingocho, Heinrich e Thomas Mann, S. 9–43.

Hamacher, Bernd: „Wenn schon alt, dann goethisch alt.": „Die Betrogene" – Thomas Manns poetisches Resümee im Zeichen Goethes, in: Delabar, Thomas Mann, S. 305–329.

Hanssen, Léon: Diese Zeit braucht Geister wie ihn: Thomas Mann und Menno ter Braak, in: Delabar, Thomas Mann, S. 181–202.

Hansen, Volkmar: Rom 1953: „Französisches Radio-Interview": ein Text Thomas Manns, in: Delabar, Thomas Mann, S. 255–264.

Hartung, Günter: Berthold Brecht und Thomas Mann: über Alternativen in Kunst und Politik, in: Hartung, Günter: Der Dichter Berthold Brecht: zwölf Studien, Leipzig: Leipziger Univ.-Verl. 2004, S. 15–48.

Heftrich, Eckhard: Der unvollendete Krull – Die Krise der Selbstparodie, in: Thomas Mann Jahrbuch 2005, S. 91–106.

Heimböckel, Dieter: Reflexiver Fundamentalismus: Thomas Manns „Betrachtungen eines Unpolitischen", in: Delabar, Thomas Mann, S. 107–123.

Heisserer, Dirk: Die Engel von Dresden, in: Smikalla, Thomas Mann und die Engel von Dresden, S. 141–150.

Heisserer, Dirk: Im Zaubergarten: Thomas Mann in Bayern, München: Beck 2005, 303 S.

Heisserer, Dirk: Katastrophen mit Elbblick – Thomas und Heinrich Mann in Dresden, in: Smikalla, Thomas Mann und die Engel von Dresden, S. 37–85.

Heisserer, Dirk: Lebensfreundlichkeit: zu einem unbekannten Brief Thomas Manns (1927), Warmbronn: Keicher 2005, 29 S. und in: Heisserer, Thomas Mann in München III, S. 3–37.

Heisserer, Dirk: Michael Mann: Musiker und Germanist, in: Blätter der Thomas-Mann-Gesellschaft Zürich, Nr. 30, 2002–2003, S. 16–34.

Heisserer, Dirk: Ein seltsamer Traum: die erste Parodie auf Thomas Mann 1925, in: Heisserer, Thomas Mann in München III, S. 113–145 und in: Aus dem Antiquariat, 2, 2005, S. 115–126.

Heisserer, Dirk: Serenus Zeitblom in Freising: mit einem unbekannten Brief Thomas Manns, in: Literatur in Bayern, 79, 2005, S. 50–53.

Heisserer, Dirk (Hrsg.): Thomas Mann in München III: Vortragsreihe Sommer 2005, München: Peniope 2005 (= Thomas-Mann-Schriftenreihe, Bd. 6), 292 S.

Heisserer, Dirk: Verjüngte Welt – Engel bei Thomas Mann, in: Smikalla, Thomas Mann und die Engel von Dresden, S. 151–166.

Herwig, Malte: „Nur in der Jugend gestielt“: die langen Wurzeln des Felix Krull, in: Thomas Mann Jahrbuch 2005, S. 141–158.

High, Jeffrey L.: Goethe, Schiller, Kleist und Aschenbach: Thomas Manns Selbsterklärung zum Novellen-Klassiker in „Der Tod in Venedig“, in Delabar, Thomas Mann, S. 89–106.

Hilscher, Eberhard: „Ich wünsche, Weltbürger zu sein“: Humanisten-Gepsalter des Erasmus für Luther, Papst und Mann, in: Studia Niemcoznawcze, 31, 2005, S. 395–412.

Hilscher, Eberhard: Thomas Manns polyhistorischer Roman „Doktor Faustus“, in: Studia Niemcoznawcze, 28, 2004, S. 575–590.

Hirsch, Dagmar: Das Frauenbild Thomas Manns: Überlegungen zu Leben und Werk, in: Hirsch, Dagmar: Beumeleien: An- und Einsichten einer Psychoanalytikerin, Norderstedt: Books on demand 2004, S. 7–25.

Hölter, Achim: Sicher, der Zauber – aber was ist mit Mario?, in: Wirkendes Wort, Deutsche Sprache und Literatur in Forschung und Lehre, Jg. 54, H. 2, 2004, S. 249–257.

Hoffmann, Renate: Er konnte ja sehr drollig sein: Anekdoten über Thomas Mann, Berlin: Eulenspiegel 2005, 141 S.

Hoffmeister, Barbara und Gernhardt, Robert: Das Randfigurenkabinett des Doktor Thomas Mann, Frankfurt/Main: S. Fischer 2005, 318 S.

Hulle, Dirk van: „Von dem Erkenntniskitzel“: Thomas Manns „Doktor Faustus“, in: Delabar, Thomas Mann, S. 229–237.

Irl, Martin: Bewährte Nachbarschaft: Thomas Mann und Graf von Holnstein im Münchner Herzogpark, in: Heisserer, Thomas Mann in München III, S. 147–174.

Jacobs, Jürgen: Hans Castorp, in: Jacobs, Jürgen: Zwischenbilanz des Lebens: zu einem Grundmuster des Bildungsromans, Bielefeld: Aisthesis 2005 (= Aisthesis-Essay, Bd. 20), S. 41–47.

Jaspers, Willi: Exkurs: Judenbilder bei Thomas und Heinrich Mann, in: Jaspers, Willi: Deutsch-jüdischer Parnass, Berlin: Propyläen 2004, S. 282–313.

Jonas, Klaus W.: Wer war Cynthia?: Anmerkungen zu Thomas Manns „Ulrike"-Erlebnis im Juni 1945, in: Aus dem Antiquariat, 3, 2005, S. 194–197.

Kafitz, Dieter: Thomas Mann – sprachartistischer Immoralismus, in: Dieter Kafitz: Décadence in Deutschland: Studien zu einem versunkenen Diskurs der 90er Jahre des 19. Jahrhunderts, Heidelberg: Winter 2004, S. 403–424.

Kamińska, Ewelina: Danzig als „Zauberberg", in: Studia Gemanica Gedanensia, 13, 2005, S. 23–33.

Karst, Pia: Thomas Manns „Buddenbrooks": Die „erstaunliche Popularität des Geistigsten": die Hintergründe der Nobelpreisverleihung und der Erfolg der Volksausgabe, in: Delabar, Thomas Mann, S. 153–167.

Karthaus, Ulrich: Die Kunst zu verführen und der verführte Künstler, in: Sprecher, Liebe und Tod, S. 245–261.

Keiber, Helmut: „… dass Du mir werth und wichtig bist": Thomas Mann und Paul Ehrenberg, Landau in der Pfalz: VPK Pfälzer Kunst Blinn 2005, 344 S.

Keppler, Stefan: Literatur als Exorzismus: Angelologie und Gebet in Thomas Manns „Doktor Faustus", in: Thomas Mann Jahrbuch 2005, S. 177–195.

Kohlwes, Wiebke: „Die Gottesgabe des Wortes und des Gedankens": Kunst und Religion in Thomas Manns poetologischen Essays bis „Bilse und ich", in: Delabar, Thomas Mann, S. 29–49.

Koopmann, Helmut: Davoser Nachlese: aus wiedergefundenen Tagebüchern, in: Sprecher, Liebe und Tod, S. 273–276.

Koopmann, Helmut: „Für organische Chemie interessieren Sie sich also auch?": Wissenschaft als Thema in der Erzählkunst der klassischen Moderne, in: Elsner, „Scientia poetica", S. 351–377.

Koopmann, Helmut: Thomas Mann e l'Italia: in una nuova prospettiva, in: Belfagor, rassegna di varia umanità, Jg. 60, H. 4, 2005, S. 373–392.

Koopmann, Helmut (Hrsg.): Thomas Mann Handbuch, aktualisierte Auflage, Frankfurt/Main: Fischer Taschenbuch 2005 (= Fischer-Bücherei, Bd. 16610), 1036 S.

Koopmann, Helmut: „Die vertauschten Köpfe": Verwandlungszauber und das erlöste Ich, in: Sprecher, Liebe und Tod, S. 209–225.

Kozlowska, Elżbieta: Das mittelalterliche Memento mori im Totentanzkapitel des „Zauberbergs" von Thomas Mann, in: Studia Niemcoznawcze, 31, 2005, S. 509–513.

Kreutzer, Helmut: Ein Abendspaziergang mit Golo Mann, in: Heisserer, Thomas Mann in München III, S. 289–292.

Kuch, Heinrich: Elemente des antiken Romans in den „Bekenntnissen des Hochstaplers Felix Krull", in: Grazer Beiträge, Zeitschrift für die klassische Altertumswissenschaft, Bd. 24, 2005, S. 275–295.

Kuhnau, Petra: Auch eine Geschichte der Brüder Buddenbrook: zur Dialogizität von Hysterie und Neurasthenie in Thomas Manns Roman, in: Scientia poetica, Jahrbuch für Geschichte der Literatur und der Wissenschaften, Bd. 9, 2005, S. 136–174.

Lehnert, Herbert: Thomas Manns Modernität, in: Thomas Mann Jahrbuch 2005, S. 265–275.

Lehnert, Herbert: Zur Biographie Thomas Manns: der Adorno-Komplex: a review article, in: Orbis Litterarum, 60, 2005, S. 219–238.

Leśniak, Sławomir: Von der Kunst der Definition und ihrer kulturproduktiven Bedeutung in den Essays Thomas Manns, in: Studia Niemcoznawcze, 28, 2004, S. 675–684.

Leśniak, Sławomir: „Das zitathafte Leben": Bedeutungen und Formen des Zitats in den Essays Thomas Manns, in: Germanisch-Romanische Monatsschrift, Jg. 54, H. 3, 2004, S. 301–317.

Lühe, Irmela von der: „Die Amme hatte die Schuld": der „kleine Herr Friedemann" und das erzählerische Frühwerk Thomas Manns, in: Sprecher, Liebe und Tod, S. 33–48.

Hüsmert, Ernst (Hrsg.): Dokument 2: ein bisher unbekannter Brief von Thomas Mann, in: Schmitt, Carl und Hüsmert, Ernst (Hrsg.): Die Militärzeit 1915 bis 1919: Tagebuch Februar bis Dezember 1915: Aufsätze und Materialien, Berlin: Akademie-Verlag 2005, S. 193–194 und 538–539.

Mareis, Peter und Rühle, Christian: Wer war Thomas Mann?: Materialien zu Leben und Werk für einen handlungs- und produktionsorientierten Deutschunterricht in der Sekundarstufe, Donauwörth: Auer 2005, 66 S.

Marquardt, Franka: Difference and Demeanor: Literary Anti-Semitism in Thomas Mann's „Joseph" Novels, in: The Germanic review, Jg. 80, H. 3, 2005, S. 228–253.

Marquardt, Franka: Der Manager als Sündenbock: zur Funktion des jüdischen Impresario Saul Fitelberg in Thomas Manns „Doktor Faustus", in: Zeitschrift für Germanistik, Neue Folge, Jg. 14, H. 3, 2004, S. 564–580.

Martin, Nicholas: Thomas Manns Nietzsche im Lichte der eigenen Erfahrung: Einkehr, Abrechnung, Selbstkritik, in: Delabar, Thomas Mann, S. 239–254.

Mischke, Christian: Die im Kleiderschrank: Gedanken zu einer Novelle von Thomas Mann, in: Sprecher, Liebe und Tod, S. 263–270.

Mischke, Christian: Thomas Mann in Bamberg, Berlin: Schmidt 2005, 9 S.

Mischke, Christian: Thomas Mann: Werk – Leben – Zeit: vierzig Zeichnungen, München: Christian Mischke 2005, 140 S.

Nabokov, Vladimir: Thomas Manns „Eisenbahnunglück", in: Nabokov, Vladimir: Eigensinnige Ansichten, Reinbek bei Hamburg: Rowohlt 2004, S. 444–449.

Naumann, Uwe (Hrsg.): Die Kinder der Manns: ein Familienalbum, Reinbek bei Hamburg: Rowohlt 2005, 339 S.

Neumann, Gerhard und Kammel, Lothar: Thomas Manns „Zauberberg": eine Kulturtheorie der Liebe, in: Schnitzler, Intermedialität, S. 11–35.

Neuckert, Michael: Der Reiz des Verwechselbaren: von der Attraktivität des Hochstaplers im späten 19. Jahrhundert, in: Thomas Mann Jahrbuch 2005, S. 71–90.

Nitsche, Peter: Instrumentation und Kontrapunkt als autopoetologische Metaphern in Thomas Manns „Doktor Faustus", in: Schnitzler, Intermedialität, S. 73–93.

Nutt-Kofoth, Rüdiger: Charlotte Kestners Tradierungsstrategie: zur Funktion von Erinnerung und Gedächtnis in Thomas Manns „Lotte in Weimar", in: Plachta, Literatur als Erinnerung, S. 245–268.

Obst, Ulrich: Zum Gebrauch fremder und eigener Lexik in den drei serbokroatischen Übersetzungen von Thomas Manns Roman „Die Buddenbrooks", in: Hodel, Robert (Hrsg.): Zentrum und Peripherie in den slavischen und baltischen Sprachen und Literaturen, Bern: Lang 2004, S. 227–264.

Oehm, Heidemarie: Hochstapelei und Kunst in Thomas Manns Roman „Felix Krull", in: Eggert, Hartmut (Hrsg.): Lügen und ihre Widersacher: literarische Ästhetik der Lüge seit dem 18. Jahrhundert, Würzburg: Königshausen & Neumann 2004, S. 43–54.

Oguro, Yasumasa: Thomas Mann in Japan: Rezeption und neuere Forschung (Text in Deutsch und Japanisch), in: Neue Beiträge zur Germanistik, Bd. 3, H. 4, 2004, S. 143–277.

Papst, Manfred: „Tonio Kröger": Karriere einer Musternovelle, in: Sprecher, Liebe und Tod, S. 49–66.

Papst, Manfred: Zwei Europäer in schwieriger Zeit: Thomas Mann und sein Zürcher Verleger Emil Oprecht (1895–1952), in: Blätter der Thomas-Mann-Gesellschaft Zürich, Nr. 30, 2002–2003, S. 35–51.

Parry, Christoph: Von der Un-Kultur der Neuen Welt: ein Stereotyp, seine Struktur und sein Vorkommen bei Thomas Mann und Theodor W. Adorno, in: Pabisch, Peter (Hrsg.): Patentlösung oder Zankapfel?: „German Studies" für den internationalen Bereich als Alternative zur Germanistik – Beispiele aus Amerika, Bern: Lang 2005 (= Jahrbuch für internationale Germanistik, Reihe A, Kongressberichte, Bd. 72), S. 91–109.

Pérez, Ana: Magnetizadores y Magos: E.T.A. Hoffmann y Thomas Mann, in: Estudios filológicos alemanes, 6, 2004, S. 213–223.

Peuckert, Sylvia: Abraham Shalom Yahuda, Karl Wolfskehl, Thomas Mann und das Ägyptenbild der Zwischenkriegszeit, in: Thomas Mann Jahrbuch 2005, S. 197–241.

Pils, Holger: Die Begegnung der Hochstapler oder: von der Vertracktheit der Aggression: Robert Neumanns „Olympia" als Parodie auf Thomas Manns „Bekenntnisse des Hochstaplers Felix Krull", in: Germanica, 35, 2004, S. 91–104.

Plachta, Bodo (Hrsg.): Literatur als Erinnerung: Winfried Woesler zum 65. Geburtstag, Tübingen: Max Niemeyer 2004, 404 S.

Pross, Caroline: „Dekadenz des Ganzen": zur Poetik des Enzyklopädischen in Thomas Manns „Der Zauberberg", in: Wiethölter, Waltraud (Hrsg.): Vom Weltbuch bis zum World Wide Web – enzyklopädische Literaturen, Heidelberg: Winter 2005 (= Neues Forum für allgemeine und vergleichende Literaturwissenschaft, Bd. 21), S. 215–240.

Pütz, Peter: Die Wiederkehr wechselseitiger Durchdringung: Thomas Manns Joseph-Tetralogie, in: Pütz, Peter: Wiederholung als ästhetisches Prinzip, Bielefeld: Aisthesis 2004 (= Aisthesis-Essay, Bd. 17), S. 81–110.

Pytlik, Priska: Thomas Mann: Fragwürdigstes im „Kleiderschrank" und im „Zauberberg", in: Pytlik, Priska: Okkultismus und Moderne: ein kulturhistorisches Phänomen und seine Bedeutung für die Literatur um 1900, Paderborn: Schöningh 2005, S. 115–140.

Rácz, Gabriella: Die Folgen einer „Distanzliebe": Arnold Zweig, der Thomas Mann-Imitator, in: Studia Germanica Universitatis Vesprimiensis, Jg. 8, H. 2, 2004, S. 163–187.

Raith, Markus: Thomas Manns „Bekenntnisse des Hochstaplers Felix Krull" (Fragm. 1922), in: Raith, Markus: Erzähltes Theater: szenische Illusionen im europäischen Roman des 19. und frühen 20. Jahrhunderts, Tübingen: Niemeyer 2004, S. 122–141.

Reed, Terence James: Die Macht zu verführen: „Mario und der Zauberer" und Verwandtes, in: Sprecher, Liebe und Tod, S. 187–208.

Reed, Terence James: Tod eines Klassikers: literarische Karrieren im „Tod in Venedig", in: Sprecher, Liebe und Tod, S. 171–185.

Reeves, Nigel: Elective affinities? From „Magic Mountain" to „Soul Mountain": an investigation of Xingjian Gao's novel in the context of works by Thomas Mann, Jean-Paul Satre and Albert Camus, in: Stuhlmann, Andreas (Ed.): Language – text – Bildung: essays in honour of Beate Dreike, Frankfurt/Main: Lang 2005, S. 219–231.

Reimer, Jürgen: Der „ausserordentliche" Mensch und das Problem der Disziplin bei Thomas Mann: Essays, Norderstedt: Books on Demand 2005, 216 S.

Reinhardt, Volker: Die Manns, in: Reinhardt, Volker (Hrsg.): Deutsche Familien: historische Portraits von Bismarck bis Weizsäcker, München: Beck 2005, S. 95–117.

Richebächer, Sabine: Regression, Konflikt und Angst in Thomas Manns Erzählung „Wälsungenblut", in: Sprecher, Liebe und Tod, S. 67–80.

Rösch, Gertrud Maria: Clavis scientiae: Studien zum Verhältnis von Faktizität und Fiktionalität am Fall der Schlüsselliteratur, Tübingen: Niemeyer 2004 (= Studien zur deutschen Literatur, Bd. 170), 299 S.

Rösch, Gertrud Maria: Montage und Entschlüsselung des Schlüssels: „Doktor Faustus" (1948), in: Rösch: Clavis scientiae, S. 235–263.

Rösch, Gertrud Maria: Die Rechte der empirischen Leser: „Buddenbrooks" (1901), in: Rösch: Clavis scientiae, S. 203–215.

Rösch, Gertrud Maria: Roman der Goetheforschung und inszenierte Entschlüsselung: „Lotte in Weimar" (1939), in: Rösch: Clavis scientiae, S. 129–134.

Rohls, Jan: Fausts erneute Verdammnis, in: Rohls, Protestantismus und deutsche Literatur, S. 48–53.

Rohls, Jan (Hrsg.): Protestantismus und deutsche Literatur, Göttingen: V & R unipress 2004 (= Münchner theologische Forschungen, Bd. 2), 295 S.

Rohrmoser, Günter: Dekadenz und Apokalypse: Thomas Mann als Diagnostiker des deutschen Bürgertums, Bietigheim, Baden: Gesellschaft f. Kulturwiss. 2005, 243 S.

Rudloff, Holger: Ocean Steamships, Hansa, Titanic: die drei Ozeandampfer in Thomas Manns Roman „Der Zauberberg", in: Thomas Mann Jahrbuch 2005, S. 243–264.

Rütten, Thomas: Die Cholera und Thomas Manns „Der Tod in Venedig", in: Sprecher, Liebe und Tod, S. 125–170.

Ruge, Nikolaus: Gewissermassen poetischerweise...: zu einigen Aspekten der Adverbverwendung bei Thomas Mann, in: Sprachwissenschaft, Bd. 30, H. 4, 2005, S. 452–486.

Sandberg, Hans-Joachim: Thomas Mann und die norwegische Literatur: Vortrag, Bad Schwartau: Literarische Tradition in der WFB Verlagsgruppe 2005, 47 S.

Schaefer, Vikki und Domzalski, Leo (Hrsg.): Vor dem Zitronenbaum: Autobiographische Abschweifungen eines Zurückgekehrten: Berlin – Montevideo – Frankfurt am Main, Frankfurt/Main: S. Fischer 2005, 576 S.

Schäffner, Gerhard: „Die Manns – Ein Jahrhundertroman" als Fallbeispiel für den Produktverbund Buch-Fernsehen: Literatur und Medienwissenschaft, in: Kerlen, Dietrich (Hrsg.): Buchwissenschaft – Medienwissenschaft: ein Symposium, Wiesbaden: Harrassowitz 2004 (= Buchwissenschaftliche Forschungen, Bd. 4), S. 77–90.

Scherliess, Volker: „Burleske" und „Opus metaphysicum": Wagners „Tristan" bei Thomas Mann, in: Sprecher, Liebe und Tod, S. 81–96.

Schirnding, Albert von: Konflikt in München: Thomas Mann und die treu-deutschen Männer der Süddeutschen Monatshefte, in: Heisserer, Thomas Mann in München III, S. 261–288.

Schmitz, Christine: Goldschmiedekunst und -kennerschaft des Wortes, in: Mitteilungen, Nr. 2, 2005, S. 16–22.

Schnitzler, Günter (Hrsg.): Intermedialität: Studien zur Wechselwirkung zwischen den Künsten, Freiburg i.B.: Rombach 2004, 544 S.

Schöll, Julia: „Verkleidet also war ich in jedem Fall": zur Identitätskonstruk-tion in „Joseph und seine Brüder" und „Bekenntnisse des Hochstaplers Felix Krull", in: Thomas Mann Jahrbuch 2005, S. 9–29.

Schonlau, Anja: Wahnsinn und Genie: Kunst und Faschismus in Thomas Manns Roman „Doktor Faustus" (1947), in: Schonlau, Anja: Syphilis in der Literatur: über Ästhetik, Moral, Genie und Medizin (1880–2000), Würzburg: Könighausen & Neumann 2005 (= Epistemata, Reihe Litera-turwissenschaft, Bd. 504), S. 449–469.

Schütz, Erhard: „Das Ende muss es lehren, – auch diesmal.": Figurationen medialer Prominenz in Thomas Manns „Königliche Hoheit", in: Delabar, Thomas Mann, S. 51–66.

Schwan, Werner: Hermetische Heiterkeit in Thomas Manns Josephroman, in: Hildebrand, Olaf (Hrsg.): „... auf klassischem Boden begeistert": Antike-Rezeptionen in der deutschen Literatur, Freiburg i.B.: Rombach 2004 (= Rombach Wissenschaften, Reihe Paradeigmata, Bd. 1), S. 433–448.

Schwarzbauer, Michaela: Die Schmerzen der kleinen Seejungfrau: märchen-hafte Reflexionen zu einem Künstlerporträt, in: Studia Niemcoznawcze, 28, 2004, S. 169–190.

Schwarzbauer, Michaela: Thomas Manns „Doktor Faustus" und Hans Pfitz-ners „Palestrina" – zwei Künstlerporträts: Versuch eines Vergleichs, in: Studia Niemcoznawcze, 28, 2004, S. 157–167.

Schwerin-High, Friederike von: „...aber sonst ist es wirklich eine verwandte Geschichte": Gegenüberstellung von Gegenwart, Geschichte und Gefühl in „Unordnung und frühes Leid", in: Delabar, Thomas Mann, S. 67–87.

Schwöbel, Christoph: „Buddenbrooks": die protestantische Ethik und der Geist des Bürgertums, in: Rohls, Protestantismus und deutsche Literatur, S. 253–270.

Sdzuj, Reimund B.: Der Mittels-Mann der „Betrachtungen eines Unpoliti-schen" und des „Zauberbergs": artistischer Neutralismus in der Zeit des Bekenntnisses, in: Scientia poetica, Jahrbuch für Geschichte der Literatur und der Wissenschaften, Bd. 9, 2005, S. 175–194.

Seger, Cordula: Intermezzo: Grand Hotel bei Thomas Mann, in: Seger, Cor-dula: Grand Hotel: Schauplatz der Literatur, Köln: Böhlau 2005 (= Litera-tur – Kultur – Geschlecht, Bd. 32), S. 181–256.

Smadja, Robert: Mann et Galsworthy, in: Smadja, Robert: Famille et littérature: Thomas Mann et Galsworthy, Faulkner et Zola, O'Neill et Ionesco, Musil et Tournier, Paris: Champion 2005 (= Bibliothèque de littérature générale et comparée, Bd. 62), S. 61–143.

Smikalla, Karl: Kurt Martens – der tot geglaubte Freund aus Dresden, in: Smikalla, Thomas Mann und die Engel von Dresden, S. 87–139.

Smikalla, Karl und Heisserer, Dirk: Thomas Mann und die Engel von Dresden: eine Dokumentation und Spurensuche, Berg am Starnberger See: Genz 2005, 176 S.

Smikalla, Karl: Triumph der Engel, in: Smikalla, Thomas Mann und die Engel von Dresden, S. 7–36.

Solte-Gresser, Christiane (Hrsg.): Eros und Literatur: Liebe in Texten von der Antike bis zum Cyberspace: Festschrift für Gert Sautermeister, Bremen: Lumière 2005, 366 S.

Sprecher, Thomas: „Ein junger Autor hat es begonnen, ein alter setzt es fort": Felix Krull im Gesamtwerk Thomas Manns, in: Thomas Mann Jahrbuch 2005, S. 159–176.

Sprecher, Thomas (Hrsg.): Liebe und Tod – in Venedig und anderswo: die Davoser Literaturtage 2004, Frankfurt/Main: Klostermann 2005 (= Thomas-Mann-Studien, Bd. XXXIII), 296 S.

Sprecher, Thomas: Richard Schweizer zum 70. Geburtstag Katia Manns, in: Blätter der Thomas-Mann-Gesellschaft Zürich, Nr. 30, 2002–2003, S. 35–51.

Sprecher, Thomas: Thomas Mann als Patient, in: Stulz, Literatur und Medizin, S. 103–116.

Sprengel, Peter: Thomas Mann, in: Sprengel, Peter: Geschichte der deutschsprachigen Literatur 1900–1918: von der Jahrhundertwende bis zum Ende des Ersten Weltkriegs (= Geschichte der deutschen Literatur von den Anfängen bis zur Gegenwart, Bd. 9.2), S. 343–357.

Stulz, Peter: Literatur und Medizin: Medizin im interdisziplinären Dialog, Zürich: Chronos 2005, 247 S.

Strowick, Elisabeth: Moderne Selbstdisziplinierung: Hermeneutik des Verdachts (Foucault, Nietzsche, Thomas Mann), in: Krüger-Fürhoff, Irmela Marei (Hrsg.): Askese: Geschlecht und Geschichte der Selbstdisziplinierung, Bielefeld: Aisthesis 2005, S. 207–227.

Tebben, Karin: „Du entkleidest mich, kühner Knecht?": Felix Krull und die Frauen, in: Thomas Mann Jahrbuch 2005, S. 51–70.

Thielking, Sigrid: Ein Familienleben wird besichtigt: mediendidaktische Überlegungen zu Heinrich Breloers Doku-Epos „Die Manns – Ein Jahrhundertroman", in: Kepser, Matthis (Hrsg.): Medienkritik im Deutschunterricht, Baltmannsweiler: Schneider Hohengehren 2004 (= Diskussions-forum Deutsch, Bd. 14), S. 102–114.

Thomas Mann 06.06.1875–12.8.1955: Original-Aufnahmen aus den Beständen des DRA Wiesbaden und Babelsberg sowie ausgewählte Fernsehaufnahmen aus den Beständen des DRA Babelsberg, Deutsches Rundfunkarchiv, Wiesbaden: DRA 2005 (= Sonder-Hinweisdienst), 23 S.

Thomas Mann Jahrbuch 2005, hrsg. von Thomas Sprecher und Ruprecht Wimmer, in Verbindung mit der Deutschen Thomas-Mann-Gesellschaft Sitz Lübeck e.V., Frankfurt/Main: Klostermann 2005 (= Thomas Mann Jahrbuch, Bd. 18), 327 S.

Vaget, Hans Rudolf: Philosophisch alarmierende Musik: noch einmal: Thomas Mann und Adorno, in: Musik & Ästhetik, 8. Jg., H. 32, 2004, S. 9–42.

Vaget, Hans Rudolf: Thomas Mann, Schiller, and the politics of literary self-fashioning, in: Monatshefte, Vol. 97, No. 3, 2005, S. 494–510.

Vaget, Hans Rudolf: Vom „höheren Abschreiben": Thomas Mann, der Erzähler, in: Sprecher, Liebe und Tod, S. 15–31.

Vejmelka, Marcel: Kreuzwege: Querungen: João Guimarães Rosas „Grande sertão: veredas" und Thomas Manns „Doktor Faustus" im interkulturellen Vergleich, Berlin: Edition Tranvía 2005 (= Tranvía sur, Bd. 15), 484 S.

Wahl, Volker: Kabinettausstellung im Thüringischen Hauptstaatsarchiv Weimar „Thomas Mann im Schillerjahr 1955 in Weimar", in: Archive in Thüringen, 1, 2005, S. 22–23.

Wassermann, Jakob: Il mio cammino di tedesco e di ebreo: in appendice: Thomas Mann e Jakob Wassermann, Rom: Edizione di storia e letteratura 2005 (= Letture di pensioro e d'arte, Bd. 92), 111 S.

Weissenberger, Klaus: Friedrich der Grosse und der Bruderzwist im Hause Mann, in: Wehninger, Brunhilde (Hrsg.): Geist und Macht: Friedrich der Grosse im Kontext der europäischen Kulturgeschichte, Berlin: Akademie Verlag 2005, S. 143–156.

Weninger, Robert: Die „Ofenhocker des Unglücks": Thomas Mann und der Streit um innere und äussere Emigration, in: Weninger, Robert: Streitbare Literaten: Kontroversen und Eklats in der deutschen Literatur von Adorno bis Walser, München: Beck 2004 (Beck'sche Reihe, Bd. 1613), S. 14–31.

Wich, Joachim: Thomas Manns „Der Tod in Venedig" als Novelle, in: Schwarz, Hans-Günther (Hrsg.): Fenster zur Welt: Deutsch als Fremdsprachenphilologie, München: Iudicium 2004 (= Schriftenreihe des Instituts für Deutsch als Fremdsprachenphilologie, Bd. 1), S. 340–356.

Wimmer, Ruprecht: Eröffnung der Davoser Literaturtage 2004: Liebe und Tod – in Venedig und anderswo, in: Sprecher, Liebe und Tod, S. 9–13.

Wimmer, Ruprecht: Krull I – Doktor Faustus – Krull II: drei Masken des Autobiographischen, in: Thomas Mann Jahrbuch 2005, S. 31–50.

Wimmer, Ruprecht: Die „perspektivenschöne Hauptstadt": München im „Doktor Faustus", in: Heisserer, Thomas Mann in München III, S. 39–58.

Windisch-Laube, Walter: Die Erwählten, R. Wagner und Hermes, der Windgott: Sprachmusikalische Gestaltung des Äolsharfensymbols in Werken von Thomas Mann, in: Windisch-Laube, Walter: Einer luftgebornen Muse geheimnisvolles Saitenspiel: zum Sinn-Bild der Äolsharfe in Texten und Tönen seit dem 18. Jahrhundert: Werk-Interpretation, Chopin bis Garbarek, Bd. 2.2, Mainz: Are Edition 2004 (= Musik im Kanon der Künste, Bd. 3), S. 733–803.

Wißkirchen, Hans: Tonio Kröger fez cem anos ou: Sete razões pelas quais ainda hoje continuamos a ler a novela de Thomas Mann, in: Delgado Mingocho, Heinrich e Thomas Mann, S. 45–104.

Wißkirchen, Hans (Red.): Das zweite Leben – Thomas Mann 1955–2005: das Magazin zur Ausstellung vom 21. Mai bis zum 31. Oktober 2005 in der Lübecker Museumskirche St. Katharinen, Lübeck: Schöning 2005, 63 S.

Žagar, Petra: Märchen und Geschichte in Thomas Manns Roman „Königliche Hoheit", in: Zagreber germanistische Beiträge, Beiheft 8, S. 123–132.

Zander, Peter: Thomas Mann im Kino, Berlin: Bertz+Fischer 2005, 304 S.

Mitteilungen der Deutschen Thomas-Mann-Gesellschaft, Sitz Lübeck e.V.

Das Herbstkolloquium 2006 (7. bis 10. September) zum Thema *Abschied und Avantgarde* fand wiederum in Lübeck statt. – Thomas Mann sah sich gerne als Vollender und sein Werk als abschließenden Höhepunkt einer Epoche. Andererseits quälte ihn der Gedanke, von einer literarischen Avantgarde *ad acta* gelegt zu werden. Die Tagung widmete sich den Spannungen und Widersprüchlichkeiten in Thomas Manns Werk, die aus dieser gespaltenen Haltung resultieren.

Der Vorabend des offiziellen Tagungsbeginns mit der Begrüßung durch den Präsidenten und dem Grußwort der Kultursenatorin startete mit einer Lesung und dem Gespräch mit Jochen Schimmang *„Auf Wiedersehen, Dr. Winter"* und einem anschließenden Gespräch des Autors mit Vizepräsident Prof. Dr. Manfred Dierks. Den Auftakt am Freitag übernahm Prof. Herbert Lehnert mit *Thomas Mann. Schriftsteller für und gegen deutsche Bildungsbürger.* Danach sprach Dr. Anja Schontau zu *Altersliebe im Alterswerk.* Das Lektüreseminar des Kreises der jungen Thomas-Mann-Forscher zu *Tradition und Avantgarde oder die Montage der Postmoderne – Das Teufelsgespräch im „Dr. Faustus"* unter der Leitung von Tobias Kurwinkel und Tim Lörke rundete das Vormittagsprogramm ab. Den Nachmittag gestalteten Prof. Dr. Stefan Müller-Doohm mit einem Vortrag über *Der Intellektuelle als Avantgarde? Zur Praxis öffentlicher Kritik bei Thomas Mann und Theodor W. Adorno* und Prof. Dr. Ulrich Karthaus zu *„Der geschichtliche Takt" – Thomas Mann. Ein moderner Klassiker.* Ergänzt wurde das Freitagsprogramm durch die Mitgliederversammlung und ein geselliges Beisammensein. Den Samstag eröffnete Dr. Dr. Thomas Sprecher mit *„Altes und Neues".* Prof. Dr. Gert Sautermeister sprach zu *Die Gestalt der Tony Buddenbrook. Versuch eines Perspektivwechsels.* Der Nachmittag startete mit dem Workshop der Jungen Thomas-Mann-Forscher mit Dr. Silke Grothues: *Faustfiguren und Erwählte im Werk Thomas Manns* und Dr. Markus Gasser: *Die Feindschaft aus Nähe. Was aus Nabokovs Jahrhundertverachtung für Thomas Mann gewonnen werden kann.* Prof. Dr. Manfred Dierks beschloss den Nachmittag mit *Ambivalenz. Die Modernisierung der Moderne bei Thomas Mann.* Anschließend bot sich die Gelegenheit zur Führung durch die Ausstellung *Die Kinder der Manns.* Die Abendveranstaltung im Museum Behnhaus gestalteten Dr. Brigitte Heise und Jan Bovensiepen mit dem Vortrag bzw. der Lesung *Gustav Seitz und Thomas*

Mann – Ein Bildhauer und sein schwieriges Modell. Den Sonntag bestritten Prof. Dr. Hans-Rudolf Vaget mit *Thomas Mann im Jahre 1938* und Prof. Dr. Ruprecht Wimmer mit *„Neu doch auch wieder".* *Thomas Manns späte Versuche der Selbstüberbietung.* Die Tagung endete mit dem Besuch von Richard Wagners *Lohengrin* im Theater Lübeck.

Aus technischen Gründen ist der Bericht der Zürcher Thomas Mann Gesellschaft 2005 nicht erschienen; er wird in dieser Nummer nachgeholt.

Mitteilungen der Thomas Mann Gesellschaft Zürich 2005

Die jährliche Mitgliederversammlung der Thomas Mann Gesellschaft Zürich fand in diesem Jahr am 4. Juni in der Helferei des Grossmünsters Zürich statt; die Leitung lag bei Manfred Papst. In ihrem geschäftlichen Teil wurden alle Vorstandsmitglieder in ihrem Amt bestätigt, Jahresbericht und Jahresrechnung wurden ohne Gegenstimmen genehmigt. Die anschliessende, wiederum ausserordentlich gut besuchte Tagung stand unter dem Titel *Thomas Mann – nach fünfzig Jahren*. Sie umfasste drei Vorträge: Professor Mathias Mayer, Augsburg, sprach über Ethik und Ironie der Menschlichkeit bei Thomas Mann, Professor Heinrich Detering, Kiel und Göttingen, über *Königliche Hoheit* als Roman der Stigmatisierung, und Professor Werner Weber, Zürich, der Nestor der Zürcher Literaturkritik, teilte unter dem Zitat-Titel „Bewunderung ist eine Mitgift der Güte" so erhellende wie bewegende persönliche Erinnerungen an Thomas Mann mit. Im Jahr 2006 können sowohl das Thomas-Mann-Archiv der ETH Zürich als auch die Thomas Mann Gesellschaft Zürich ihr fünfzigjähriges Bestehen feiern. Aus diesem Anlass ist eine grössere Tagung geplant. Als Datum wurde der 8. bis 10. Juni 2006 festgesetzt.

Mitteilungen der Thomas Mann Gesellschaft Zürich 2006

1956, im Jahr nach Thomas Manns Tod, wurden sowohl das Thomas-Mann-Archiv der ETH Zürich als auch die Thomas Mann Gesellschaft Zürich gegründet. Dass die beiden einander verwandten und freundschaftlich verbundenen Institutionen sich nunmehr ein halbes Jahrhundert behauptet haben, bot den Anlass für den dreitägigen Kongress *Thomas Mann in der Weltliteratur*, der vom 8. bis 10. Juni 2006 im Grossen Vortragssaal des Kunsthauses Zürich stattfand und insgesamt rund 500 Besucher verzeichnen konnte.

Während an den Jahresversammlungen der Thomas Mann Gesellschaft Zürich gewöhnlich Spezialisten sprechen, wurde dieses Jahr der Kreis geöffnet: Für einmal sollten nicht Fachreferenten, sondern Literaten und Intellektuelle, die man sonst nicht unbedingt mit Thomas Mann in Verbindung bringt, das Wort haben. Der Bogen war weit gespannt: Während die deutsche Kulturwissenschafterin Nike Wagner über das komplexe Verhältnis von Thomas Mann zu Richard Wagner sprach, verglich der israelische Romancier Aharon Appelfeld die poetische Sprache der Bibel mit jener Thomas Manns. Alois M. Haas, Emeritus für ältere deutsche Literaturgeschichte an der Universität Zürich, stellte Thomas Manns Denken in einen weltweiten Kontext philosophischen Denkens von der griechischen Antike bis zu Nietzsche. Die isländische Erzählerin Steinunn Sigurdardóttir entdeckte erstaunliche Bezugspunkte zwischen ihrem Landsmann Halldór Laxness und Thomas Mann, während der Zürcher Schriftsteller Hugo Loetscher sich als Kenner der lateinamerikanischen Kultur besonders mit der Thomas-Mann-Rezeption in der spanisch- und portugiesischsprachigen Welt befasste. Die deutsche Autorin Judith Kuckart überraschte und überzeugte mit einer Montage aus eigenen, in Los Angeles entstandenen Texten mit Briefen und Tagebucheintragungen Thomas Manns aus seinen kalifornischen Jahren. Der Wiener Publizist Franz Schuh brillierte mit Ausführungen zu Essayistik des „Grossschriftstellers" Thomas Mann, die er in einen europäischen Zusammenhang zwischen Freud und Canetti stellte. Martin Meyer schliesslich, der Feuilletonchef der NZZ, sprach unter dem Titel „Erotik des Abschieds" über Thomas Mann und die Abendröte der Weltliteratur. Besonderer Dank gebührt Hans Wißkirchen, dem Leiter des Heinrich-und-Thomas-Mann-Zentrums in Lübeck, der mit einem substanziellen Referat zur Wirkungsgeschichte Thomas Manns einsprang, nachdem Peter Sloterdijk seinen Eröffnungsvortrag äusserst kurzfristig abgesagt hatte.

Geleitet wurde die Tagung von Thomas Sprecher, dem Leiter des Thomas-Mann-Archivs der ETH Zürich, von Manfred Papst, dem Präsidenten der

Thomas Mann Gesellschaft Zürich, und von Martin Meyer; diesen dreien oblag es auch, die Podiumsdiskussionen mit den Referenten zu moderieren und die Geschichte der ihr Jubiläum feiernden Institutionen nachzuzeichnen. Zusätzlich bereichert wurde die Tagung durch sehr persönlich gehaltene Ansprachen von Thomas Manns Lieblingsenkel Frido Mann, von Andreas von Stechow, dem Deutschen Botschafter in der Schweiz, sowie von Konrad Osterwalder, dem Rektor der ETH Zürich. Die Organisation des gesamten Anlasses lag in den Händen von Niklaus Haller.

Zum Rahmenprogramm des Kongresses gehörten die feierliche Eröffnung der Ausstellung „Thomas Manns *Felix Krull* – der Künstler als Hochstapler" im Stadthaus und im Museum Strauhof Zürich, bei welcher der Schweizer Schriftsteller Martin R. Dean den Hauptvortrag hielt, und ein Filmabend auf dem Grossmünsterplatz, an dem der 1923 entstandene *Buddenbrooks*-Stummfilm von Gerhard Lamprecht mit Live-Musik von Gunthard Stephan (Violine) und Tobias Rank (Klavier) gezeigt wurde. Beschlossen wurde der Kongress mit einer Schifffahrt auf dem Zürichsee, die auch an Thomas Manns Wirkungsstätten Küsnacht, Erlenbach und Kilchberg vorbei führte.

Zur Jubiläumstagung ist als Band 35 der Thomas-Mann-Studien im Verlag von Vittorio Klostermann in Frankfurt die umfassende, von Thomas Sprecher herausgegebene Publikation *Im Geiste der Genauigkeit – Das Thomas-Mann-Archiv der ETH Zürich 1956–2006* erschienen, und die 31. Folge der *Blätter der Thomas Mann Gesellschaft Zürich* (Dezember 2006) befasst sich detailliert mit der 50-jährigen Geschichte der Gesellschaft.